성서 배경의 역사

김동일 지음

BOOKK

추천사

성서 배경의 역사는 성서를 깊이 있게 이해하는 데 필수적인 학문으로 성서 본문에 담긴 역사적, 문화적, 문학적 배경 지식을 탐구하여 성서의 의미를 더욱 명확하게 드러내는 학문입니다. **고대 근동 문명인** 메소포타미아, 이집트, 가나안 등의 역사, 문화, 종교 등을 연구하여 성서에 등장하는 사건과 인물을 이해하는 데 도움을 주며, 이스라엘 민족의 기원, 출애굽, 가나안 정복, 왕국 시대, 멸망 등 이스라엘 민족이 겪은 역사적 사건을 연구하여 성서의 배경을 이해하는 데 도움을 줍니다. 또한 **성서 시대의 사회** 구조, 경제 활동, 법률 제도, 종교 생활 등을 연구하여 성서에 등장하는 인물과 제도를 이해하는 데 도움을 주며, **성서 시대의 주요 사상**, 예언자 운동, 지혜 문학 등을 연구하여 성서의 메시지를 이해하는 데 도움을 줍니다. 또한 성서의 문학적 특성, 장르, 문학적 기법 등을 연구하여 성서의 메시지를 효과적으로 전달하는 방식을 이해하는 데 도움을 주는 학문입니다. 성서 배경의 역사는 단순히 우리에게 사실적 정보를 제공하는 것이 아니라, 성서를 보다 깊이 있게 이해하고 성서의 메시지를 현대 사회에 적용하고, 성서가 전하는 영적인 가르침을 깊이 있게 경험할 수 있게 됩니다.

김동일 교수님의 '성서 배경의 역사'는 성서를 이해하는 데 필수적인 역사적, 문화적 배경 지식을 제공하는 책입니다. 저자 김동일 교수님은 성서학, 고고학, 역사학 등 다양한 분야의 전문 지식을 바탕으로 성서에 등장하는 주요 인물, 사건, 제도, 사상 등을 생생하게 풀어내고 있습니다. 저자는 고대 근동 문명인 메소포타미아, 이집트, 가나안 등 고대 근동 문명의 역사, 문화, 종교 등을 집중적으로 다루고 있습니다. 서론에서 성서배경사 연구의 필요성과 고대 근동의 개념과 그에 대한 몇 가지를 문제를 시작으로 성서와 이스라엘의 역사, 주변국들의 역사, 이집트의 역사, 메소포타미아의 역사, 고대 근동의 왕권과 고대 근동의 종교, 고대 근동의 지혜 전승과 고대 근동의 자연환경 그리고 고대 근동 주민 생활에 대해 본 저서의 80% 정도를 할애하면서 다루고 있습니다. 독자들은 고대 근동에 대해 이처럼 방대하고 심층적으로 연구한 저자의 땀과 노력을 한 장 한 장 읽으면서 만날 수 있을 것입니다. 고대 근동을 다룬 후에는 헬레니즘의 세계와 예수 시대의 팔레스타인을 각각 다루고 있는데 이를 통해 헬레니즘과 유대교, 헬레니즘과 기독교의 관계 그리고 예수 당시의 팔레스타인의 정치, 사회, 문화, 경제 그리고 종교적 배경과 유대교 당파 및 묵시 문학적 배경과 로마적 배경을 통해 기독교의 자리를 더욱 확실하게 알 수 있을 것입니다.

김동일 교수님은 교회를 개척하여 오랫동안 한 교회에서 목회를 하고 있는 신실한 목회자이며 우리 영남사이버대학교에서 다년간 학생들에게 성서배경사를 비롯한 여러 과목을 가르치고 계시는 영성과 지성이 겸비된 훌륭한 목회자요 신학자이십니다. 개인적으로는 오랫동안 친형제보다 더 가깝게 지내면서 도움이 필요할 때마다 찾아 뵙고 지혜를 구하는 형님이십니다. 그 동안 각고의 노력 끝에 새롭게 출간하는 '성서 배경의 역사'를 추천할 수 있는 영광을 부족한 저에게 주신 형님 김동일 교수님께 깊은 감사를 드리며 성경을 더 깊이, 더 자세히, 더 정확하게 이해하기 원하는 모든 분들에게 기쁜 마음으로 이 책을 추천합니다.

영남사이버대학교
신학과 학과장 윤기봉 교수

<목 차>

서 론

성서배경사는 성서와 직접적으로 관련된 이스라엘의 역사와 주변 국가들에 관한 배경을 이해하는 과목이다. 구약은 가나안 땅 주변의 여러 지역 즉, 고대 근동과 관계된다. 신약은 헬라 시대와 로마 시대의 역사와 관계된다. 그러기에 성서를 이해함에 있어 당시 역사적 배경과 지리를 반드시 알고 있어야 한다.

목회자로서, 신학을 공부하는 신학도로서 성경을 아무리 읽고 연구해도 잘 이해가 되지를 않았다. 그런데 이스라엘 성지순례를 다녀온 뒤로, 성서 지리에 대한 눈이 열리기 시작했다. 성경을 대할 때 지리를 함께 생각하게 되었다. 성서 지리에 대한 본격적인 공부를 시작했다. 성경의 역사적 배경과 지리를 학습함으로 성서를 더욱 잘 이해할 수 있게 되었다.

이런 가운데 영남사이버대학교 신학과에서 성서배경사를 가르치게 되었다. 학생들에게 성서 배경에 대한 전문적인 지식을 가르치게 됨에 강의안을 준비하면서 많은 연구를 하게 되었다. 그리고 성서 배경에 대한 이해를 한층 더 깊이 있게 하게 되었다. 본서는 영남사이버대학교 신학과 학생들을 가르치고자 강의안으로 만들었던 것을 책으로 낸 것이다. 한 학기 동안 분량이기에 성서 배경역사에 대한 개론적인 것만 다루고자 하였다. 또한 본 강의안을 준비하면서 다른 저자들의 책들의 상당 부분을 그대로 인용한 부분들도 있다는 것을 밝힌다.

본서는 먼저 성서에 나타난 구속사적 역사를 살펴봄에 있어 성서에 나타난 당시 지리에 대한 연구를 함께 하였다. 그리고 이스라엘 구속사에 나타난 당시 고대 근동의 주변 국가들과 헬라 제국과 로마 제국의 역사를 다루었다. 그리고 고대 근동의 종교와 역사, 문화와 사회에 관계된 사항을 다루었다. 마지막으로는 예수 그리스도 당시 헬라와 로마와 연관된 배경을 다루었다.

A. 성서배경사 연구의 필요성

성서의 역사는 고대 가나안 땅을 중심으로 일어난 이스라엘의 구속적 역사를 말한다. 이스라엘의 여호와는 아브라함을 선택하고, 이삭, 야곱의 족장 시대를 거쳐 다윗의 왕국을 이룬다. 다윗의 후손 메시아, 예수 그리스도를 통한 역사로 이어지는 것이 성서의 역사이다. 예수 그리스도를 통해 타락한 인류를 구속하기 위한 역사가 창세기부터 신약에 이른다. 이런 성서의 구속사 적 역사의 과정에 이스라엘 역사뿐 아니라, 주변의 국가들의 역사, 문화와 연관되어 있다. 그러기에 성서배경사를 연구함에 있어 구약과 신약뿐 아니라, 이스라엘 역사와 고대 근동의 역사와 문화의 연구가 필요하다.

그러기에 구약의 연구에 있어 고대 근동의 배경은 매우 중요하다. 성경에 등장하는 아브라함, 모세, 여호수아, 사무엘, 사울, 다윗, 솔로몬, 아합, 에스라 등이 실존했던 인물인 것처럼, 아모리, 아람, 모압, 이집트, 히타이트, 메소포타미아, 아시리아, 바빌론, 페르시아도 고대 이스라엘과 함께 이스라엘 역사에 실존했던 민족들이다. 신약의 역사는 신구약 중간시대와 헬라 시대, 하스몬 왕조, 헤롯 왕조와 로마 시대의 역사와 관계된다.

히브리 성서는 어떠한 인간적, 역사적 매개도 없이 곧바로 하늘에서 떨어진 신탁의 말씀이 아니다. 고대 근동 세계라는 역사적 배경에서 생겨난 것이기에 그 배경을 무시할 수 없다. 히브리 성서는 실제로 인간 구속을 위한 신적 계시이지만, 이 계시는 고대 근동의 역사와 문화라는 환경을 통해 나타났다. 그러나 고대 근동 세계의 역사와 환경이 히브리 사상과 교훈의 근본적인 출처는 결코 아니다. 구약성서의 특출하고도 그 독창적인 사상과 구속의 가르침은 이스라엘의 특수한 '신-경험'의 산물이었다. 그러기에 성경을 연구함은 신의 경험인, 하나님의 임재의 경험을 통한 영적인 측면을 고려해야 한다. 성서가 하나님의 특별계시라면, 자연과 역사, 세상의 것들은 하나님의 일반 계시이다. 그러므로 성서 배경을 좀 더 잘 이해하기 위해서는 고대 근동의 역사를 살펴볼 뿐 아니라, 영적 측면을 함께 고려할 때 성서 배경을 좀 더 잘 이해할 수 있을 것이다.

B. 고대 근동(古代近東, Ancient Near East)의 개념

청동기 시대(기원전 3300~기원전 1300/1200년)로부터 철기 시대(기원전 1300/1200~기원전 300년) 초기까지 약 3천 년간 이상의 기간 동안의 메소포타미아 문명과 고대 이집트 문명의 지역들을 포괄하는 비옥한 초승달 지대를 중심으로 하는 현재의 중동 지역을 일컫는다(대체로 오늘날의 중동에 해당하는 지역으로 세계 문명의 고향이다). '마르크 반드 미에롭'은 이집트를 고대 근동 지역에서 제외하였다. 단, 이집트 제국이 제2천 년 기 후반 아시아로 세력을 확장했을 때는 예외로 하고 있다. [1]

구체적으로는 메소포타미아(오늘날의 이라크와 북동부 시리아),

---

1) Marc Van De Mieroop, 「고대 근동 역사」 김구원 역(서울 : (사) 기독교문서선교회, 2011), pp. 25.

고대 이집트, 고대 이란(엘람 · 메디아 · 파르티아2) · 페르시
아), 아나톨리아(오늘날의 튀르키에) 그리고 레반트(오늘날의 시
리아 · 레바논 · 이스라엘 · 요르단)를 포괄하는 지역이다.

(그림 1)

고대근동

―――――――――――

2) 파르티아 - 고대 이란계 유목민의 왕국(BC 247~AD 226). 아르사
  케스(Arsaces)가 셀레우코스 왕조로부터 독립하여 건국하였다. 카
  스피해의 남동 지방을 본거지로 하여 한때 번성하기도 하였으나,
  오랜 세월의 전투로 사산 왕조에 의하여 멸망하였다.

"고대 근동(古代近東, Ancient Near East)"이라는 낱말은 19세기에 대영제국이 관심을 가졌던 지역들을 지칭함에 있어서 근동(近東, Near East)과 극동(極東, Far East)을 구분하였던 용법을 활용하여 성립된 용어이다.

"근동"은 원래 오스만 제국(주전 1299~1922년)이 최대 영토를 가졌을 때의 그 지역을 대체로 가리킨 낱말이다. 이 때문에 오스만 제국이 멸망한 후에는 국가 간의 외교에서 "근동"이라는 낱말의 사용 빈도가 확연히 감소하였으며, 대신에 "중동"이라는 낱말이 더 많이 사용되었다.

이 낱말은 처음에는 주로 성경에 나오는 땅들을 가리키는 용도로 고고학자들과 역사가들에 의해 사용되었다.

오스만 제국이 지배했던 근동은 북쪽으로는 빈까지, 남쪽으로는 아라비아 반도의 남쪽 끝까지, 서쪽으로는 이집트까지, 동쪽으로는 이라크의 국경선까지를 가리킨다.

19세기의 고고학자들과 역사가들은 여기에 이란을 추가하여 "고대 근동"이라 하였는데, 이란 지역은 오스만 제국의 지배하에 들어간 적이 전혀 없었던 지역이다.

C. 고대 근동의 개념에 대한 몇 가지 문제

1. 경계의 불확정적

1) 시대에 따라 국경이 이동하기 때문에 국가 간의 경계를 확정 짓기가 어렵다.

2) 자료들이 범위와 기간에 따라 유동적이다. 역사적으로 내려오는 자료들의 범위가 다르며, 기간도 다르기에 근동의 개념을 짓기가 어렵다.

2. 시간적 경계

이 주제를 다룬 여러 학자들은 서로 다른 연대표를 사용한다. 고대 근동의 시작점과 출발점 모두가 유동적이다. 대부분의 근동 역사는 선사시대, 제10 천년 기에 시작한다. 또는 제4 천년 기 '우룩 혁명'에서 시작한다. 고대 근동의 역사는 주전 3,000년경에서 시작한다. 고대 근동의 결말도 학자마다 다르다. 대게 마지막 메소포타미아 왕조가 멸망한 주전 539년과 마케도니아의 알렉산더에 의해 페르시아가 멸망한 주전 331년, 둘 중 하나로 좁혀진다. 헬레니즘의 도래와 함께 고대 근동에 대한 이해가 상당히 변화하였기 때문이다.

3. 자료의 유무

고고학의 비중이 더욱 커져 정확한 자료 발견할 때마다 기존의 자료에 문제가 생기기 때문이다.

Ⅱ. 성서와 이스라엘 역사

본 장에서는 성경에 나타난 역사와 고대 근동의 관련성에 대해서만 간략한 설명을 하겠다. 여기에 성경의 배경에 나타난 지리도 함께 포함된다. 이 지리는 오늘날 지리와는 전혀 다른 지역일 수 있다. 또한 고대의 지리이기에 정확도가 떨어질 수 있다. 여기에서 살펴볼 것은 성경에 나타난 지리에 대한 명칭을 살펴보며, 그 지리가 고대 근동의 역사에 어떤 지역에 위치해 있으며, 어떤 관련이 있는지를 살펴보는 것이다. 정확도를 말하면 오류가 있을 수 있음을 밝힌다.

A. 에덴동산 발원지 : 창세기 2장 8절에서 14절

성경 지리를 설명함에 있어 에덴동산을 맨 먼저 언급하기로 한다. 에덴동산에 대한 지리적 위치는 정확하게 말할 수 없다. 성경에 소개된 지리적 위치가 정확하게 어떤 지역인지 명시되어 있지 않기 때문이다. 그리고 홍수로 대부분의 지역이 파괴되었을 수 있기 때문이다. 다만, 성경에 제시된 지리적 위치를 참고하여 추정할 뿐이다.

"강이 에덴에서 흘러나와 동산을 적시고 거기서부터 갈라져 네 근원이 되었으니(10절)"

여기에서 네 근원은 다음과 같다.

 ① 비손 - 금이 있는 하윌라 온 땅을 둘렀으며
 ② 기혼 - 구스 온 땅을 둘렀고3)

③ 힛데겔(티그리스) - 앗수르 동쪽으로 흘렀으며
④ 유브라데

티그리스강(Tigris 또는 Hiddekel)과 유프라테스강(Euphrates)은 알려져 있지만, 비손 강, 즉 피손강(Pishon)과 기혼강(Gihon)에 대해서는 알려져 있지 않다.

1. 비손강의 위치

비손강의 위치에 대해 '금이 있는 하윌라'라는 지명이 소개되고 있기에, '하윌라'가 어느 지점인지 알아보는 것이 필요하다.

하윌라(하빌라: Havilah)
창세기 25장 18절에는 이스마엘[4]의 후손들이 '하윌라에서 앗수르로 통하는 애굽 앞 술까지 이르러 그 모든 형제의 맞은편에 거주하였더라'고 기록되어 있다.

1) 학자들은 하윌라가 북서 예멘에 있는 지역이라고 주장한다.
2) 유리스 짜린스(Juris Zarins)는 하윌라가 예멘에서 북쪽으로 약 5백km 떨어진 사우디아라비아의 메디나(Medina)의 서남쪽 히자즈(Hijaz)산맥일 것이라고 주장했다. 히자즈 지방의 마드 아드 다하브(Mahd adh Dhahab)에는 '금의 요람'(Cradle of Gold)라는 곳이 있어서 금 생산으로 유명하다.
3) 히자즈 지방에는 지금은 자취를 찾을 수 없으나 창세기에 나오는

---

3) '구스'는 이디오피아가 아니라 티그리스 계곡을 지칭한 것 같다. 엄원식 「구약성서 배경학」(서울 : 침신대출판부, 2005). p. 58.
4) 이스마엘 자손 - 아라비아 사막 북서쪽에 있는 아카바만 동쪽에 살았으리라고 생각되는 유목민 부족.

비손(Pishon)강이 있어서 페르시아만으로 흘러 들어갔다는 주장도 있다.[5]

4) 하윌라(Havilah) 지방은 중앙 아라비아의 북부로도 추정되고 있다. 이러한 추정과 알려진 사실에 근거하여, 페르시아만 깊숙이 있는 쿠웨이트나 이라크 남부 근방에 에덴이 있었을 것이라고 추측한다.[6]

2. 기혼강의 위치

기혼강에 대해서는 '구스 온 땅에 둘렀고' 말씀을 보면, 구스라는 지역을 중심으로 이루어지는 지점이라 할 수 있는데, '구스'는 오늘날 에티오피아를 가리킨다. 그러나 그 위치는 불확실하다. 칠십인 역의 번역자들은 이 성구에서 "구스"에 해당하는 히브리어를 번역할 때 그리스어식 이름인 에티오피아를 사용하였다. 초기에는 구스라는 이름이 고대 에티오피아와 어느 정도 동의어로 사용되기도 했지만, 창세기 2장 13절의 경우에도 반드시 그렇다고 단정적으로 말할 수는 없다.

1) 요세푸스는 「칠십인역」의 번역 방식을 따르면서, 기혼강을 나일강과 연관 지었다. (「유대 고대사」 Jewish Antiquities, I, 39 [i, 3]). 하지만, 기혼강은 에덴동산의 근원을 말할 때 유프라테스강이나 티그리스강과 함께 소개가 되기에 에티오피아라는 주장은 설득력이 떨어진다. 다만, 세계적인 대홍수로 그 지역의 지형이 극심하게 변화했을 것을 가정하는 주장으로 받아들일 수 있을 것이다.

2) 일부 학자들은 아시리아 비문들에 나오는 카수(Kassu) 또는 카시테족(Kassites)과 연관시키는데, 기원이 불확실한 이 민족은 중앙아시아의 고원 지대에 거주하였다.

---

5) http://blog.daum.net/johnkchung/6726479
6) 위키 백과사전

3) 「근동 연구지」(Journal of Near Eastern Studies, 1959년, 18권, 49~53면)에 실린 P. 잉글리시가 쓴 한 기사는 고대에 흑인들이 흑해의 남동쪽 연안 지방에 그리고 후에는 더 북쪽의 코카서스 지방에 거주했다는 증거를 제시한다. 그 기사는 그러한 부족들이 거주했던 아브하즈 지방과 카자리아 지방의 이름들과 성서에 나오는 구스라는 이름이 서로 관계가 있다는 견해를 제시한다.

4) '구스 땅'이 아라비아 반도에 있었다는 견해이다. 하박국 3장 7절에서 "구산"(Cushan)이라는 이름이 "미디안 땅"과 대구(對句)적 표현으로 사용되었고, 미디안은 대체로 아카바만 근처를 차지하고 있었기 때문이다. 모세의 미디안인 아내 십보라가 "구스인"이라고 불린 것은, 바로 그 아라비아의 "구스"와 관련이 있었기 때문일 가능성이 있다. (출 18:1-5; 민 12:1)

참고 - 데이비드 롤(David Rohl) 박사의 고증 - 영국의 고고학자

1) 현재 이란 북서부에 위치한 타브리즈 근처의 '아드지 차이' 골짜기라는 주장이다.

그는 "에덴동산은 오늘날 이란 북서부에 아드지 차이(옛 이름은 메이단) 골짜기와 동일시할 수 있다"고 주장하며, "현재 이 지역의 중심에는 타브리즈라는 대도시가 자리 잡고 있다"고 설명했다.

2) 위성사진을 통해 비손강과 기혼강의 물줄기를 추정해 페르시아만 위쪽 지역으로 주장했다.

(그림 2)

에덴동산의 발원지

B. 노아의 방주가 머문 산

창세기 8장 4절 '일곱째 달 곧 그달 열이렛날에 방주가 아라랏
산에 머물렀으며' 바벨론 북방 아르메니아의 앗시스 산을 가리킨
다. 해발 5,185m인데 홍수 때 노아의 방주가 정박하였던 산이다
(창8:4). 흑해(Black Sea)의 남동쪽, 하란의 북쪽, 그리고 오늘

날 튀르키에의 동쪽 경계에 있는 산맥으로 우라르투 지역의 북쪽에 위치해 있다. 이 산의 정상은 해발 약 5,200m의 대 아라랏과 해발 4,000m의 소 아라랏으로 구분되는데, 여기서부터 흐르는 시냇물은 티그리스와 유브라데 강으로 흘러 들어간다.[7]

C. 노아의 세 아들 : 창세기 10장[8]

1. 야벳

지명은 없고 이름만 소개된다. 야벳의 아들들의 이름을 통해 지역을 추정(2절~5절)할 수 있다. 야벳의 후예는 일곱의 아들(2절), 일곱의 손자(3,4절)로 구성되었다. 이들 14명은 모두 고대 국가의 원조(元祖)가 되었다.

고멜 - 키메리아인족(Cimmerians)을 형성한 시조, 카스피 해안, 브리튼족, 웨일즈족으로 추정된다.
마곡 - 아소프 해안지대와 코카서스에 살던 스키티안족을 가리킨다.
마대 - 카스피 해안 남서쪽에 살던 메대족을 가리킨다.
야완 - 이오니아인(Ionian)을 가리킨다. 이들은 헬라인의 조상으로(단 10:20) 소아시아 서부 지역에 거주하였다.
두발과 메섹 - 에스겔 38장 2절; 39장 1절에는 마곡의 속국으로 나와 있다. 이들은 이베리아인과 모쉬족으로 추정되는데 소아시아 동부, 티크리스와 유프라테스강 상류 또는 흑해 지역에 정착하였다.
디라스 - 성경 외의 사료(史料)에서는 찾아볼 수 없는 명칭이다.

---

7) 한국컴퓨터선교회
8) 「그랜드종합주석」 서울 : 성서교재간행사, 1993, pp.444-447.

학자에 따라서는 에게해 주변이나 타우루스근방에 있는 아시아족의 조상 펠라기스족의 일파 등으로 추정되는데 이 중 어느 견해가 보다 타당한지에 대해서는 판단하기 어렵다.

고멜의 아들 - 아스그나스, 리밧, 도갈마(10:4)

아스그나스 - 게르만족의 조상으로 추정되는데 예레미야 51장 27절에 의거하면 유키네(Euxine)와 카스피해 사이 지역에 거주하였던 것 같다.

리밧 - 대체로 카스피해 북쪽 리파엔 부근에 정착한 켈트족(Celts) 혹은 고울족(Gouls)으로 추정한다.

도갈마 - 에스겔 27장 14절; 38장 6절에도 나오는데 시리아 국경 부근의 터키 지방에 거주하던 민족으로 추정된다.

야완의 아들(10:4) - 엘리사, 달시스, 깃딤, 도다님

엘리사 - 헬라계의 해양 민족으로서, 필로폰네수스에 살던 엘리스 족속을 가리키는 듯 하다.

달시스 - 길리기아의 다소(Tarsus)사람으로 보는 자도 있으나 스페인의 달테수스, 즉 선지자 요나가 도망치려 했던 곳인 다시스(욘1:3) 사람의 원조(元祖)로 보는 것이 보편적인 견해이다.

깃딤 - 키프러스 섬과 지중해 연안에 살던 족속으로 성경에 자주 언급된다(대상1:7; 사23:1; 겔27:6; 단11:30).

도다님 - 이오니안 족속과 연관되어 있는 종족으로, 북부 그리스 족속을 가리키는 듯하다.

 2. 함

시날 땅의 바벨과 에렉과 악갓과 갈레에서 시작한다. 가나안의 경계는 시돈에서부터 그랄을 지나 가사까지와 소돔과 고모라와 아드마와 스보임을 지나 라사까지(10장~19장)이다.

함의 아들 - 이들은 주로 이집트, 가나안, 남아라비아, 에티오피아 등지

에 정착하였는데 오늘날을 기준으로 하면 아프리카를 중심한 흑인종 (Negroid) 분포 지역이다.9)

창 10장 6절 함의 아들은 구스와 미스라임과 붓과 가나안이요, 7 구스의 아들은 스바와 하윌라와 삽다와 라아마와 삽드가요 라아마의 아들은 스바와 드단이며

구스 : 에티오피아 지역
미스라임 : 나일강 지역
붓 : 리비아 지역
하윌라 - '모래 땅'이란 뜻으로 아라비아에서 페르시아만 사이의 광활한 사막 지대에 거주하던 함의 후손이다.
드단 : 하윌라 위쪽 지역
라아마의 아들은 스바 - '스바'는 솔로몬을 방문했던 스바의 여왕(왕상 10;1-10)으로 인해 우리에게 친근해진 명칭이다. 그럼에도 불구하고 이들이 정확히 어느 지역에 거주했던 족속인지는 분명치 않은데 아라비아의 미디안 지역이나 에티오피아 북부 지역으로 추정된다.

창세기 10장 10절

바벨 - 함무라비(Hammurabi)왕 통치 시 바벨론 제국의 수도이다. 완전한 히브리명은 바벨론인데 동은 티그리스, 서는 아라비아 사막, 남은 페르시아 만, 북은 앗수르 땅으로 둘러싸인 열대성 기후 지역이다.
에렉- 일명 '우룩'으로도 불리어지는 도시로 바벨론 동남쪽에 위치하였다. 1954년 독일 학자들에 의한 발굴 작업 시 이곳에서 설형 문자판과 신전 등이 발굴되었다.
악갓 - 사르곤이 창건한 아카드 왕조(B.C 2300-2100)의 수도이다. 정

---

9) ibid.

확한 위치는 알 수 없으나 바벨론 부근이었던 것만은 분명하다.

갈레 - 사 10:9에서는 '갈로'로 불리어진 성읍이다. 그러나 이곳의 위치에 대해서는 학자에 따라 유프라테스강 동쪽의 니플로도, 티그리스 강동 쪽의 크테시폰으로도 추정한다.

창세기 10장 11절, 12절

르호보딜 - '사각형 도시'란 뜻으로 니느웨의 한 위성 도시이다.

갈라 - 니느웨 남방 약 80km지점, 티그리스 강과 삽(Zab) 강이 만나는 곳에 위치했던 성읍이다.

창세기 10장 14절

블레셋 - 지중해 갑돌(그레데)로부터 가나안 연안으로 이주한 해양 민족이다. 이들의 원 거주지는 애굽이었으며 혈통 상 함족으로 분류된다.

창세기 10장 16절

여부스 족속 - 예루살렘 지역과 그 외곽 변두리에 거주했었는데(수 15:8; 삿1:21)여호수아와 다윗, 솔로몬에 의해 세력이 약화되었다.

아모리 족속 - 이스라엘의 가나안 입성 시 요단 동편과 서편의 산간 지역에 거주하고 있었다(민 13:29; 수2:10; 9:10). 초기에는 바벨론 서편에서 세력을 떨쳤었는데 함무라비도 이 아모리 왕조에 뿌리를 두고 있다.

다음 백과사전에 의하면, 아모리 족은 BC 2000-1600년경 메소포타미아·시리아·팔레스타인을 지배했다. 난폭한 유목민이었으며, 3대 우르 왕조가 몰락한 원인 가운데 하나였다고 여겨진다. BC 2000년대 초 아랍으로부터 대 부족 연맹이 대규모 이동을 시작하여 바빌로니아, 유프라테스 중부지역, 시리아-팔레스타인 지역 등을 점령했다. 이들은 소왕국

연합체를 이루었으며, 급속하게 수메르-아카드 문화를 흡수했다.

기르가스 족속 - 가나안의 후손 중 가장 소수의 족속이다. 여호수아 3장 10절; 24장 11절; 역대상1장 14절 등에 언급되어 있지만, 그들이 어디에 거주하였는지는 확실치 않다.

창세기 10장 17절

히위 족속 - 세겜과 기브온, 헬몬 산 아래에 거주하였다(수 9:7;11:13). 야곱의 딸 디나가 히위 족속 하몰의 아들에게 강간당한 일이 있었는데(34장) 훗날 여호수아가 이 땅을 정복, 므낫세와 에브라임 지파에게 나누어 주었다(수 9:3-21).

알가 족속 - 오늘날 텔 알카로 알려진 알카에 거주했었는데 이 도시는 트리폴리 북쪽 약 다섯 시간 거리에 위치해있다.

신 족속 - 알카 강의 남쪽, 즉 알카 근처의 센나에 거주하였다.

창세기 10장 18절

아르왓 족속 - 겔 27:8, 11에 나오는 아르왓에 거주하였는데 이곳은 현재 루와드로 알려진 섬마을로 트리폴리 연안에서 조금 떨어져 있다.

스말 족속 - 베니게 남방, 트리폴리와 아르왓 사이의 소므라에 거주하였다.

하맛 족속 - 오론테스(Orontes) 강변의 하맛에 거주하였는데 이곳은 여호수아의 가나안 정복시 끝까지 점령당하지 아니한 지역이다. 다윗은 이곳 왕 도이와 우호 관계를 맺었고(삼하 8:9-12) 솔로몬은 이곳에 국고성을 쌓았다(대하 8:4).

이후로...흩어져 처하였더라 - 본서 기술 당시, 상기(上記)한 가나안의 여러 족속이 이미 실존해 있었음과 훗날 이들 족속들이 사방으로 흩어져 나갔음을 증거 해준다.

창세기 10장 19절

가나안의 지경은 - 15~18절의 여러 족속들이 차지하고 있던 영역을 대략적으로 나타낸 경계이다.

그랄 - 블레셋 평원의 가사 남쪽에 위치한 성읍. 아브라함과 이삭이 기근을 피하여 한때 이곳에 머문 적이 있다(창 26:1-6).

라사 - 이 도시의 위치는 분명치 않다. 고대 유대 문헌에 의거하면 소돔과 고모라 근처의 사해 동쪽편에 위치했던 것으로 추정되니 혹자는 시리아의 하맛 근처에 위치했을 것으로 생각한다.

  3. 셈

창세기 10장 22절

엘람 - 페르시아만에서 카스피 해 사이에 거주하면서 활로 유명하던 족속이다(렘49:35). 이들의 영토는 동쪽으로 티그리스강, 서쪽으로 바벨론, 북쪽은 메대에 의해 경계 지워졌는데 고대로부터 강력한 왕국이었다.

앗수르 -티그리스강 상류에 거주하다가 후에 소아시아로 퍼져 나간 아시리아 족속이다. 앗수르는 B.C 2000년경부터 이미 독립 왕국으로서의 면모를 과시하였는데, 북왕국 이스라엘은 훗날 (B.C. 722) 이들에게 멸망당하였다.

아르박삿 - 앗수르 북쪽, 삽(Zab)강 상류 지역인 아라파키티스에 거주하던 족속이다.

룻 - 소아시아의 리디아인(Lydian)으로 보는 자들도 있는 반면 메소포타미아 북편, 즉 아르메니아의 남방 경계에 위치한 루브디 (Lubdi) 주민으로 보는 자들도 있다.

아람 - 메소포타이미아와 시리아를 주요 거처로 삼았던 아람족

(수리아인)이다. 이스라엘은 다메섹을 중심으로 한 이들 왕국과 많은 접촉을 가졌으며 전쟁도 자주 치루었다.

창세기 10장 23절

우스 - 이 아람의 아들로부터 우스라는 지명이 파생되었는데 렘 25:20; 애 4:21등을 참조할 때 그곳은 가나안 남쪽, 아라비아 사막에 위치한 광활한 지역이었던 것같다. 한편 욥의 고향도 이곳인 것으로 전해지고 있다(욥 1:1).

창세기 10장 26절

알모닷 - 남 아랍 족속인데 이들 후손이 예멘을 형성한 것으로 추정된다.
하살마웨 - 인도양 연안에 위치한 아라비아 영토 하드라마웃에 거주하였다. 그곳은 향과 몰약으로 유명한 곳이다.

창세기 10장 27절

우살 - 예멘족으로 오늘날 예멘의 수도인 산아에 주로 거주하였는데 이곳의 철광석은 오늘날까지도 높이 평가되고 있다.
디글라 - '종려나무의 땅'이란 뜻인데 이로 미루어 보아 이들 족속이 거주하던 지역은 종려나무가 풍부했던 곳인 듯하다.

창세기 10장 29절

오빌 - 금 산지로 유명한 오빌(왕상9:28;대하 8:18)이란 지명이 여기서 파생되었는데 이 족속은 페르시아만의 오만지역에 거주한 것으로 추정된다.
요밥 - 분명치 않으나 학자에 따라선 '요밥'을 '광야'란 뜻의 아라비아어 ´예밥´과 동의어로 보고 이들을 아라비아 광야에 거주하던 족속으로 단정한다.

(그림 3)

D. 아브라함의 생애

아브라함의 아버지 데라는 갈대아 우르에서 하란 땅으로 이동.
(창 11:31)[10]

1. 우르의 유래 - 히브리인의 발단

이스라엘 조상은 기원전 2천 년간의 마지막 세기와 기원전 1천
년간의 첫 세기의 수백 년간 북쪽 아라비아와 그 인접 지역을 유
랑하던 유목민 및 반유목민과 밀접하게 연관된다. 이것은 최근에
발굴된 비문을 통해 밝혀진 언어학적인 자료에 의해 확인되었다.
창세기는 메소포타미아로부터 유래되었다. 고고학적인 증거도 일
치한다. 1922~1934년 영국의 우르 지역 발굴은 우르가 기원전
2070년경에서부터 엘람 족의 침략으로 멸망되던 기원전 1960년
쯤에 이르기까지 최고도로 번창했음을 증명한다. 이것은 다른 지
역으로부터 나온 설형문자로 된 문서들에 의해서도 실증되었다.

데라가 우르로부터 하란으로 이주해갔던 연대는 확정지을 수 없
다. 그러나 기원전 1975년부터 1950년에 이르는 사이가 역사적
암시와 가장 잘 부합하고 있어서 아마 이때였을 것으로 보는데
아무런 의심도 없을 것이다. 이때 당시 우르 지역은 우르 제3 왕
조로 기원전 2060~1950년의 시대이다.

---

10) 튀르키에 남부, 유브라데의 갈그미스 동쪽 약 80km 지점.

(그림 4)

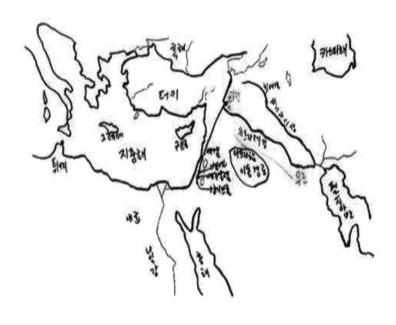

2. 아브람의 전쟁(창세기 14장)

시날 왕 아므라벨, 엘라살 왕 아리옥, 엘람 왕 그돌라오멜, 고임 왕 디달 연합군과 소돔 왕 베라, 고모라 왕 비르사, 아드마 왕 시납, 스보임 왕 세메벨, 소알 왕 벨라에 대한 전쟁이다.
메소포타미아 중심 지역과 사해 중심의 지역. "고임 왕 디달"은

힛타이트(헷족속)군대로 동부 해안선을 따라 약탈하며 내려왔다
가 엘람 연합군을 만나서 연합하여 사해 도성을 친 후, 약탈물을
나누고 본국으로 돌아간 것으로 보이며, 이렇게 디달과 그돌라오
멜이 헤어지므로 군세가 약해질 때를 기다린 아브람의 동맹군은
다메섹까지 가서야 기습을 할 수 있었던 것으로 보인다. 시날은
바벨론 지역을 가리킨다.11) 엘람은 오늘날 이란 고원 지대를 가
리킨다.

(그림 5)

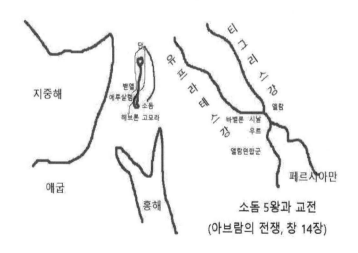

지중해

애굽

홍해

벧엘
예루살렘
소돔
헤브론 고모라

유프라테스강

티그리스강

바벨론 시날
우르

엘람연합군

엘람

페르시아만

소돔 5왕과 교전
(아브람의 전쟁, 창 14장)

---

11) 위키 백과사전.

E. 출애굽 경로

1. 모세 시대

12왕조 동안에 셈족의 영향이 들어왔다. 18세기에 이르러 매우 급속히 증가하였다. 힉소스족은 히브리인과 매우 비슷한 북서부 셈족이다. 기원전 1750년 팔레스틴과 시리아에서 이동해 온 사람들이다. 요세푸스는 힉소스 족과 이스라엘 자손을 동일시하였다. 힉소스족은 18왕조 시조인 아모시스 1세에 의해 섬멸되었다. 북부 델타 지역이 깊이 셈족화되었다.
애굽에서 이스라엘인들을 압제하였다. 당시의 바로 왕은 투트모시스 3세였다. 대규모 건축 사업에 하였다. 다른 학자들은 제19대 왕조 세토스 1세가 압제하였다 한다. 이스라엘 인들을 라암셋 국고성 건축에 동원시켰다.

초기 연대를 주장하는 학자들에 의하면, 출애굽 당시의 바로는 아메노피스 2세(기원전 1435~1414년). 후기 연대를 주장하는 학자들은 람세스 2세라 한다.

2. 이집트와 이스라엘

열왕기상 9장 16절에 솔로몬이 통치하던 말씀이 나오는데 이때 애굽 왕 바로가 올라와서 게셀을 탈취하였고, 이때 이집트의 왕은 제22대 왕조 세숑크 1세로 추정된다.

르호보암 제 5년에 애굽 왕 시삭이 팔레스타인 침공(왕상 14:25~28)하였다. 이집트 카르낙 큰 신전 벽 비문에 실려있다. 이 비문에 세숑크 1세가 셈족 집단의 머리를 움켜잡고 그들을 곤

봉으로 때리고 있는 모습이 나온다. 여기에 그려져 있는 사람들의 몸에는 다아낙, 기브온, 아얄론, 벧산 등 팔레스타인 성읍의 이름이 기록되었다. 그러나 예루살렘 언급은 없다.

역대하 14장 9절에서 15절 에디오피아 사람 세라가 침공했다가 아사에 의해 격퇴되었다. 브라이트에 의하면 세숑크 1세가 팔레스타인에서 철수할 때, 그랄 근처에 수비대를 남겨놓았으며, 세라가 바로 이 수비대의 지휘관이었을 증거이다. 이때부터 팔레스타인은 아시리아, 바빌로니아, 파사에 의해 지배되었다.
이집트는 동쪽으로부터 침략에 직면하여 열왕기하 17장 4절 "저가 이집트 왕 소에게 사자들을 보내고". 어떤 학자는 '소'가 오소르콘 4세라 한다. 다른 사람은 사바카 라 하지만, 확실치 않다.

이집트 파사에 멸망하기 전 최후 군사 출정은 느고 2세였다. 유다 왕 요시아는 므깃도에서 느고와 싸우다 전사하였다.

3. 힉소스족의 이동과 이스라엘인

1) 이집트 역사에 보면 힉소스 족이 이집트에 그들의 왕국을 건설했을 때는 기원전 1700년경이다. 한 세기 반 동안 다스렸다. 그들은 혼합된 혈통이나 그중 셈족이 우월했던 것으로 보인다. 요세푸스는 힉소스 족과 이스라엘의 자손을 동일시하였다.

2) 출 1:1 이하, 이스라엘 자녀들이 야곱과 함께 이집트로 내려갔다. 그러나 그 당시 이집트 왕이 누구인가 알 수 없다. 연대도 알 수 없다.

4. 출애굽 연대설

1) 기원전 16세기 설: 이것은 이집트 역사가였던 마네토 (기원전 250년)의 주장이다. 16세기 이전에 이방인이었던 힉소스 족속이 이집트에 들어와 이집트인들을 지배하였고, 세월이 흘러 그들의 지배를 받던 이집트인들은 세력을 키워 힉소스 족속을 축출하게 되었다. 그때 이스라엘도 함께 축출되었고 이때가 바로 1550년경이다.

2) 기원전 15세기 설: 이것은 열왕기상 6장 1절에 기초 : "이스라엘 자손이 이집트 땅에서 나온 지 480년이요, 솔로몬이 이스라엘 왕이 된 지 사 년 시브월 곧 이월에 솔로몬이 여호와를 위하여 성전 건축하기를 시작하였더라." 솔로몬이 기원전 961년경(학자들 간에 차이는 있다)부터 다스리기 시작했으므로 그가 다스리기 시작한 지 4년이 되는 해는 기원전 957년이 되며, 따라서 출애굽의 연대는 기원전 1437년경으로 추산된다. 이것은 오직 성서에 근거한 주장이며 대부분의 보수적인 교단에서 인정하는 연대이다.

3) 기원전 13세기 설: 이 주장은 출애굽기 1장 11절에 근거. "감독들을 그들 위에 세우고 그들에게 무거운 짐을 지워 괴롭게 하여 그들로 하여금 바로를 위하여 국고성 비돔과 라암셋을 건축하게 하니라."

힉소스 지도자들이 한때 이 성을 사용하기는 했으나 아모시스 (약 1580~1557년 경)가 기원전 1550년경에 힉소스 족을 축출해버린 후부터 세토스 1세 (1313~1292년 경)가 이 성을 다시 재건할 때까지는 전혀 사용하지 않았다. 결국 이 도시의 재건은 람세스 2세(기원전 1292~1225년)에 의해 계속되었고, 그는 이 도시를 제19대 왕조의 바로들을 위한 행정중심지로 만들었다. 이

것에 근거하여 학자들은 출애굽 연대를 기원전 13세기로 주장하였다. 참고로, Albright: 1290년경, Bright와 Kitchen: 1280년경, Napier: 1300년경, Gaalyahu: 1290~1230년경, Wright: 1290~1280년경으로 본다.

5. 팔레스타인의 정복

1) 1930년 이래 수많은 자료 발굴되었다.

2) 가나안 사람과 아모리 사람 간에 언어와 문화의 차이가 별로 없기에 전승에 혼란이 있다. 본래 '가나안' 용어는 대체로 자주 빛 빛깔의 당인 페니키아 본토를 지칭한다. '아모리'는 메소포타미아에서 북서쪽 셈족을 모두 서방인으로 설명하기 위해 사용한 통칭 술어이다. 나중에 가나안은 남쪽과 동쪽으로 확대가 되었고, 아몰(아무르)은 서방에서 동부 시리아에 있는 넓은 본국으로부터 작은 여러 지역이 파생되었다. 가나안의 문명은 지중해의 동부 연안을 따라 형성되었고, 아모리의 고등 문명은 수메르-아카드 문명에 영향을 주었다.

3) 이스라엘 가나안 정복 당시 서부 팔레스타인은 수 세기 동안 이집트 통치하에 있었다.

4) 18세기 말 북서쪽 셈족이 침입하였다. 아모시스가 힉소스를 추방(연대는 불확실) 후 바로가 힉소스 유산을 이어받았다.

5) 가나안 인구는 주로 비 셈족 인으로 구성된 세습적인 귀족과 흙에 얽매여 있으면서 반 자유인이었다. 어느 정도 인권과 재산권을 갖고 있던 예속적인 신분이었다. 기술이 있는 명공도 상당

수였다. 노예도 많았다. 가나안 사람들에게는 우상을 모셔둔 성전
과 신전이 매우 많이 있었다는 것과 그들에게는 치밀한 제사장
제도가 있었다. 그들의 만신 전 자리에는 거대한 폭풍의 신이요
신들의 주요 인류의 조물주인 바알이 있었다.

6. 출애굽 여정

출애굽 여정에 대한 성경의 기록은 지명들이 자세히 기록되어 있
지만, 오늘날의 위치를 정확히 파악하는 것은 어려움이 있다.

1) 성경의 기록

출애굽기 12장 37절 라암셋 출발 - 출애굽기 19장 1절 시내 광
야(시내산) - 민수기 10장 12절 시내산 출발 - 여호수아 3장 1
절에서 7절 가나안 입국

일괄 기록은 민수기 33장 5절에서 49절에 소개된다.

(1) 출애굽 기간

라암셋을 출발 - 주전 1446년 1월 15일

민수기 33장 3절 그들이 첫째 달 열다섯째 날에 라암셋을 떠났
으니 곧 유월절 다음 날이라 이스라엘 자손이 애굽 모든 사람의
목전에서 큰 권능으로 나왔으니

시내 광야 도착 - 3개월.

출애굽기 19장 1절 이스라엘 자손이 애굽 땅을 떠난 지 삼 개월이 되던 날 그들이 시내 광야에 이르니라

시내 광야 출발 - 출애굽 2년 2월 20일, 시내산에서 10~11개월 정도(?)이다.
민수기 10장 11절 둘째 해 둘째 달 스무날에 구름이 증거의 성막에서 떠오르매
12 이스라엘 자손이 시내 광야에서 출발하여 자기 길을 가더니 바란 광야에 구름이 머무니라

시내산에서 가데스 바네아(릿마) 11일(신 1:2)

신명기 1장 2절 호렙산에서 세일 산을 지나 가데스 바네아까지 열 하룻길이었더라

가데스바네아에서 세렛 시내를 건너기까지

신명기 2장 14절 가데스 바네아에서 떠나 세렛 시내를 건너기까지 삼십팔 년 동안이라 이때에는 그 시대의 모든 군인들이 여호와께서 그들에게 맹세하신 대로 진영 중에서 다 멸망하였나니

이 노정 중에 아론은 호르산에서 출애굽 40년 5월 1일에 죽었다(민 33:38).
38 이스라엘 자손이 애굽 땅에서 나온 지 사십 년째 오월 초하루에 제사장 아론이 여호와의 명령으로 호르산에 올라가 거기서 죽었으니

시내산까지 3개월 정도이다. 거리는 약 240킬로이다. 시내산에서
여정은 약 10~11개월 정도이다. 그리고 가데스 바네아까지 오기
까지는 약 2년이 걸렸다. 그리고 가데스 바네아에서 요단강 동편
으로 가나안 땅에 이르기까지는 약 38년의 세월이 흘렀다.
광야 끝 에담 바알스본 앞 비하히롯에 대한 기록

출애굽기 14장 2절 이스라엘 자손에게 명령하여 돌이켜 바다와
믹돌 사이의 비하히롯 앞 곧 바알스본 맞은편 바닷가에 장막을
치게 하라

(2) 민수기 33장 5절에서 49절 출애굽 여정

라암셋 - 숙곳 - 광야 끝 에담 바알스본 앞 비하히롯 - 에담 광
야로 사흘 길을 가서 마라에 진을 치고 - 엘림 - 신 광야 - 돕가
- 알루스 - 르비딤 - 시내 광야(약 2년) -기브롯핫다아와 - 하세
롯 - 릿마

하세롯을 떠나 바란 광야 길로 들어서는 과정에 릿마에 도착. 릿
마 바로 위는 가데스바네아. 릿마를 가데스바네아 인근 지역으로
보면서, 정탐꾼 파견 장소로 추정. 민수기 13장.[12]

---

12) 카일(Keil)은 이곳 '릿마'(Rithmah)를 이스라엘이 처음 도착했던 '
   가데스'와 동일 지명으로 이해한다. 이에 대한 근거로 그는 12:16
   에 이스라엘이 '하세롯'을 떠난 후 바로 바란 광야에 진 쳤다는 사
   실과 또한 그다음에 곧바로 가데스의 정탐꾼 사건이 나오는 것을
   들고 있다(13장). 아울러 그는 고고학적으로도 이곳 릿마를 오늘날
   의 아부-레테맛 계곡(Wady Abu-Retemat)으로 보고, 숙영지로서
   는 매우 좋은 곳이라 주장한다. 그러므로 이러한 상황을 종합하면,

민수기 13장에는 애굽을 떠난 두 번째 해 가데스 바네아에 도착해서 정탐꾼을 가나안으로 보내는 장면이 나오고, 민수기 20장에는 그로부터 38년이 지난 후 가데스 바네아에서 가나안을 향해 떠나는 장면이 나옴. 가데스에는 한 번 들러 38년간 머문 것인지, 아니면 정탐 후 여호와의 노하심으로 38년간 광야를 유리하다가 다시 가데스 바네아에 들린 것인지에 대한 논란이 있습니다만, 후자로 보는 견해가 일반적임.

- 림몬베레스 - 립나 - 릿사 - 그헬라다 - 세벨 산 - 하라다에 - 막헬롯 - 다핫 - 데라 - 밋가 - 하스모나 - 모세롯 - 브네야아간-홀하깃갓 - 욧바다 - 아브로나 - 에시온게벨 - 신 광야 곧 가데스 - 약 38년(도착 민20:1, 출발 민21:4) - 가데스에서 에돔 지역을 통과할 때 에돔이 저항하자 에돔 땅 변경의 호르산에 진을 쳤더라(민20:22). 호르산에서 홍해 길을 따라 에돔 땅을 우회하여 내려오게 될 때 원망, - 불뱀에 물려 죽게 됨, 놋뱀으로 구원.

호르산을 떠나 살모나 - 부논 - 오봇 - 모압 변경 이예아바림 - 디본갓 - 알몬디블라다임 - 느보 앞 아바림 산 - 여리고 맞은편 요단강 가 모압 평지에 진을 침.

당시 '하세롯'을 떠난 이스라엘 백성들은 '릿마'에 진 쳤으나 그곳은 200만 명이 넘는 이스라엘 백성들을 다 수용할 수 없었기 때문에 자연히 '가데스'까지 백성들의 진영이 퍼져나갔던 것으로 본다 (Keil &Delitzsch, Vol. I-iii. pp. 242-244). 그리고 정탐꾼 사건은 이곳 가데스에서 일어났으므로, 이후로는 가데스란 지명으로 더욱 알려진 듯하다(호크마 주석 인용).

(그림 6)

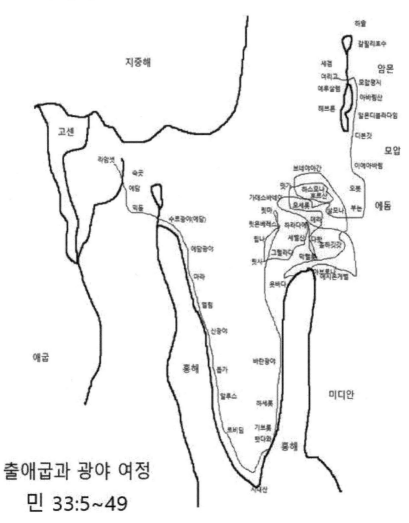

출애굽과 광야 여정
민 33:5~49

F. 가나안 일곱 족속(수3:10)[13)]

1. 헷 족속

헷 족속의 조상인 '헷'은(창 23:10) 함의 아들인 '가나안'의 아들(창 10:15; 대상 1:13).

2. 아모리 족속

아모리 족은 가나안의 최강 족속의 하나였으며 아모리는 서부인이라는 뜻의 아카드어이다. '아모리 족속은 때로 가나안 족속 전체를 지칭하는 통칭으로 쓰이기도 하였다(창15:16; 수24:18; 삿6:10; 삼하21:2). 아모리인이란 명칭은 구약성경에서는 가나안인과 같은 뜻으로 쓰였다. 양자의 구별은 그들의 거주 지역에 따라 아모리인을 '산지에 사는 자'라고 하고, 가나안 인을 '해변과 요단강 가에 거하는 자'라고 하였다(민 13:29). 대부분의 경우 그 종족 명은 동의어는 아닐지라도 막연하게 거의 비슷한 뜻으로 사용되었다.

또 실상 이스라엘의 가나안 정복시대에 와서는 아모리인은 벌써 여러 세기 동안 그 땅에 자리를 잡고 살아오는 가운데 가나안 언어와 사회조직과 문화에 완전히 동화되었기 때문에 종족은 거의 구별할 수 없게 되었다. 아모리 족은 특히 트랜스 요르단에 많이

---

13)
　http://www.cjob.co.kr/bbs/board.php?bo_table=christianity&wr_id=1482

살았다. 헤스본 왕국과 바산 왕국은 아모리인이 세운 나라이다.

3. 가나안 족속

'가나안 족속'은 가나안 땅에 거하는 '일곱 족속' 전체를 통칭하는 말인 동시에 '가나안의 7 족속 중의 한 족속인 가나안 족속'을 뜻하기도 하는 말이다. 이들은 주전 3000년 전 아라비아 동북부에서 이동해 온 족속이다. 그들은 레바논에서 수리아에 이르는 좁은 해안지역, 특히 시돈, 두로를 중심한 베니게의 해안지역에 많이 살고 있었다. 이 가나안 인을 후에 헬라인들이 '베니게 인'이라 불렀다. 그들은 주로 무역에 종사했으며 팔레스타인에 살고 있는 가나안 인들은 점차적으로 이스라엘에 흡수되었다.
'요단강 변을 잇따르는 한 민족'을 말하는 것으로(민 13:29; 신 11:30; 수 5:1; 11:3) 그들은 주로 '게셀'에 거했다(수 16:10).

4. 기르가스 족속

이 족속에 대한 자세한 언급은 성경의 어느 곳에서도 발견할 수 없기에 성경에 증거하는 그대로 '이스라엘이 쫓아낸 가나안 종속 중의 하나'로만 이해하는 것이 더욱 좋을 듯하다.

5. 히위 족속

히위 족속은 호리 족속과 동일시 된 것 같다. 그들은 본래 함의 후손으로 북쪽 부근에서부터 레바논 산맥과 안티 레바논 산맥 사이의 하맛 어구까지 널리 자리를 잡고 살았다. 베니게의 시돈과 두고에는 가나안 인과 더불어 히위 사람들이 살고 있었다. 또 그 일부는 세겜, 기브온과 그 주변 성읍들에 살기도 했다.

6. 브리스 족속

이들은 ′시골 사람′, ′미개인′이라는 뜻으로 산악 지대에 살면서 가나안 족속들과 함께 거한 족속들이다(수 11:3; 삿 1:4, 5). 이들의 기원은 꽤 오래되어 아브라함 때에도 약속의 땅 가나안에 거주하고 있었고(창 13:7; 15:18, 20) 야곱이 두려워한 족속이었다(창 34:30). 이스라엘의 정복 때 패한 이들은 완전히 진멸되지 않고 남아있다가 유다 족속에게 많은 수가 죽임을 당하였고 (삿 1:4, 5) 후에는 솔로몬이 노예로 삼은 족속이었다(왕상 9:20, 21).

7. 여부스 족속

예루살렘의 산악 지대에 거한 민족으로서(민 13:29), 후에 이들이 거한 지역은 예루살렘 성전이 자리 잡아 이스라엘의 도읍이 되었다. 여부스 족은 가나안에서 소수 민족이기는 하나 가나안의 중심지 예루살렘과 그 주변의 산지에 살았다. 그들이 거주할 당시에는 예루살렘을 여부스라고 불렀다.

(그림 7)

G. 사사들의 통치와 성읍

사사 시대는 여호수아가 죽은 때부터 왕정 시대 이전까지의 약 200년간으로 대략 기원전 1220~1020년까지를 말한다. 사사는 정치, 제사, 행정, 국방의 모든 것을 주관했다. 각 지파는 하나가 되지 못하고, 우상숭배에 빠지게 되었다. 그리고 주변 나라들이 틈만 나면 약탈과 침략을 일삼았다. 하나님께서는 이스라엘 백성을 구하기 위해 사사를 세워 통치하게 하였다.

이스라엘 백성들은 주변의 나라들이 왕을 앞세워 전쟁이나, 통치, 경제 모든 면에 탁월한 지도력을 발휘하는 것을 보고, 자기들도 왕을 세워달라고 요구하였다. 하나님께서는 원하시지 않으셨지만, 허락하셨다. 초대 왕은 베냐민 지파 기스의 아들 사울이 선택되었다.

(그림 8)

사사들의 통치와 성읍

H. 다윗과 솔로몬의 왕국

이스라엘의 두 번째 왕은 유다 지파 이새의 아들 '다윗'이 선택
되었다. 다윗은 이스라엘 12지파 동맹체를 결속하고, 나라를 통
일시켰다. 번영된 나라를 이루었다. 다윗이 죽은 후 밧세바의 아
들 솔로몬이 정권을 받았다. 솔로몬은 이스라엘 역사상, 가장 번
영된 나라를 이루었다. 지역적으로도 많은 영토를 확장했고, 경제
적으로도 가장 번성하였다. 그러나 솔로몬이 죽고 난 후 그의 아
들 르호보암은 솔로몬의 신하들의 충언을 받아들이지 못하고 나
라가 분열되었다. 남쪽은 유다와 베냐민 지파를 중심으로 르호보
암이 '유다'라는 국호를 세워 나라를 세웠고, 북쪽은 여로보암이
10지파를 규합하고 '이스라엘'이라는 국호를 세우고 나라를 세웠
다.

(그림 9)

솔로몬 왕국 이후

분열 왕국시대 개관14)

*는 암살을 의미함. 숫자는 모두 '주전' 연대임. 열왕들의 연대
기는 '레몬 우드 박사의 「이스라엘 역사」를 참고. 이어지는 두
왕의 통치 기에서 겹치는 시간은 섭정기를 의미함.

(표 1)

	유다	연도	이스라엘		연도	쿠데타
남북 경쟁 시대	르호보암	931-913	여로보암		931-910	
	아비야	913-911	나답*		910-909	
	아사	911-870	바아사		909-886	1차
			엘라*		886-885	
남북 화해 시대	여호사밧	873-848	시므리(자살)		885	2차
			오므리왕조	오므리	885-874	3차
				아합	874-853	
	여호람(아달랴-아합의 딸)	853-841		아하시야	853-852	
	아하시야	841		요람*	852-841	
남북 단절 시대	아달랴	841-835	예후		841-814	4차
	요아스	835-796	여호아하스		814-798	
	아마샤	796-767	요아스		798-782	
	웃시야	791-739	여로보암2세		793-753	
	요담	750-731	스가랴*		753	

---

14) 참조(류모세, 「7주에 완주하는 구약성경 역사 산책」 (서울 : 두란
노,2012)

아시리아 정복 시대	아하스	743-715	살룸*	752	5차
			므나헴	752-742	6차
			브가히야*	742-740	
			베가*	752-732	7차
	히스기야	728-686	호세아	732-722	8차
유다 왕국 시대	므낫세	697-642			
	아몬	642-640			
	요시야	640-609			
	여호아하스	609			
	여호야김	609-597			
	여호야긴	597			
	시드기야	597-586			

1. 남북 경쟁 시대 - 전쟁의 시대

르호보암이 여로보암과의 전쟁에서 승리, 베냐민 지파를 차지한다. "르호보암과 여로보암 사이에 항상 전쟁(왕상 14:30)"

르호보암 5년에 애굽의 왕 시삭이 유대, 이스라엘 출정(왕상 14:25~28). 애굽 제22왕조. 시삭은 리비아 출신 부바스티스 왕조. 쇼셍크 1세(기원전 946~913년) 추정된다.

유다 아비야, 아사 왕이 이스라엘 침공하였다. 아사의 요청을 받은 아람 왕 벤하닷이 이스라엘의 북쪽을 침공하였다.
"아사와 이스라엘의 왕 바아사 사이에 일생동안 전쟁이 있으니라 (왕상 15:16)"

북이스라엘 바아사가 나답을 죽임

"27 이에 잇사갈 족속 아히야의 아들 바아사가 그를 모반하여 블레셋 사람에게 속한 깁브돈에서 그를 죽였으니 이는 나답과 온 이스라엘이 깁브돈을 에워싸고 있었음이더라 28 유다의 아사 왕 셋째 해에 바아사가 나답을 죽이고 대신하여 왕이 되고(왕상 15:27, 28)"

2. 남북 화해시대

나답의 신하 시므리가 모반(왕상 16:9~10)하였다. (7일 통치). 당시 군대 지휘관이었던 오므리를 왕으로 세움(왕상 16:15-16). 시므리는 자살. 오므리의 아들 아합이 왕이 되어 아람과 전쟁(아람 벤하닷, 하사엘 왕이 등장하여 조공을 바침).

아람 세력의 확장 때문에 남북이 화해, 아합의 딸 아달랴와 유다 왕 여호사밧의 아들 여호람과 결혼(결혼 동맹). 여호사밧은 아합과 1차 길르앗 라못 전투에 동참, 모압 원정에 동참. 전쟁 동맹. 에시온 게벨 상선 출항(무역 동맹). 유다 왕 아하시야는 북이스라엘 여호람 병문(2차 길르앗 라못 전투에 동참)시 예후에게 죽음. 여호람, 이세벨도 죽음.

3. 남북 단절시대

아시리아(살만에셀 3세), 아람(하사엘), 아시리아(아닷니라리 3세는 아람 하사엘을 물리침) 발흥.

4. 아시리아 정복시대

디글랏 빌레셀 3세 (주전 745~727년)

"이스라엘 왕 베가 때에 앗수르 왕 디글랏 빌레셀이 와서 이욘과 아벨벳 마아가와 야노아와 게데스와 하솔과 길르앗과 갈릴리와 납달리 온 땅을 점령하고 그 백성을 사로잡아 앗수르로 옮겼더라 (왕하 15:29)"

바벨론을 점령하고 스스로 바벨론 왕이 되어 "불"이라는 이름으로 통치.

그러므로 이스라엘 하나님이 앗수르 왕 불의 마음을 일으키시며 앗수르 왕 디글랏빌레셀의 마음을 일으키시매 곧 르우벤과 갓과 므낫세 반 지파를 사로잡아 할라와 하볼과 하라와 고산 강가에 옮긴지라 그들이 오늘까지 거기에 있으니라(대상 5:26)

살만에셀 5세(주전 726~722년) - 기원전 722년. 북이스라엘 멸망시킴.

"앗수르의 왕 살만에셀이 올라오니 호세아가 그에게 종이 되어 조공을 드리더니(왕하17:3)"

애굽 소왕과 북이스라엘 호세아가 반역을 꾀하자 호세아가 통치하고 남아있던 이스라엘 땅(에브라임 지파와 므낫세 지파의 지역, 사마리아 남쪽)을 모두 점령하고, 사마리아를 3년간 포위한 끝에 주전 722년 그가 죽기 직전 함락하여 이스라엘 멸망시킴(왕하17:1~6).

5. 유다 왕국 시대

산헤립(주전 704~681년)

히스기야 왕 제 십 사년(주전 714년)에 앗수르의 왕 산헤립이 올라와서 유다 모든 견고한 성읍들을 쳐서 점령하매(왕하 18:13). 18만 5천의 군사가 죽음(전염병, 페스트)으로 인해 퇴각(왕하 19:35-37).

에살 핫돈(주전 680~669년)

"그가 그의 신 니스록의 신전에서 경배할 때에 아드람멜렉과 사레셀이 그를 칼로 쳐죽이고 아라랏 땅으로 그들이 도망하매 그 아들 에살핫돈이 대신하여 왕이 되니라(왕하19:37)"

브로닥 발라단

"그때에 발라단의 아들 바벨론의 왕 브로닥발라단이 히스기야가 병들었다 함을 듣고 편지와 예물을 그에게 보낸지라(왕하 20:12)"

앗수르의 지배하에 있던 시대의 바벨론 왕 중 하나로 므로닥 발라단으로 불린다.
재위 기간은 주전 722~710년, 704~703년이다.

느부갓네살(주전 604-562년)

"여호야김 시대에 바벨론의 왕 느부갓네살이 올라오매 여호야김이 삼 년간 섬기다가 돌아서 그를 배반하였더니(왕하 24:1)"

여호야긴

"그가 또 예루살렘의 모든 백성과 모든 지도자와 모든 용사 만 명과 모든 장인과 대장장이를 사로잡아 가매 비천한 자 외에는 그 땅에 남은 자가 없었더라(왕하 24:14)"

남 유다 마지막 왕 시드기야가 바벨론으로 끌려감.
"그들이 시드기야의 아들들을 그의 눈앞에서 죽이고 시드기야의 두 눈을 빼고 놋 사슬로 그를 결박하여 바벨론으로 끌고 갔더라 (왕하 25:7)"
남 유다는 기원전 587년 바벨론 느부갓네살에 의해 멸망.

에윌 므로닥(주전 561~560년)

"유다의 왕 여호야긴이 사로잡혀 간 지 삼십칠 년 곧 바벨론의 왕 에윌므로닥이 즉위한 원년 십이월 그 달 이십칠일에 유다의 왕 여호야긴을 옥에서 내놓아 그 머리를 들게 하고(왕하 25:27)"

6. 포로 시대

1차 포로 주전 605년(왕하 24:7, 느부갓네살) 다니엘과 세 친구들(단 1:1~6) 포로.
2차 포로 주전 597년(왕하 24:14-16). 에스겔 선지자 포로.
3차 포로 주전 586년(왕하 25:1-7)

7. 포로 귀환 시대

포로 귀환 칙령

기원전 538년 페르시아 고레스(키루스 2세, 주전 559~530년)
의 포로 귀환 칙령(스 1:1-4, 대하 36:23). 주전 605년 1차 포
로 후 70년 만에 귀환.

1차 포로 귀환

기원전 537년 유대인의 제1차 포로 귀환(스 2:1~67) 스룹바벨
영도하의 귀환.
기원전 522년 다리오 1세(521~486년)의 바사 왕 등극. 38년
통치
기원전 516년 제 2 성전 완공(스 6:13~15) 다리오 제 6년에
완공됨

기원전 486년 아하수에로(크세르크세스 1세, 484~465년)의 바
사 통치
기원전 483년 아하수에로 왕의 잔치(에 1:3-22) 왕후 와스디의
폐위, 에스더의 남편
기원전 480년 그리이스의 바사 침공

2차 포로 귀환 - 개혁 운동

기원전 464년 바사 아닥사스다 1세의 등극 41년 통치
기워전 458년 아닥사스다 왕의 포로 귀환 조서(스 7:11-26)
유대인의 제2차 포로 귀환(스 7:1-10) 에스라(율법학자) 영도하

에 귀환

3차 포로 귀환 - 성벽재건

기원전 444년 아닥사스다(아르타 크세르크세스 1세, 464~424/3년)의 포로 귀환 조서(느 1:4~2:9).

유대인의 제3차 포로 귀환(느 2:10, 11). 느헤미야 영도하에 귀환.

아르타 크세르크세스 통치 20년에 이르러 왕의 술 맡은 관원장이었던 느헤미야는 예루살렘 성이 훼파되고, 성문이 불이 탔다는 소식을 듣고 울며 금식하는데 느헤미야의 얼굴에 수심이 가득함을 읽은 왕은 이유를 묻는다. 이를 들은 아르타크세르크세스는 느헤미야를 유다의 총독으로 임명하고 3차로 포로를 돌려 보내며 (기원전 444년) 성전 재건을 할 수 있도록 건축 재료까지 지원했다는 기록이 느헤미야서에 전반적으로 기록되어 있다.

(그림 10)

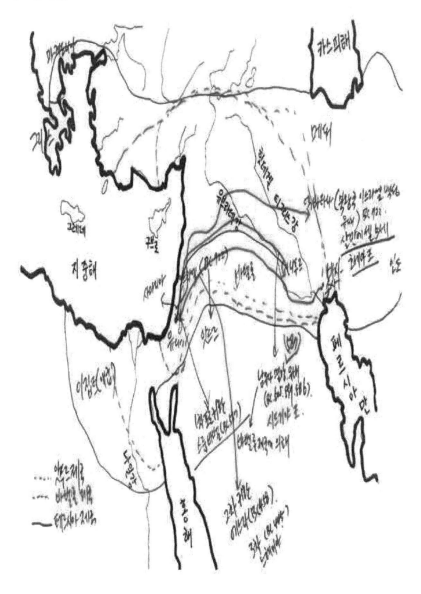

Ⅲ. 주변국들의 역사15)

A. 모압

1. 사해 동쪽 고지 평원에 위치한 작은 왕국이다. 창세기 19장 36~38절에 모압의 조상이 언급되었다.
2. 고고학 연구에 의하면 후기 청동기 시대에 이르기까지 모압은 도시 생활에 익숙하지 않았다. 고지 평원에 살았다. 농업이 주요 경제수단이었다. 성서의 룻기에서 베들레헴 주민들이 흉년이 들어 모압으로 이주해 간 사실을 볼 때 당시 모압은 먹을거리가 풍부했던 것을 짐작된다.
3. 철기 시대에 들면서 인구가 점차적으로 증가하였다.
4. 모압 초기 기록은 이집트 저주 문헌에 나타난다. 기원전 19~18세기 저주 문헌은 "슈투의 왕들"이 이집트를 대적하는 아시아 국가들 안에 끼어있다고 기록함으로 슈트가 모압 지역과 관련이 있음을 보여준다. 그러나 모압에 대한 분명한 언급은 이집트의 팔레스틴 지배가 강화되었을 때 나타난다. 아멘 호텝 22세 시기의 비문에는 에돔과 모압 족속의 조상들로 보이는 "샤슈"가 언급된다. 비문에 나타난 모압 족속은 트랜스 요르단 남단에 살고 있는 유목민들이었다.
5. 이집트 람세스 2세가 모압을 공략한 것이 룩소 비문에 실려 있다.
6. 1930년 발굴된 "발루 석비"에 세 인물이다. 그 가운데 둘은 신들로 여겨졌다. 세 번째 인물은 모압 왕이다.
7. 이집트 비문은 모압이 이집트에 대하여 충성의 관계를 맺고

---

15) 노세영·박종수. 「고대 근동의 종교와 역사」 (서울 : 대한기독교서회, 2009), pp. 55-73 참조.

있으며 13세기에 모압이 이미 국가적 체계를 갖추고 있었음을 보여준다.

8. 1868년에 발굴된 "메사 비문(모압 석비)" - 기원전 9세기 모압 왕의 치세를 기록하였다. 이 시기는 이스라엘 아합왕 시기(기원전 873~851년). 메사는 이스라엘 지배 아래 있던 메데바 땅을 회복하고, 모압의 대표적인 신인 '그모스'를 기념하는 신전을 봉헌하였다.

9. 앗시리아의 기록 ; 티글랏빌레셀 3세(기원전 734~732년) 시대에 모압을 비롯한 시리아, 팔레스틴의 여러 나라를 앗시리아의 지배하에 둠. 님루드(Nimrud)에서 발견된 점토 조각에는 앗시리아에 조공을 바친 왕들의 목록이 있는데, 그 안에 모압 왕 살라마누가 언급되어 있다. 앗시리아 사르곤 2세(기원전 721~705년) 시대로 추정되는 기록에는 모압 왕이 앗시리아에 조공을 바치기를 거부한 팔레스틴의 왕들의 목록에 들어있다. 그러나 이후 정황을 볼 때 모압은 조공을 바침으로 나라의 멸망을 피할 수 있었다.

10. 민수기 21장에 이스라엘과 모압의 첫 만남이 나옴. 이스라엘이 아모리 왕 시혼을 물리치고 그 지역의 통과를 거부하는 모압 지역의 아르논을 멸한 내용이다. 민22~24장은 모압의 왕 발락, 예언자 발람에 대한 이야기가 나온다. 기원전 700년경 데어 알라의 발람 이야기와 거의 일치한다. 사무엘상 14장 47절 다윗 시대 모압이 이스라엘에 조공을 바친다. 열왕기하 24장 2절 바빌론, 시리아, 암몬 족속과 연합하여 유다를 공략한다. 암몬과 더불어 주전 582년 바빌론에 의해 멸망된다.

11. 모압의 언어는 히브리어, 페니키아 어, 우가릿어와 유사하다.

12. 종교는 그모스 신을 중심으로 하는 풍요제의를 기초한다. 높은 구릉 위에 제단을 세웠다. 그모스는 야웨의 기능과 유사하다.

전쟁과 심판의 신이다. 그 여성 파트너는 아쉬타이다. 아쉬타는 풍요의 여신이다. 바알 신도 종종 언급되지만, 바알은 "주"로도 번역되었다.

B. 암몬

1. 성서는 롯과 그의 작은 딸 사이에 태어난 벤암미가 암몬 사람들 조상이다(창19:36~38).

2. 오경 전승에 의하면 암몬 족속이 아르논 강과 얍복강 상의 삼숨민 지역에 거주하였다 (신 2:20이하, 37, 3:11).

3. 후대에 와서 이 땅이 아모리인들에 의해 점령당하자 얍복강 동쪽 지역에 모여 살게 됨(민 21:24, 신 2:37, 수12:2). 민수기 21잘 24절 이스라엘이 출애굽 하는 동안 암몬 족속과 충돌이 있었다.

4. 사사 시대 - 암몬은 모압과 더불어 이스라엘을 위협(삿 3:13, 11:4, 12-33).

5. 사울은 암몬의 나하스 왕에 의해 점령된 길르앗 야베스를 구함(삼상 11:1-11).

6. 다윗은 암몬의 수도이던 라바암몬을 공략(삼하 10~12장)하였다.

7. 솔로몬 시대 암몬과 이스라엘이 가족 관계를 유지(왕상 11:1, 5, 7, 33). 이후 암몬은 솔로몬 사후에 독립된 왕국을 형성한 것으로 여겨진다.

8. 여호사밧 통치 기간(기원전 877-853년) 암몬은 모압, 에돔과 더불어 유다 공격(대하 20:1, 10, 22~23)했으나 패함.

9. 대하 26:8, 27:5) 암몬은 유다의 웃시야와 그의 아들 요담에게 조공을 바침.

10. 암몬 왕 사니프는 앗시리아 티글랏빌레셀 3세에게 조공을 바

침. 앗시리아 에살핫돈 시대에는 암몬 왕 푸두일이 조공을 바쳤으
며, 유다의 여호야김을 괴롭히는데 동참(왕하24:2)하였다.

11. 아람과 모압과 더불어 갈대아인 침략에 동조하여 유다를 공
격(왕하 24:2, 기원전 601). 그러나 바빌론은 유다를 멸망시킨
후 암몬도 곧 멸망시킴(기원전 581년, 겔21:25, 33).

12. 예루살렘이 멸망한 후 유다의 그달랴는 아몬으로 피신(렘
41:10, 15)하였다.

13. 바빌론 포로로 돌아와 예루살렘을 재건하는 것을 방해(느
4:1-2)하였다.

14. 유다 인과의 결혼 감행(에 9:1 이하, 느 13:1, 23-31)하였
다.

15. 페르시아 속주로 있던 암몬은 마카비 전쟁 시기에도 유다의
적대 세력으로 남아있었다.

C. 에서의 후손 : 에돔(창세기 36장)

1. 구약성서에 언급되고 있는 에돔은 지역과 민족 모두를 의미.
창 36:9은 에돔 족속의 조상이 에서이며 세일 산에 거주(참조 삿
5:4)하였다. 그러나 기록된 문서가 없다. 경계를 정하기가 쉽지
않다. 일반적으로 에돔 지역은 사해 남부를 가리킨다.

2. "에돔" ; 셈의 어근에서 볼 때 "빨간". 이 점에서 에돔이라
는 지명이 그곳의 불그스레한 모래땅 색깔을 따라 붙여진 것이라
여겨진다.

3. 최초 기록은 이집트 문헌에 나와 있다. 메르넵타 왕(주전
1224~1214년) 한 관리의 보고서

"우리는 에돔의 베두인 지파를 티제쿠 지역에 있는 메르넵타 호
텝히르마아트 요새를 통과하여 페르하툼 호수로 가게 했습니다."

4. 구약 에돔 지역으로 알려진 세일 땅에 대한 기록은 람세스

문헌에서도 발견된다. 람세스 3세는 세일 사람들을 공격하였다.

5. 민수기 20장 14~21절 이스라엘과 에돔 초기 관계이다. 출애굽한 이스라엘 사람들이 에돔 지역에 이르렀을 때, 모세는 가데스 바네아에서 에돔 왕에게 전령을 보내 그 지역을 통과할 것을 요청한다. 왕의 대로 통과 요청이다. 그러나 에돔 왕은 허락하지 않는다. 그래서 우회하게 된다.

6. 에돔은 기원전 8~7세기경에 와디 아라바의 서쪽 땅에서 정착하기 시작하면서 이스라엘과 경쟁 관계에 있었다.

7. 성서 증언에 의하면 이스라엘 왕국이 형성되는 시기에 에돔 역시 왕 제도를 갖추었던 것으로 여겨진다. 사울 왕은 에돔을 성공적으로 물리쳤으며(삼상 14:47), 다윗 역시 염곡에서 에돔을 대파(삼하 8:13이하)하였다. 솔로몬은 에돔 땅 에시온 게벨에서 배를 건조하였다. 유다 왕 여호사밧은 이스라엘과 에돔과 연합하여 모압을 제압하려 했으나 실패(왕하 3:4-27)하였다. 유다 왕 여호람(주전 852-841년) 에돔은 유다 배반하였다. 여호람은 제압(왕하 8:20-22). 아마샤 왕 때 에돔은 유다에 패배했으나 아하스 왕 때는 유다 격파함으로 엘랏을 회복(왕하 16:6)하였다.

8. 농업과 상업 주요 경제수단이다. 에돔은 인도와 아라비아, 지중해, 이집트를 연결하는 낙타로 장악하여 경제를 유지하였다.

9. 에돔의 종교는 풍요의 신을 숭배하였다. 진흙으로 만든 작은 입상들은 좋은 결과를 가져다주는 신이었다. 에돔 지역의 대표적인 신은 "카우쉬"로 알려지고 있으며, 다른 이름의 신으로 "엘로아"가 있다. 엘로아는 야웨의 별칭인 "엘로헤"와 유사하다.

10. 그들의 언어는 히브리어와 별 차이가 없다. 이스라엘과 형제 나라로 알려진 에돔은 팔레스틴에서 기원전 13세기경부터 6세기까지 존속하면서 이스라엘과 많은 것을 공유하였다.

D. 아람(시리아)

1. 구약성서에 나오는 시리아는 고대의 다마스커스(다메섹)와 아람 지역이다.
2. 시리아는 일반적으로 팔레스틴의 북쪽과 복동쪽에서부터 유프라테스강과 하보르 강 사이의 땅에 이르는 지역이다.
3. 창세기 24장 아브라함이 자기의 종을 보내 이삭의 아내를 구해 오라고 한 곳이 '아람 나하림'('두 강의 아람이라는 뜻')이라는 사실에서 아람은 일찍부터 이스라엘과 관계를 맺어온 것처럼 보인다. 여기서 아람 나하림은 메소포타미아 지역을 의미(창 24:10)한다.
4. 성서에서의 아람 나하림은 광범위한 지역을 지칭할 뿐 아니라, 시리아로 일컬어지는 다양한 지역에서 분포하여 살던 거주민을 의미하기 때문에 그 지역적 한계가 불분명하다.
5. 기원전 3000~2000년 사이 시리아 지역의 주요 도시는 북부 시리아의 에블라와 우가릿을 들 수 있으며, 메소포타미아 지역에서는 "마리" 등이 정치, 경제의 중심지로 부상했다.
6. 이집트인들은 기원전 2400~1200년에 상당한 수준에서 시리아 지역을 장악했다. 투트모세 3세(주전 1482~1450년)는 허리안 족의 미타니 왕국을 제압하였다.
7. 아람에 대한 최초의 문헌은 앗시리아의 티글랏빌레셀 1세(주전 1115~1077년) 시기에 출현하였다. 이 문헌에 의하면 북쪽 셈어를 사용하는 아람인은 기원전 10세기에 정치 세력을 갖춘 집단으로 근동에 나타났다.
8. 사울은 아람의 주요 도시인 소바를 쳐서 아람족을 물리쳤다(삼상 14:47).
9. 다윗이 소바의 왕 하닷에셀을 물리치자 다마스커스의 사람들이 하닷에셀을 도우러 온다. 그러나 아람은 성공하지 못하고 다윗

에게 조공을 바친다(삼하 8:3-6).

10. 시리아의 벤하닷은 이스라엘의 아합과 싸움(왕상 20장), 앗시리아의 살만에셀 3세의 공격 대상이 되기도 했다(주전 853~845년). 벤하닷은 하시엘에 의해 살해(왕하 8:15, 기원전 843년)되었다. 하사엘은 예후(주전 839~822년)와 여호아하스(주전 821~805년) 시절에 이스라엘을 공격하였다. 그의 아들 벤하닷 2세도 이스라엘을 괴롭혔다(왕하 10:32이하, 13:3, 22).

11. 시리아-에브라임 전쟁(주전 734년)에서 유다 아하스는 앗시리아의 티글랏빌레셀 3세에게 구원을 요청하였다. 이로 인해 다마스커스와 이스라엘은 앗시리아에 의해 멸망하는 원인을 초래(왕하 16:5~9)하였다. 이후 시리아는 유다의 멸망과 함께 바빌론을 지배하였다. 페르시아의 통치 때는 페르시아의 속주로 편입되었다.

E. 페니키아16)

1. 페니키아(그리스어: Φοινίκη)는 고대 가나안의 북쪽에 근거지를 둔 고대 문명이다.

2. 중심 지역은 오늘날의 레바논과 시리아, 이스라엘 북부로 이어지는 해안에 있었다.

3. 페니키아 문명은 기원전 1200년경에서 900년경까지 지중해를 가로질러 퍼져나간 진취적인 해상 무역 문화를 가졌다. 주요 도시는 티레(두로), 시돈이다.

4. 최초로 알파벳을 사용한 문명으로 널리 알려져 있다. 그들이 사용한 카나니테-페니키안 알파벳으로부터 후대의 여러 알파벳이 나왔다.

---

16) 문희석, 「구약성서배경사」(서울: 대한기독교서회, 2010), pp. 425-452.

5. 페니키아인들이 동지중해 지역에서부터 여러 지역으로 이주하였다고 하나 명확한 기록은 없다. 헤로도토스는 페니키아인이 지금의 페르시아만 지역에서 지중해 지역인 레반트로 이주하였을 것이라 추정하였다.

6. 언어나 신화 면에서 볼 때 페니키아인은 가나안의 다른 문화와는 유사하다. 페니키아인들은 스스로를 가나안 인이라 불렀다. 기원전 14세기경에 제작된 아마르나 문서에서 그들은 스스로를 가나안 인이란 뜻의 케나아니(Kenaani) 또는 키나아니(Kinaani)로 부르고 있다.

7. 기원전 1500년 고대 이집트의 토트메스 3세가 이 지역을 점령하면서 역사적으로 알려지게 되었다.

8. 페르낭 브로델은 그의 저서 《세계의 투시도》에서 페니키아는 주변의 세계와 교류하여 "세계 경제"를 건설한 고대 제국 중 하나라고 지적하였다. 페니키아의 문화와 해양지배력은 기원전 1200년경에서 기원전 800년경에 절정을 이루었다.

9. 페니키아 도시국가들은 해양을 통해 레반트 지역과 교류하였으며 많은 자원들을 실어 날랐다.

10. 기원전 1200년경 철기 시대에 접어들자 흉년을 만난 해양인들이 남하하였다. 이들은 이집트, 히타이트와 같은 잘 알려진 고대 국가들을 약화시켰으며, 이러한 지배력 공백으로 인해 페니키아의 많은 도시 국가들은 독립적인 권력을 수립하게 되었고 이후 해양지배력을 바탕으로 독립을 유지하였다.

11. 페니키아의 권력은 왕, 사원의 성직자, 그리고 원로원으로 구성되어 있었다.

12. 기원전 1000년경 티레와 시돈이 발흥하였으며 이들은 페니키아의 헤게모니를 분점하였다. 티레의 왕 히람 1세(Hiram I, 기원전 969년~기원전 936년)은 당대의 가장 강성한 왕이었다. 이러한 이유로 인해 페니키아인은 가나안 인이란 이름과 함께 티

레인, 시돈인 등으로 불리기도 하였다.

1) 두로

원래 본토와 관계가 없는 조그마한 섬에 위치하였다. 기원전 1200년부터 느부갓네살 왕에게 멸망 당했던 기원전 574년까지 눈에 띄는 두드러진 도시였다. 그 후 시돈이 지배하였다. 두로의 가장 유명한 왕은 히람 왕 혹은 아히람(기원전 981~947년). 두로에 방파제를 구축하였다. 항구를 개선하였다. 그의 영향으로 이스라엘과 동맹을 맺기도 하였다. 잇도바알(에트바알)은 아스다롯의 제사장. 오므리의 집과 두로 사이 동맹을 맺은 이스라엘의 아합왕의 부인이 그의 딸 이세벨이었다(왕상 16:31). 엘리야가 페니키아의 도시인 사르밧 과부를 방문한 것이 바로 이때(왕상 17장)였다. 이 왕은 자신을 시돈 왕이라 불렀지만 분명, 두로 왕이었으며, 따라서 두 도시 사이에 어떤 통일체를 암시하였다.

2) 시돈

시돈(Sidon) 또는 사이다(Saïda)는 레바논 남부 지중해 연안에 위치한 도시로, 레바논에서 세 번째로 큰 도시이다. 시돈은 아랍어로 "수산업(어업)"을 뜻한다. 시돈은 티레(두로)에서 북쪽으로 약 40km 정도 떨어진 곳에 있으며, 베이루트에서 남쪽으로 약 40km 정도 떨어진 곳에 있다. 인구는 약 20만 명이었으며, 수니파 무슬림이 인구의 80%를 차지하였다. 이 밖에도 시아파 무슬림과 동방 가톨릭교회 신자, 마론파 신자가 거주하고 있었다. 솔로몬은 그의 시돈 여인들을 만족시키기 위해서(왕상 11:1이하) 시돈의 여신인 아스다롯을 섬겼다.

F. 미디안(창 37:36)[17)]

미디안의 정확한 경계를 정하기는 어렵다. 아라비아반도 북서부 지역으로 보고 있다. 미디안의 시조는 아브라함과 후처 그두라 사이에서 낳은 아들이다. 후에 아브라함의 아들인 이삭과 구별하기 위해 요르단강 동쪽으로 보냈고, 이때부터 이 지방 원주민들과 하나가 되어 미디안 민족으로 발전하였다. 미디안 인들은 모세와도 관련이 깊은데 이집트에서 도망친 모세는 미디안의 사제 이드로의 사위가 되었고, 40년 동안 미디안에서 양 떼를 치며 생활하였다.

이스라엘 왕정 시기에 미디안은 이스라엘 요르단강 건너편 지방을 가리키는 지명이 되었고, 후에 아시리아 제국에게 정복당했고, 아시리아의 왕 티글랏~빌레셋 3세와 사르곤 2세에게 공물을 바쳤다는 기록이 있다.

G. 팔레스틴

1. 팔레스틴이라는 말은 히브리어로 "펠레쉐트"에서 유래한 말로서 "블레셋의 해안지역을 지칭할 때 사용되었다. 기원전 2세기에는 로마 인 사이에서 이전 유대 지역을 포함한 시리아 남쪽 3분의 1 지역이 팔레스틴으로 불리웠다.
2. 가나안 지역은 넓은 의미에서 레바논 해협과 우가릿(라스샤므라), 남부 시리아, 그리고 레바논과 팔레스틴 모두를 포함한다. 오늘날의 시리아, 레바논, 이스라엘, 요르단 지역의 대부분을 차지하는 가나안 지역은 단일한 정치 세력은 형성하지 않았지만,

---

17) 위키백과 사전.

공통의 언어와 문화를 지닌 도시국가들, 예를 들면 비블로스, 시돈, 두로, 세겜, 예루살렘 등으로 구성되어 있었다.

3. 팔레스틴에서는 초기선사시대부터 사람이 정착해서 살아왔다. 역사시대에 접어들면서 팔레스틴은 강대국들에 의해 점령당했다. 이집트, 앗시리아, 바빌론, 페르시아, 마케도니아 헬라제국, 로마 제국에 의해 정복당했다. 팔레스틴의 중심부에 위치한 이스라엘은 다윗과 솔로몬 왕조에 통일 왕국을 세움으로써 그 절정을 이루었다. 솔로몬 사후 북왕국 이스라엘은 앗시리아에 멸망(기원전 721년)하였다. 남유다 왕국은 바빌론에 의해 멸망(기원전 586) 당한 이후 자국의 주권을 소유하지 못하고 강대국의 통치를 받아왔다.

4. 팔레스틴의 역사 유적들이 최근에 발견되었다. 아이, 아랏, 벳산, 므깃도 등지에서 기원전 3000년~2000년대에 메소포타미아의 초기 왕조 시대와 유사한 번영된 모습을 발견되었다.

H. 에블라

1. 한 이탈리아 학자가 발견한 고대 에블라(시리아 북서쪽) 유적은 기원전 3000~2000년 시리아 역사이다.

2. 수메르어 계통의 에블라 쐐기문자를 썼다. 그 가운데 80% 이상이 경제와 행정의 내용이며, 나머지는 역사, 법, 문학, 사전 따위 문헌들이다.

3. 에블라의 유적들은 대략 40년 동안 역사 기록이다. 왕들은 왕비를 비롯한 왕족들과 권력을 나누어 통치하였다. 군주는 주로 내정, 다른 왕들은 외교 정치를 하였다.

4. 도시의 장로들은 상당한 수준의 정치력을 가지고 있었다.

5. 약 17만 평 약 26만 명 인구를 가지고 있었다.

6. 당시 시리아 경제 중심지였다. 무역 품목은 밀, 보리, 포도,

가축, 농산물뿐만 아니라 직물과 청동 제품이다. 금속 기술 상당한 수준으로 발전되었다. 에블라 경제 활동을 알려주는 자료로서 에블라와 어떤 도시 간에 체결된 계약문서가 발견되었다. 당시 유명한 도시였던 마리를 공략하였다. 마리는 에블라에 금과 은을 조공으로 바쳤다.

7. 아카드 사르곤 왕의 손자 나람신에게 멸망되었다. 기원전 2000년경 아모리인들에 의해 두 번째 멸망이 되었다.

I. 우가릿

1. 오늘날 라스샤므라(시리아 지역)이다. 기원전 14세기 가나안의 주요 도시였다. 기원전 1928년 시리아 농부에 의해 발견되었다.

2. 시리아의 북쪽 해안에 위치했다. 기원전 2000~1000년 가나안의 중요한 도시였다. 다민족, 다언어를 가진 복합 문화였다. 그리스의 미케네인, 히타이트, 바빌론, 허리안(Hurrian)족과 이집트인들이 섞여 살고 있었다. 설형문자로 된 우가릿의 문헌은 당시 히타이트와 이집트 상인들이 거주했음을 보여 준다. 다양한 민족이 어우러져 살았던 우가릿은 우가릿 문헌에 보면 우가릿 언어 외에도 허리안족 언어, 아카드어, 히타이트어, 이집트어, 키프로-미노아 어, 상형문자인 루위안 어가 발견된다.

3. 우가릿에서 인간이 처음 거주 시기는 기원전 7000년. 신석기 시대의 시리아-팔레스틴 농업을 기초로 정착하고 있었다.

4. 기원전 6000년경 농업 혁명, 도구의 발달. 광물질이 함유된 도기 제작. 신석기 시대는 우가릿이 가장 발전했던 시기. 기술의 발달과 함께 인구가 증가하여 군집을 이룸.

5. 신석기에서 동석기 시대에 이르는 동안 우가릿은 잠시 어려움을 겪는다. 동양의 새로운 영향력이 증대. 이후 우가릿은 급격

한 변화와 함께 '할라프'라고 불리는 문명시대에 접어든다. 이때 채색된 우가릿 도기들이 메소포타미아의 북부와 시리아로 퍼져나갔다.

6. 초기 청동기 시대에 우가릿은 도시화 성격. 작은 도로와 안전을 위한 누벽을 갖추게 된다.

7. 기원전 2200년경 이후 우가릿은 얼마동안 발전이 멈춘다.

8. 중기 청동기(기원전 2000년경) 시대 - 유목생활을 하던 아모리인과 시리아인들이 들어오면서 아크로폴리스 건설. 금속제를 사용. 고고학자들은 이 시대의 우가릿 사람들을 "목걸이를 달고 다니는 사람들"이라고 부름. 이 시대 이집트와 관련된 수많은 물건들 발견. 이집트와 서로 교역하였음을 알 수 있다.

9. 후기 청동기 시대 우가릿 왕들은 자신의 인장을 사용하였다.

10. 기원전 15~12세기 왕권 강화, 외국과의 교역 활발. 기원전 14세기에 발견된 아마르나 서신들과 우가릿 문헌들은 이 시대의 활발한 국제 관계를 보여준다.

11. 기원전 1400~1350년 사이 우가릿은 이집트 영향 아래 들어갔다. 1350년경에는 히타이트의 세력 아래 들어간다.

12. 기원전 13세기 말엽 우가릿의 마지막 왕 아무라피는 '바다 족속'(해양 국가)에 의해 멸망. 완전한 멸망은 기원전 1180년 추정된다.

13. 우가릿은 베이루트, 비블로스, 두로와 함께 지중해 동부에 위치한 국제 무역 항구였다. 이들 도시들은 작은 규모였지만 독립 국가 체제를 유지하였다.

14. 육지와 바다 사이의 길목이던 우가릿은 멀리 떨어진 지중해의 키프러스와 북쪽 아나톨리아에 있는 실리시안 항구와 근동 지역을 이어주는 연결 고리가 되었다.

(그림 11)

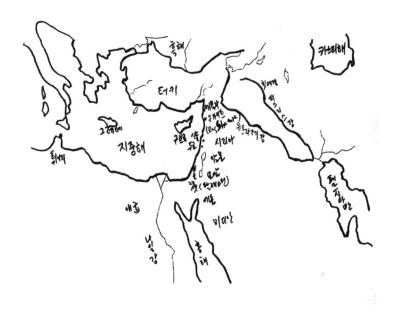

J. 신 아시리아 제국

앗수르 왕조

 앗수르 건설(주전 1350~612년). 주전 1350년경 앗수르발리트
1세에 의해 건설(중아시리아).

1. 살만에셀 3세 (주전 859~825년)

북이스라엘의 아합(7대)과 예후(10대)와 동시대 왕.

주전 853년에는 시리아의 연합군들과도 접전했는데 이때 아합이 이끄는 이스라엘도 연합군을 이룸.

12년 후에는 예후가 싸움을 포기하고 살만에셀에게 조공을 바치며, 그 앞에 무릎을 꿇고 엎드려 있는 모습이 살만에셀의 흑색 방첨비에 새겨져 있다.

2. 아닷-니라리 3세 (주전 810~782년)

서부 원정에 나서 힛타이트, 다메섹, 두로, 시돈, 에돔, 블레셋, 아람(하사엘) 등을 복종시킴.

12대 요아스(주전 798~782년)에게서 조공을 받음(그 후 국세가 어느 정도 기울 때).

3. 디글랏 빌레셀 3세 (주전 745~727년, 왕하 15:29)

앗수르 최대의 왕 가운데 하나로 앗수르 역사상 가장 강력한 군사적 전성기를 이룩한 왕이다.

바벨론을 점령하고 스스로 바벨론 왕이 되어 "불"이라는 이름으로 통치(대상 5:26).

16대 므나헴에게 조공을 받음.

18대 베가 왕 때에 이스라엘을 다시 침략하여 가자, 갈릴리, 요단 동편의 이스라엘 영토를 앗수르의 3개의 주로 편성.

앗수르는 북 왕국 10지파를 자신들의 제국 내의 다른 지역으로 강제이주 시켰는데, 이때부터 북이스라엘 열 지파는 흩어지게 된다.

4. 살만에셀 5세 (주전 726~722년)

열왕기하 17장 4절 애굽 소왕과 북이스라엘 호세아가 반역을 꾀하자 호세아가 통치하고 남아있던 이스라엘 땅(에브라임 지파와 므낫세 지파의 지역, 사마리아 남쪽)을 모두 점령하고, 사마리아를 3년간 포위한 끝에 B.C. 722년 그가 죽기 직전 함락하여 이스라엘 멸망시킴(왕하 17:1-6).

5. 사르곤 2세 (주전 722~705년)

북이스라엘 민족을 멀리 국외로 추방했으며, 코르사밧에 새로운 궁전을 세우는 한편 반역한 국가들은 가차 없이 징벌(사 20:1)하였다. 깃딤, 에그론, 아스돗 등을 점령하여 앗수르의 아스돗을 주로 편성시킴(사 20:1, 왕하 17:24). 여러 해에 걸쳐 바벨론, 구다, 아와, 하맛, 스발와임 인들을 사마리아에 이주시킴. 이방인들은 자기 종교와 관습을 행했다(왕하 17:29-31). 이들이 이스라엘의 잔존 주민들과 섞여 살며 나중에 사마리아인으로 불림(이방인으로 취급받음).

6. 산헤립 (주전 704~681년)

사르곤 2세의 아들

각처의 반역을 무자비하게 대처하여 주전 689년에는 바벨론 성을 짓밟았다.

주전 701년 서부 원정을 나서 시리아와 팔레스타인 왕들을 징벌하고 반역을 주도한 히스기야 왕 유다 침공. 이때 히스기야는 항복하고 조공을 바치게 된다(왕하 18:14~16).
·히스기야 14년에 산헤립은 다시 유다를 침공하여 끝장내려고 예루살렘까지 접근했으나, 18만 5천의 군사를 죽임(전염병, 페스트)으로 인해 퇴각(왕하 19:35-37).

7. 에살핫돈 (주전 681~669년)

아버지를 죽이는 데 가담하지 않은 산헤립의 아들로 왕위에 올라(사 37:38), 주전 675년 이집트까지 정복하여 최대의 영토를 확장.
므낫세 왕을 데리고 바벨론으로 데리고 간 왕(대하 33:11-13).

8. 아수르바니팔 (주전 669~627년)

앗수르 최고의 전성기를 이룩한 최후의 위대한 왕.
오스납발로 불림(스 4:10).
많은 이방인들을 강제로 사마리아에 정착시킴(스 3:9-10).

9. 앗수르의 최후

아수르바니팔 대왕 이후 점점 쇠퇴의 길.

주전 626년 바벨론 느부갓네살 아버지 나보폴라살의 영도아래 독립을 선언하고 도전.

주전 614년 ~ 주전 612년 메데 시악사레스의 영도 아래 앗수르를 함락시킴.

바벨론, 메데, 스구시아 연합군에 의해 수도 니느웨가 3개월 포위 끝에 스바냐(습2:13-15), 나훔(나 3:1-3) 선지자 예언대로 함락.

이집트와 동맹을 맺고 버텨보려던 신 사르 이슈쿤(주전 622~612)왕도 함께 죽었다.

니느웨 함락 후 앗수르 유민들은 앗수르 최후의 통치자인 앗수르 우발릿 2세(주전 612~609)의 지도 아래 유프라테스강을 건너 하란을 수도로 정하고, 이집트의 지원을 받으며 재기를 노렸으나, 주전 610년 나보폴라살은 동맹국 스구디아의 지원을 받으며 또다시 하란을 점령, 주전 609년 앗수르는 멸망 당했다.

(그림 12)

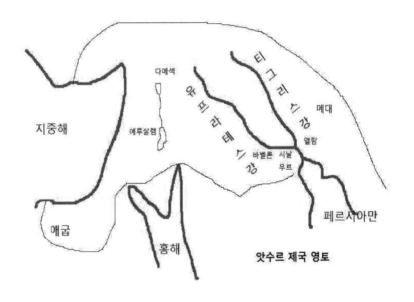

지중해

다메섹

예루살렘

티그리스강

유프라테스강

메대

엘람

바벨론 시날

우르

애굽

홍해

페르시아만

앗수르 제국 영토

K. 신바벨론 제국(주전 626~539년)

1. 나보폴라살(주전 625~605년)

나보폴라살은 바벨론 왕이 되면서 갈대아 왕조를 세운다. 앗수르 군대를 패배시킴으로 대제국의 주인이 된다. 그는 일찍이 통치 초기에 왕궁 수리와 더불어 아들 느부갓네살(주전 605~562년)에게 왕권을 선포하였다. 이 둘은 앗수르 왕이 하란에서 항복하던 시기에 함께 있었고, 여기서 나보폴라살은 바벨론으로 갔고 느부갓네살은 3개월 동안 성을 약탈, 불 지르면서 전쟁의 선봉에 섰다.

이때 앗수르 멸망과 더불어 이집트 왕 바로느고는 자기의 세력을 위해 갈그미스로 올라와 느부갓네살과 전쟁을 하게 되는데, 이 과정에서 유다 왕 요시아가 바로느고와 싸우러 나갔다가 므깃도에서 죽게 된다.(대하 35:20~24) 이로 인해, 유다는 잠시 이집트의 영향 아래 들어가게 되며, 바로느고는 요시아 뒤를 이은 여호아하스를 3개월 만에 폐위시켜 이집트로 잡아가고 그의 형제 여호야김(엘리야김)을 왕위에 앉힌다.(대하 36:1~4)

2. 느부갓네살(주전 605~562년), 나도 쿠드르 우스르

초대 왕 나보폴라살의 뒤를 이은 그 아들 느부갓네살은 다니엘이 예언한 금 머리처럼 그의 43년간의 통치 기간은 황금 시기를 이루었다. 그리고 이집트의 세력을 시리아와 팔레스틴에서 일소해버리고 오리엔트 상업의 이권을 차지하였다. 이때의 유다도 이집트의 영향 아래 있다가 바벨론으로 넘어가 마침내 느부갓네살에게 멸망하여 수많은 백성들이 세 차례에 걸쳐 유배되었다.

주전 606년 여호야김이 바벨론을 반역하여 느부갓네살 왕에게 비참한 죽음을 맞게 된다.(1차 포로)

주전 598년 느부갓네살은 여호야긴과 관료들과 모든 용사들을 사로잡아 갔으며, 장인들과 대장장이들도 잡아가 그 땅에는 극빈자들 외에는 남지 않게 되었다(왕하 24:8-16). (2차 포로)

주전 587년 4월 9일 (느부갓네살 19년). 시드기야 아들들은 죽임을 당했고 시드기야는 눈이 뽑혀 바벨론으로 사로잡혀 갔다(3차 포로).

3. 에윌므로닥(주전 561~560년) (렘 52:31~34, 왕하 25:27~30) 악한 므로닥.

유다 왕 여호야긴을 석방시켜 준 왕, 2년을 치리한 후 느부갓네살 사위 네리그릿살의 주축이 된 모반자들에게 죽임당함.

4. 네리글리살(주전 559~556년)

4년을 치리한 후 주전 556년 전쟁에서 죽음.

5. 라바쉬 마르둑(주전 556년)

네리그리살 아들(저능아) 1년도 못 되어 맞아 죽는다.

6. 나보니두스(주전 555~539년)

느부갓네살의 또 다른 사위로서 왕위를 찬탈하였다.
네리그리살의 아내와 결혼하여 바벨론 멸망(B.C. 555~538년)까지 치리한다.

7. 벨사살 왕(바벨론 마지막 왕)

나보니두스의 아들이자 섭정왕. 주의 성전에서 가져온 기명들로

술잔치를 벌일 때 하나님의 손이 나와 멸망을 기록 했으며, 그날 밤 벨사살은 살해당했고 바벨론은 멸망했다.(단 5장)(주전 539년 멸망). 세계사에는 나보니두스가 마지막 왕으로 되어 있고 벨사살은 제시되어 있지 않다.

바벨론 성

한 변의 길이 22.4km, 둘레 90km, 성벽의 두께는 30m, 성벽을 돌아 100개의 청동 문, 성벽 바같에는 물이 가득한 웅덩이를 만들었다. 고레스 왕은 유프라테스강 물줄기 360개를 팠다.

(그림 13)

신앗시리아. 신바벨론 제국시대

(그림 14)

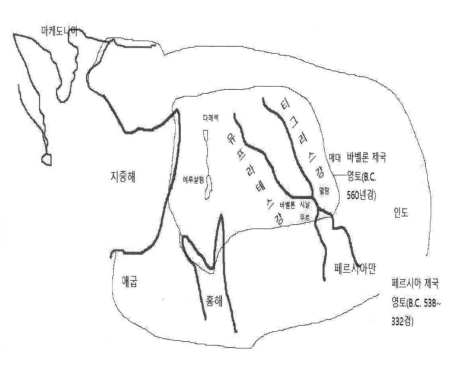

마케도니아

지중해

다메섹

유프라테스 강

티그리스 강

메대 바벨론 제국
영토(B.C.
560년경)

예루살렘

바벨론 시날
우르

열맘

인도

애굽

홍해

페르시아만

페르시아 제국
영토(B.C. 538~
332경)

L. 페르시아 제국

1. 키루스 2세 (Cyrus 2, 고레스, 재위 주전 559~529년, 30
년간)

페르시아가 아직 통일된 국가를 가지지 못하고 도시국가 형태로
있을 당시, 아스티아게스라는 메디아의 왕(메대)가 바사(페르시

아)를 다스리고 있었다. 키루스 1세(Cyrus Ⅰ)는 페르시아인들을 통합했으며, 그의 아들 캄비세스 1세(Cambyses)는 메디아 왕국(Media)의 공주 만다인(Mandane, 아스티아게스의 딸)과 혼인함으로써 페르시아와 메디아를 통합했다.

캄비세스의 장남 키루스 2세(Cyrus Ⅱ: 기원전 559~529년 재위)는 쿠루쉬(Kurush)라고도 불렸으며, 아스티아게스의 외손자임. 키루스 2세가 메디아를 흡수하고 페르시아 제국을 세움. 그는 주전 546년 리디아의 도읍 사르디스를 함락시켜, 소아시아를 지배하에 두었다. 다시 또 박트리아·마르기아나 등 동방의 여러 지역도 평정하여 북방 유목민에 대한 방비를 굳혔고, 바빌로니아로 전진하여 주전 538년 나보니도스를 무찔러 칼데아(신바빌로니아)를 멸하였다. 바빌로니아에 잡혀 있던 유대인 포로들이 이 때 해방되었다. 이렇게 해서 이집트를 제외한 오리엔트는 그의 지배하에 들어갔고, 여기서 페르시아 제국의 기초가 다져졌다.

 2. 캄비세스 2세 (재위 주전 529~522년, 7년간)

주전 525년 이집트를 정복했다. 키루스 2세 대왕과 아케메네스 가문의 딸 카산다네 사이에서 맏아들로 태어났다. 캄비세스는 직접 에티오피아 원정에 나서, 에티오피아 북부 지방을 합병했지만, 보급품 부족으로 귀환할 수밖에 없었다. 그리고 페르시아로 돌아가는 도중에 죽게 되었다.

 3. 다리우스 1세[대왕] (재위 주전 522~486년, 36년간)

캄비세스와 동행했던 다리우스가 귀국하여 왕위에 올랐다. 그리스 역사가 헤로도토스와 크테시아스가 그의 즉위에 관해 쓴 글은 여러 가지 점에서 분명히 비문을 따른 글이지만, 전설과 결합된 점도 있다. 예를 들면, 다리우스와 공모자들이 그들 중 누가 왕이 될 것인가 하는 문제를 그들의 말[馬]에게 맡겨 결정하기로 했을 때,

다리우스는 그의 마부가 속임수를 쓴 덕분에 왕위에 올랐다고 한다. 6명이 왕위를 두고 시합을 하였는데, 말을 타고 정해진 곳까지 가장 먼저 크게 '히잉'하고 소리를 내는 말을 탄 주인을 왕으로 결정하기로 하였다. 마침 다리오(다레이오스)의 하인 중에 뛰어난 마부가 한 명이 있었는데 그가 다리오를 크게 도왔다. 다리오의 말을 전날 밤 암말과 교배하게 한 후, 그 암말의 소변을 도착 지점에 미리 뿌려놓았다. 다리오가 탄 말이 자기 암말의 소변 냄새를 맡고 가장 먼저 크게 울어주어 왕이 되었다 한다(역사적 사실에 근거한 것은 아님).

다리우스는 주전 518~ 510년 인도의 펀자브 지방을 정벌하고, 소아시아의 그리스 식민지도 평정하였으며, 국토의 북변을 자주 침범한 스키타이인(人)도 몰아냈다. 또 두 번에 걸쳐 그리스 본토에 원정하였다. 첫 번째는 기원전 492년 사위 마르도니우스에게 지휘를 맡겨 트라케와 마케도니아를 복속시켰으나, 여러 불상사로 중도에서 실패하였고, 두 번째는 다티스와 아르타페르네스의 지휘하에 에게해를 건너 그리스로 출정하였지만, 마라톤전투에서 결정적인 패배를 맛보았다. 정확한 원정군의 규모는 알려져 있지 않다. 헤로도토스는 600척의 겔리선이라고 만 밝혔을 뿐이고, 후대의 사가들의 기록은 200,000만 명에서 500,000만 명까지 다

양하게 기록하고 있다. 다리우스는 그리스를 정복할 계획을 세웠지만, 486년에 죽고 만다. 오늘날 이 전쟁에 대해서 우리가 알 수 있는 사료의 대부분은 그리스 역사가들(특히 헤로도토스)과 일부 로마 역사가들의 사료이다.[18]

4. 크세르크세스[아하수에로] 1세, (재위 주전 486~465년, 21년간)

다리우스 1세의 아들이며. 크세르크세스 대왕이라고도 한다. 재위 6년째 되는 주전 480년 봄, 육해군을 이끌고 사르디스를 출발하여 각지에서 승리를 거두었다. 페르시아는 유명한 테르모필레 전투에서 (스파르타와 아테나이가 주도한) 그리스 연합군을 무찔러 그리스 대부분의 지역을 장악하였으나, 연합군 함대를 파괴하려다 페르시아는 살라미스 해전에서 대패하였다. 원정군의 병력 규모에 대해서는 많은 논란이 있다. 헤로도토스의 기록은 보병만 170만 명, 기병 8만 명, 그리스의 페르시아 동맹군 32만 명 등 총 260만 명 이상의 규모라고 적고 있으나, 후대의 사가들은 80만 명이라고 적었고, 현대의 연구자들은 9만에서 30만 명으로 본다.[19]

이듬해 헬라스(역사적으로는 그리스로 알려져 있음) 연합군은 반격에 나서 플라타이아이 전투에서 페르시아군을 격퇴하고 그리스

---

18)
   ttps://ko.wikipedia.org/wiki/%EA%B7%B8%EB%A6%AC%EC%8A%A4~%ED
   %8E%98%EB%A5%B4%EC%8B%9C%EC%95%84_%EC%A0%84%EC%9F%81
   .
19) ibid.

침략을 막아내었다. 다리우스는 살라미스의 해전에서 그리스군에 패배하자 급거 귀국하였다.

살라미스에서의 대패에 실망한 크세르크세스 1세는 재위 7년째인 이듬해 주전 479년 장군 마르도니오스(다리우스 1세의 사위)에 게 페르시아 육군 30만 명의 총지휘권을 맡겼다. 마르도니우스가 이끄는 페르시아군이 플라타이아이 전투에서 대패하고, 나아가 미칼레 전투에서도 패배하였으나 페르시아 영토 그 자체는 빼앗기지 않아 국위는 여전히 융성하였다. 하지만 이 전쟁에서 그가 결정적으로 패배한 결과, 이때부터 왕조의 몰락이 시작되었다. 그리스와의 제3차 페르시아 전쟁의 패배에 불쾌해진 크세르크세스는, 수사와 페르세폴리스에 틀어박혀, 이때부터 일찍이 무거운 과세로 긁어모은 막대한 자원과 부를, 그는 방대한 건설계획을 추진함으로써 국력을 더욱 소모시켰다.

성경 '에스더'서에 나오는 크세르크세스[아하수에로]의 재위 기간(1장 1절, 8장 9절)은 헤로도투스의 기록과 정확히 일치하고 있는데, 이것은 페르시아 왕들의 역사에서는 유례가 없는 일이다. 또한 아하수에로 제 3년에 열린 대연회(1장 3절)의 기록도, 헤로도투스가 그의 책에, 페르시아 왕이 그리스를 정벌하기 위하여 회의를 소집했다고 기록한 그 날짜와 시각이 일치한다. 수산 궁에 관한 묘사도(1장 6절) 고고학에 의하여 그 사실성이 입증되었다.

아하수에로 왕이 제 7년에 새 왕비를 맞아들인 사실(2:16)은, '아하수에로가 그리스 원정에 실패한 후에 후궁(後宮 harlem)의 환락에 빠졌다'고 전하는 헤로도투스의 보고와 일치한다. (출처 : 톰슨 성경 에스더 서론의' 역사성의 문제'에서)

만년에는 왕궁에서 호화생활을 누리다가 하렘의 음모에 휘말려, 주전 465년 그 자신이 장남과 함께, 그의 대신(大臣) 아르타바누스가 포함된 궁전의 살인집단에 의해 쓰러졌다.

5. 아르타 크세르크세스[아닥사스다] 1세, (재위 주전 465~425년, 40년간)

크세르크세스 1세의 아들. 부왕을 암살한 아르타바누스에 의하여 제위에 올랐으나, 얼마 후 그를 죽이고, 이집트와 박트리아 등의 난을 평정하였다. 재위 17년째인 주전 448년, 칼리아스 협약을 성립시켜 아테네와의 화평에 힘썼다. 그러나 같은 해 주전 448년에 키프로스 섬 앞바다에서, 키몬이 거느리는 아테네 해군에 패함으로써 트라키아 등지에서 세력을 상실하게 되어, 그 후 고대 페르시아 제국은 서서히 쇠퇴하여 가기 시작했다.

크세르크세스(아하수에로, 에스더 남편) 아들 아닥사스다는 에스라와 느헤미야 귀환을 허락(에스라 7:1-7, 느 2:1-8)하였으며, 에스라에게 필요한 모든 물자를 제공하였다((에스라 7:6, 12-23, 8:25-27).

6. 다리우스 2세 (재위 주전 423~404년, 19년간)

아르타 크세르크세스 1세와 그의 첩(妾) 바빌로니아 여인 사이에서 태어난 아들로, 원래 이름은 오쿠스였다. 히르카니아 지방 사트라프(총독)을 지내다가, 이복형 세키디아누스(또는 소그디아누스)의 왕위를 빼앗고 그를 처형했다. 노투스(서자)라는 별명도 갖고 있었으며, 왕위에 오른 후에는 다리우스라는 이름을 썼다.

다리우스 2세는 주전 413년에 시라쿠사에서 아테네군을 무찌른 후, 주전 448년부터 아테네의 지배를 받고 있던 소아시아의 해안 도시들을 되찾기로 결심했다. 소아시아 지방 사트라프인 티사페르네스와 파르나바주스를 시켜 밀린 공물을 거두어들였고, 아테네와 맞서기 위해 스파르타와 동맹을 맺었다. 아테네와 전쟁을 한 후 이오니아 지방을 대부분 되찾았지만, 다른 지역에서는 별 성과를 거두지 못했는데, 이는 스파르타군에게 제한된 지원만을 했던 티사페르네스의 정책에 그 원인이 있었다. 그러나 주전 407년 다리우스 2세는 스파르타군을 아낌없이 지원하기로 결정해, 티사페르네스 대신 자기 아들 소(小) 키루스를 소아시아 지역 총사령관으로 임명하고, 스파르타 함대 재건에 필요한 자금을 아들에게 주었다. 그 결과 아테네는 주전 405년 아이고스포타미에서 참패했다. 그러나 얼마 후 다리우스는 병으로 죽었다.

7. 아르타 크세르크세스 2세 (재위 주전 404~358년, 46년간)

교양이 높고 기억력이 뛰어나서, 그리스사람은 그를 무네몬(기억이 좋다)이라고 불렀다. 다리우스 2세의 장자이다. 치정 초기에 동생 키루스(小)가 그리스인 용병과 결탁하여 반란을 일으켰으나, 왕은 쿠낙사 전투에서 동생을 죽이고 그리스 용병을 패주시켰다. 이것이 그리스 용병 1만 명의 퇴각이라 하여, 크세노폰의 <아나바시스 Anabasis>에 상세히 기록되어 있다. 그러나 이집트 원정에는 실패하여, 유프라테스강 이서의 땅을 잃는 결과를 초래하였다. 소아시아에서도 반란이 일어나, 국내가 동요하고 궁정 안에서도 암살·음모가 끊이지 않았다. 이 불안 중에 아내와 자식이

잇달아 비참한 죽음을 당하고 자신도 죽었다.

(그림 15)

8. 다리우스 3세 (재위 주전 336~330년, 6년간)

왕가에서 갈라져 나온 먼 친척이었지만, 전왕(前王)인 아르타 크세르크세스 3세와 아르세스를 독살한 환관 바고아스에 의해 왕위에 올랐다. 다리우스 3세가 환관의 지배에서 벗어나겠다고 선언하자, 바고아스는 그마저 죽이려 했으나 도리어 왕에게 사약을 받았다.

주전 337년에 마케도니아 왕 필리포스 2세는, 그리스 도시들을 해방시키기 위해 코린트 동맹을 결성하고, 주전336년 초 소아시아에 선발대를 보냈다. 그러나 필리포스는 7월에 다리우스의 사주를 받은 것으로 보이는 사람에게 암살당했다. 주전 334년 봄, 필리포스의 아들 알렉산더 대왕이 대군을 이끌고 헬레스폰토스 해협을 건넜다. 페르시아는 전쟁 태세를 전혀 갖추지 않았기 때문에, 그라니코스 강에서 패배했다.

알렉산더는 이듬해 소아시아의 대부분을 점령한 후, 킬리키아까지 진격했다. 마침내 다리우스가 직접 출전했지만, 주전 333년 가을 이소스에서 패배해, 어머니·아내·자식들을 버리고 도망쳤다.

그 후 다리우스는 알렉산더에게 화해하자는 편지를 2번 보냈는데, 2번째 편지에서 동맹을 맺어준다면, 자기 가족의 몸값으로 막대한 재물을 주고, 유프라테스강 서쪽에 있는 페르시아 영토를 마케도니아에게 모두 넘겨주겠으며, 자기 딸을 바치겠다고 제의했다. 알렉산더가 이 제의를 모두 거절하고 메소포타미아로 진격하자, 다리우스는 그가 유프라테스·티그리스강을 건너게 내버려둔 다음, 지금의 모술 동쪽에 있는 가우가멜라에서 전투를 벌였으나, 크게 패했다(주전 331년 10월 1일). 그는 싸우고 있는 부하들을 버려둔 채 엑바타나로 달아났고, 알렉산더가 쫓아오자 다시 박트리아로 도망갔지만, 박트리아의 사트라프(총독)였던 베소스에게 폐위당한 후 살해되었다. 이로써 페르시아 제국은 멸망하였다.

페르시아 전쟁 이후 그리스의 아테네, 스파르타가 강국으로 부상함. 아테네는 주전 478~477년 델로스 동맹을 맺고, 아테네인의 지위를 더욱 확고히 해 주었다. 델로스 동맹은 페르시아인의 재침에 대비하여 아테네인과 에게해 주변 국가들이 동등한 자격으로 맺은 동맹이었다. 차츰 동맹은 강압적인 제국으로 변질되었다. 아테네인은 동맹 금고의 자금을 스스로 관리하고 동맹국의 내정에도 간섭했다. 스파르타는 저항하였다.
스파르타와 아테네의 전쟁 - 펠로폰네소스 전쟁(기원전 431~404년)을 초래했고, 전쟁에서 패한 아테네인은 제국과 해상지배권을 잃게 되었다.

전쟁에서 이긴 스파르타가 그리스 세계 패권을 잡았지만, 오래가지 못하고 그리스 세계는 내분을 겪다가 북방에서 일어난 마케도니아에게 정복당했다.

M. 헬라 제국

1. 알렉산더

1) 필리포스 2세(기원전 382~336년), 알렉산더 아버지.

테베에 노예로 잡혀 있다가 풀려나 고향 마케도니아로 가 마케도니아 왕국의 왕이 되었다. 그리스 전역에 영향력을 행사하였다.

암살당한 후 아들 알렉산더가 왕이 되었다.

2) 알렉산더 스승은 철학자 아리스토텔레스였다. 헬레니즘을 전파하였다.

3) 알렉산더는 그리스 반란 진압하였고, 그리스에서 페르시아 군대를 몰아내었다. 기원전 333년 소아시아에서 시리아로 들어가는 관문인 이수스에서 페르시아 왕 다리우스 3세를 물리쳤다. 그후 시리아, 팔레스틴, 이집트 정복, 유프라테스강을 건너 동쪽으로 진군 티그리스 상류의 동쪽 가가멜라에서 다리우스를 완전히 패배시켰다. 마케도니아 군대는 박트리아(오늘날 아프카니스탄)를 포함하여 페르시아 동북부의 여러 지역을 점령하였다. 기원전 327년 인도(오늘날의 파키스탄)에 도착했으나, 그의 근대는 그에게 갠지스강까지 진군하지 말고 후퇴하라고 종용하였다. 기원전 323년 열병으로 바벨론에서 죽게 되었다.

(그림 16)

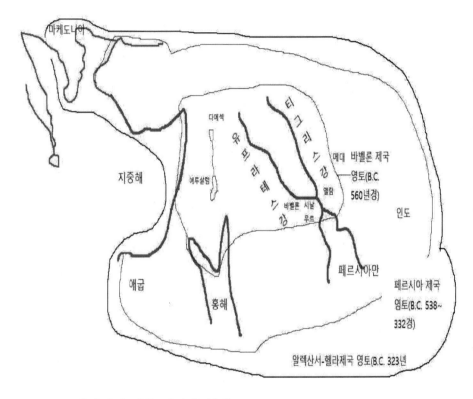

마케도니아
지중해
다메섹
예루살렘
유브라데스 강
티그리스 강
메대 바벨론 제국
영토(B.C. 560년경)
엘람
바벨론 시날
우르
인도
애굽
홍해
페르시아만
페르시아 제국
영토(B.C. 538~332경)
알렉산더-헬라제국 영토(B.C. 323년

2. 알렉산더 사후 제국의 형성

1) 알렉산더 사망한 후 박트리아 왕녀 록사네(Roxane)가 아들 아이고스(Aigos)을 낳았는데, 그 아기는 태어나면서부터 정치적 음모의 희생양이 됨. 알렉산더의 동생 빌립 아르히다이오스(Arrhidaeus)도 알렉산더의 자리를 채울 수 없었다. 알렉산더 휘하의 여섯 장군들의 투쟁이 있었다.

2) 알렉산더 후계자 문제는 제국의 임시 수도인 바벨론에서 마

케도니아 군대의 회의를 통해 결정될 사항이었다.

3) 페르딕카스(Perdiccas) - 사령관직에 취임, 동부 지역에 남아있으면서 제국의 아시아 지역을 다스리는 섭정 역할.

4) 크라테로스(Krateros)

알렉산더 사후 크라테로스는 휘하의 군인들을 이끌고 마케도니아로 돌아감. 그는 '왕실 수호자'로 임명. 알렉산더의 동생 아르히다이오스와 장차 태어날 알렉산더의 아들을 책임지는 것. 군대의 총사령관이 됨.

5) 안티파터(Antipater)

마케도니아 지방 장관으로 임명, 그곳에서 반항하는 그리스인들과 교전.

6) 분할 협정이 이루어짐

과거 페르시아가 통치하던 지역들에 대한 분할 협정이 이루어졌다. 알렉산더 밑에서 오랫동안 함께 일한 장군들이다.

(1) 안티고노스 모노프스탈무스(Antigonus Monophthalmus) - 프리기아와 밤빌리아와 리키아, 즉 소아시아의 중남부 지역, 중앙아시아

(2) 리시마코스(Lysimachus) - 트라키아

(3) 카르디아의 유메네스(Eumenes) - 카파도키아(아나톨리아, 소아시아 중동부를 일컫는 고대 지명)의 총독이 됨. 그리스 출신으로 행정관으로 유명.

7) 처음 몇 년 동안 유메네스의 지지를 받아 가장 강력한 지위를 차지했던 페르딕카스는 바벨론을 수도로 삼고, 자신의 영도 하에 제국을 통일하려 했다. 그러나 대적에 의해 살해됨. 잠정적 조치로 안티파터가 그를 대신하여 섭정(기원전 321년). 페르딕카스에 대항한 연맹에 참여했던 '셀류코스(Seleucos)'는 바벨론 통지 지역을 차지함. 안티고노스는 아시아에서 세력을 확장하려 했

으나 유메네스와 셀류코스가 저지하였다.

8) 안티파터가 기원전 319년 사망함에 따라 폴리페르촌을 후계자로 임명하였다. 그러나 안티파터의 아들 카산더(Kassander)는 자신이 무시된 데 분개하여 반란을 일으켰다. 안티고노스도 카산더와 제휴하였다 유메네스는 이 중에 패배하여 살해되었다. 카산더는 마케도니아의 통치자가 되었다. 셀류코스는 아시아의 유일한 통치자가 된 안티고노스의 위협 때문에 이집트로 피신하였다 카산더는 당시 공식적으로 왕이었던 알렉산더의 어린 아들과 그의 어머니 록사네를 처형하였다.

9) 경쟁 관계에 있으면서도 각기 경제적으로 독립된 단위를 이룬 그리스의 왕국들 사이에 일종의 균형이 이루어졌다. 안티고노스 영도 하에 소아시아와 서부 시리아를 합하여 가장 강력한 왕국을 이루었다.

10) 셀류코스는 이집트의 프톨레미 장군이 되어 안티고누스를 제압하고 팔레스타인 이란 동부 전체를 지배하였다. 셀류코스는 리시마코스를 제압하였다. 그리스 본토를 공격했으나 프톨레미 1세의 장남인 프톨레미 케라우노스에 의해 암살되었다. 이후 마케도니아와 그리스는 정치적 내란을 겪으며 세력이 분산되었다. 그리고 새롭게 증가 된 로마의 군사력에 의해 점차 간섭을 받게 되었다.

11) 프톨레미(애굽)의 유대 통치(주전 323~198년). 애굽을 통치했던 프톨레미 왕가가 유대를 주전 323년부터 198년까지 통치하였다. 주전 301년 프톨레미 1세에 의해 유대 합병하였다.

12) 프톨레미 왕조의 통치를 받으며 비교적 평온한 나날을 보내고 있었던 유대 땅의 분위기는 기원전 2세기 초를 전후하여 바뀌었다. 기원전 198년 셀류코스 왕조의 안티오쿠스 3세가 프톨레미 왕조로부터 유대 땅을 빼앗았다. 안티오쿠스 3세는 기원전 191~190년 로마에 패했다. 안티오쿠스 4세의 이집트 원정은 기원전 170~168년, 기원전 168~164년 마카비 반란이 일어났다. 기원전 164~64년 팔레스틴에서 하스몬 왕조가 통치하였다. 셀류코스(시리아)가 유대를 통치(주전 198~165년)하였다.

13) 로마 폼페이가 기원전 64년 시리아를 점령하였다. 기원전 63년 예루살렘을 점령하였다. 기원전 55년 로마군 수비대가 이집트에 주둔하였다. 기원전 48년 폼페이가 이집트에서 살해되었다. 기원전 48년 로마 카이샤르가 이집트를 침략하였다. 그런데 이집트 클레오파트라 여왕과 사랑에 빠졌다. 기원전 30년 로마 안토니우스가 자살하였다. 기원전 30년 이후 이집트는 로마의 속주가 되었다.

(그림 17)

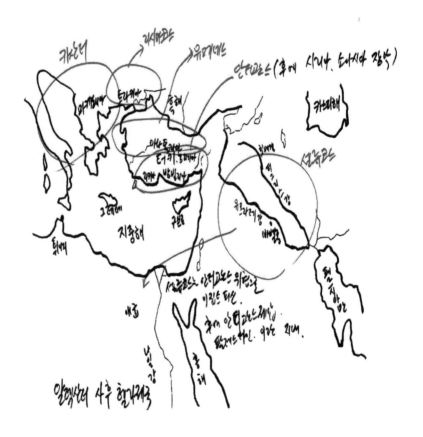

N. 하스몬 왕조

1. 발단

- 셀류코스 왕조 안디오쿠스 4세의 유대인 박해 정책(주전 175~163년)

1) 성직 매매: 종신직인 대제사장직을 매매함

원래 율법을 준수하는 경건한 오니아스가 대제사장이었으나, 헬라화를 지지하는 그 동생 야손이 안티오쿠스에게 돈을 주고 대제사장직을 샀다. 그리고 3년 뒤에는 더 많은 돈을 낸 메넬라우스에게 대제사장직이 넘어갔다. 이로 인해 성전은 시리아에 의해 마음대로 약탈당하게 되었다.

2) 유대인 박해 정책
   (1) 유대인의 율법 준수(안식일, 할례), 제단에 희생을 드리는 것 금지함.
   (2) 성전 제단에 제우스 신전을 세우고, 제단에 돼지를 제물로 드리게 함(돼지 피를 흘리게 함)
   (3) 유대인 양민 학살

2. 하스몬 왕조 이전

1) 제사장 맛다디아스의 봉기
경건한 유대인들('하시딤')은 안티오쿠스 4세의 정책에 반대하여, 목숨을 걸고 율법을 준수하려고 했다. 모딘 마을의 제사장 맛다디아스가 제우스에게 제사를 드리던 자를 죽이고, 안식일을 준수하고 율법을 지키기 위해 광야로 피신하였다. 그리고 경건한 자('하시딤)들이 이 세력에 연합하여 우상을 제거하고 배교한 유대인들을 척결하였다. 그러나 맛다디아스가 시리아와의 전쟁에서 전사하였다. 하시딤은 그 당시 후일 엣세네파라고 알려진 사람들, 마카비 가문, 바리새파 사람들이 동조하여 '하시딤'이라는 정치 운동을 형성하였다.

2) 유다 마카베오(주전 166~160년)

맛다디아스의 아들인 유다 마카베오가 아버지의 뒤를 이어 군대를 인도함. 그는 시리아 요새를 점령하였고, 예루살렘과 성전을 탈환하였다. 주전 164년 12월 25일에 제단에 제사를 다시 드릴 수 있게 되었다. 주전 160년에 시리아와의 전쟁에서 전사하였다.

3) 요나단 (주전 160~142년)

마카베오가 죽은 후에 그의 아들인 요나단이 그 뒤를 이었다(주전 160~142년). 셀류코스 왕조 알렉산더 발라스는 자신을 지지해 준 요나단 마카베오를 유다 총독으로 임명하였고, 공석이었던 대제사장직까지 겸임하게 해 주었다(주전 153년). 그러나 경건한 사람들('하시딤')은 많은 피를 흘린 요나단이 대제사장이 된 것을 보고 충격을 받았으며, 마카베오 가문과 멀어지게 되었다.

4) 시몬 (주전 142~134년)

요나단이 셀류코스 왕에게 죽고(주전 142년), 요나단의 뒤를 이은 사람은 그 동생인 시몬(142~134년)이었다. 시몬은 유다 군대의 총사령관과 대제사장직을 겸하였다. 그는 마침내 시리아군을 예루살렘에서 몰아내는 데 성공했다(주전 142년). 그리고 시리아에 더 이상 세금을 내지 않았으며, 나라에 새로운 평화의 시대를 열었다. 유대 백성들은 유대의 통치권을 시몬의 가문에 세습시킬 것을 결의했다(주전 140년). 그 이후 그의 후손들은 왕위를 세습하게 되었으며, 하스모니안 왕가라 불리우게 되었다. 이는 시리아에 가장 먼저 항거했던 맛다디아스의 아버지인 하스몬 (Hasmoneus)의 이름을 따른 것이었다.

3. 하스모니안 왕국

1) 요한 힐카누스 1세(주전 134~104년)

　(1) 시몬이 사위(톨레미)에 의해 살해된 후, 그 뒤를 아들인 요한 힐카누스 1세가 계승하였다.
　(2) 지배권 확장 : 그리심산의 성전을 파괴하고 사마리아인들의 성지를 빼앗았다.
　(3) 바리새인과의 갈등이 지속되었다.

아론의 자손이 아니면서 대제사장직을 맡았다. 바리새인들과의 갈등이 지속되었다. 바리새인들은 정치, 군사적인 일에 손을 끊고, 율법 연구와 그 율법을 삶에 적용시키는 일에 전념하였다.

　(4) 사두개파 시조 : 바리새인들이 돌아선 것을 본 요한은 그들의 지지를 요구하지 않고, 냉정하게 현실주의적인 정치를 추구하였으며, 헬라주의에 대해서도 어느 정도 마음을 열게 되었다. 이러한 제사장과 귀족들을 중심으로 하는 사람들이 후에 사두개파를 형성하게 되었다.

(5) 이두매인들에게 할례를 받게 하였다. 이때 헤롯의 아버지 안티파테르가 할례를 받아 유대인이 되었다.

2) 아리스토 불루스 1세(주전 104~103년)

요한 힐카누스는 자기가 죽은 후에 그의 부인이 통치하기를 원했다. 그러나 그의 아들인 아리스토불루스가 자기 어머니를 몰아내고 세 명의 동생들을 감금시켰다. 그리고 자기 형제인 안티오커스를 죽이고 왕이 되었다. 그는 최초로 왕의 칭호를 사용했다.

3) 알렉산더 얀네우스(주전 103~76년)

아리스토블루스가 죽게 되자, 그의 아내인 알렉산드라 살로메는 감옥에 갇혔던 형제들을 풀어주고, 첫째 형제인 알렉산더 얀네우스를 왕으로 삼고 그의 아내가 되었다. 헬라 정책에 반대하던 바리새파 사람들이 시리아에 원정 요청하였다. 얀네우스가 평정하고 바리새파 800명이 십자가 처형을 당했다.

4) 알렉산드라 살로메(주전 76~67년)

얀네우스는 죽으면서 바리새인들과 화해할 것을 당부하였다. 유대는 그의 아내인 살로메에 의해서 9년간 다스려졌다. 그녀는 남편의 유언을 따라 바리새인들은 다시 산헤드린의 회원으로 세웠다. 이로 인해 바리새인들은 산헤드린을 통해서 자신들의 뜻을 펼칠 수 있게 되었다. 그러나 사두개인들은 이 정책을 반대하였고, 살로메의 둘째 아들이었던 아리스토불루스 2세가 이 반대 세력에 앞장섰다.

5) 아리스토 블루스 2세(주전 67~63년)

살로메가 죽게 되자 장남인 힐카누스 2세를 왕으로 세우려 하였
으나, 차자인 아리스토 불루스 2세가 그를 몰아내고 왕이 되었
다. 그러나 헤롯의 아버지 안티파테르는 요한 히르카누스 2세를
도와 예루살렘을 폼페이로 점령케(주전 63년)하였다. 그러나 로
마의 지배가 되었다. 히르카누스는 로마의 지배하에 제사장으로
만족해야만 했다. 안티파테르 유대 총독이 되었다. 장남 파사엘은
예루살렘, 헤롯에게는 갈릴리 총독으로 임명(기원전 47)되었다.
헤롯 왕가의 통치 시대가 되었다.

(그림 18) 하스몬 왕조 가계도[20]

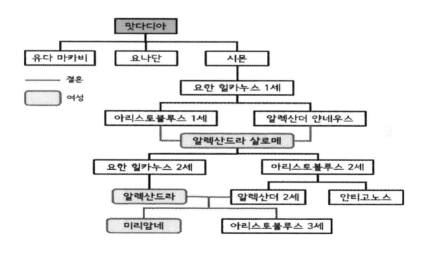

---

20)
　　https://blog.naver.com/PostView.nhn?blogId=ilovescriptura&log
　　No=222095979622&parentCategoryNo=&categoryNo=10&view
　　Date=&isShowPopularPosts=true&from=search

O. 헤롯 왕조

1. 안티파테르

헤롯의 아버지 안티파테르가 히르카누스 2세를 부추겨 폼페이로 하여금 예루살렘을 점령시켰다. 이 공로로 유대 총독이 되었다. 그의 아들 아켈라오는 예루살렘 총독, 헤롯은 갈릴리 총독으로 임명되었다. 힐카누스 가의 잔을 맡은 자가 주전 43년에 동료인 안티파테르를 독살함으로 힐카누스 가문과 안티파텔 가문 사이가 크게 벌어지게 되었다. 그러나 후에 힐카누스 2세가 자신의 손녀 마리암네를 헤롯과 결혼을 시킴으로 이 두 가문은 사돈 간이 되었다.

2. 안티고누스 2세(주전 40~37년)

로마 안토니우스와 옥타비아누스는 힐카누스 2세의 귀를 잘라 바벨론으로 추방해 버렸으며, 안티파테르의 아들인 파사엘은 자살을 하였다. 그리고 안토니우스와 옥타비아누스는 자신을 지지해 준 아리스토불루스 2세의 손자인 안티고누스 2세를 왕으로 세웠다.

3. 헤롯 대왕(주전 37~4년)

이때에 헤롯은 로마로 도망을 하였고, 후에 그는 로마의 도움을 받아 유다의 왕이 되었다. 이로써 약 100여 년간의 하스모니안 통치가 종결되었다. 헤롯은 이두메아인(에돔인)으로서 머리가 비상한 책략가였고, 잔인한 독재자였다. 그는 주전 31년까지는 안토니우스를 지지하였으나 옥타비아누스가 정권 다툼에서 승리하게 되자 그에게 찾아가서 왕관을 벗어들고 자신을 처벌해 달라고 자청하였다. 그러나 옥타비아누스는 헤롯을 용서하고 그에게 왕관을 씌워 주었다. 유대 왕이 되었다.

1) 통치 초기 - 권력 기반 마련을 위한 피의 숙청

자신의 세력을 굳히기 위해 왕족인 아내와 장모, 동서, 그리고 힐카누스 2세까지 처형시켰다.

2) 통치 중기 - 건축 사업

수많은 건축 공사를 하였다. 그는 황제 신전, 극장, 경기장, 체육관, 목욕탕, 그리고 새 도시를 건축하였으며, 예루살렘을 그리스-로마식으로 바꾸었다. 그는 유대인들의 마음을 얻기 위해 성전을 건축하였으며(주전 20~주후 63년), 사마리아를 재건하여 황제를 기념하기 위해 그 이름을 따서 세바스테라 불렀고, 가이사랴에 항구 도시를 건설하였으며, 요새와 왕궁을 건축하였다. 그러나 그는 헬라주의자들만 요직에 앉힘으로 바리새인들의 반발을 샀다.

3) 통치 말기

자기의 아들을 모두 죽였다(주전 7년). 주전 4년에 여리고에서 죽음을 당했다. 마태는 바로 이 헤롯 때에 아기 예수께서 유대 땅 베들레헴에서 탄생하였다고 하였다(마 2:1).

4) 헤롯의 아들과 손자들

헤롯이 죽은 뒤에 그의 유언에 따라 유대 영토는 셋으로 분할되어 세 아들에게 나누어졌다. 분봉 왕이 되었다.

(1) 아켈라오 - 예루살렘과 유대, 이두매, 남부 사마리아
(2) 빌립 - 갈릴리 북부
(3) 안디바 - 갈릴리와 베뢰아

4. 아켈라오

그는 분봉 왕이란 칭호를 가지고 팔레스틴의 남쪽 지역을 9년 동안 다스렸으며, 이 기간 동안 그는 잔인하고 권력에 대한 지나친 욕망으로 폭정을 하였다. 요세푸스에 따르면 유대와 사마리아 대표들은 아구스도 황제를 찾아가 그의 잔인성과 권력욕을 고소하여 그의 파면을 요구하였다. 그 결과 아구스도 황제는 그가 오랜 통치가 대규모의 반란을 야기시킬 것을 염려하여 6년에 그를 파면하고 추방하였다. 그 결과 6년에 그의 영토는 로마의 총독에게 돌려지게 되었다.

5. 빌립

요단 동쪽 상류 지역을 수도로 만들고 가이사 황제를 존경하는 뜻으로 "가이사랴"라고 불렀는데, 지중해 해안에 있는 또 하나의 "가이사랴"와 구분하기 위해서 이를 "가이사랴 빌립보"라고 불렀다. 그는 중용을 취한 관대하고 정직한 통치자로 헤롯의 아들 가운데 가장 온순한 사람이었다. 그러므로 예수님께서는 그의 생애 중에 이 영토에서 적들에게 해를 입지 않고 안전하게 활동하실 수 있었다.

6. 안디바

신약 성경에 가장 잘 알려진 안디바는 헤롯의 아들 가운데 가장

유능한 사람이었다. 그는 자기 아버지의 충실한 아들이었다. 예수님께서는 그를 "여우"라고 부르셨다(눅 13:32). 그는 그의 아버지 헤롯 1세처럼 헬라 문화의 장려자이며, 위대한 건설가였다. 가장 유명한 전설은 갈릴리 바다 서해안에 있는 디베랴 도성이었다. 이것은 그가 황제 디베료(22년)를 기념하여 명명한 것이었다. 그는 아라비아 아레타스 왕의 딸인 나바티안과 결혼을 하였다. 그러나 후에 형제인 빌립의 아내 헤로디아에게 반하여 청혼을 하였고, 결국 그는 본부인을 내어 쫓고 형제의 아내를 빼앗아 재혼을 하게 되었다. 세례 요한은 이러한 그를 책망하다가 투옥되었다. 헤로디아는 왕의 생일에 전 남편인 빌립에게서 난 딸 살로메를 춤을 추게 하였다. 안디바는 그녀의 춤을 보고 너무 기뻐서 그녀에게 무엇이든지 요구하라고 했다. 그러나 그녀는 뜻밖에도 그 어미의 지시대로 세례 요한의 머리를 요구하였다. 그리고 이를 안디바가 승낙함으로 세례 요한은 죽임을 당했다(막 10:11).

자기 딸이 강제 이혼당한 것에 분노를 느낀 아레타스 왕은 기회를 보다가 36년에 베뢰아를 침공하여 안디바의 군대를 쳤다. 이에 39년에 안디바는 로마에 청원하여 더 높은 지위를 얻으려고 로마로 갔다. 그러나 이 소식을 들은 아그립바 1세(헤롯 1세-안티파테르가 죽인 아리스토 불루스2세의 아들)가 먼저 안디바의 부정을 로마에 고발하였고, 이로 인해 로마 황제는 안디바를 분봉 왕 자리에서 내쫓았으며, 그 대신 아그립바 1세를 그 자리에 앉혔다.

7. 아그립바 1세와 아그립바 2세

아그립바 1세는 야고보를 죽였으며(행 12:1-3), 베드로를 체포하였고 초대교회의 여러 지도자들을 괴롭혔으며 44년에 죽었다.

그 뒤를 이어 17세밖에 안 된 아그립바 2세(행 25장)가 즉위하였으며, 그의 연소함으로 인해 이때부터 이 지역은 로마의 영토나 다름없이 지배를 받았다. 66년에 이 지역에서 큰 반란이 일어났으나 70년까지 정권을 유지하였다. 그러나 70년 봄에 로마의 디도 장군에 의해 마침내 예루살렘 성은 무너지게 되었으며, 이로 인해 성전을 중심으로 하던 유대교는 종말을 고하고 말았다. 마사다가 함락되었다. 이스라엘의 최후(주후 73년).

8. 유대 전쟁

지방 총독 플로루스가 주후 66년 성전 금고에서 17달란트를 강탈하였다. 격분한 유대인들은 예루살렘을 배회하면서 총독을 조소하였다. 플로루스는 격분하여 군인들에게 약탈 허용하였다. 아그립바 2세는 이 상황을 더 촉진시켰다. 2개 대대를 예루살렘에 파병하였다. 유대인 폭도들이 일어나 로마 군인들을 후퇴시켰다. 잠시의 성공은 많은 유대인들을 열광시켰다. 시리아에 있던 로마 총독 체스티우스가 진격해왔으나 실패하였다. 젊은 사제인 요세푸스가 예루살렘에서 갈릴리로 파견되어 강력한 요새를 구축하였다.

네로 황제는 그의 가장 뛰어난 용장 베스파시안을 파견하였다. 그의 아들 티투스와 함께 진격하였다. 베스파시안은 안디옥에서부터 진군, 티투스는 이집트에서부터 진격하였다. 유대인들의 항거는 47일간 계속되다가 허물어졌다. 혁명당원들은 예루살렘에 돌아와 투쟁하였다. 베스파시안이 황제가 되고 그의 아들 티투스가 진격하였다. 성전이 불타게 되었다. 소 무리의 혁명당원들은 마사다 요새로 피신했으나 모두 자결하였다(주후 73년).

(그림 19) 헤롯 왕조 가계도[21]

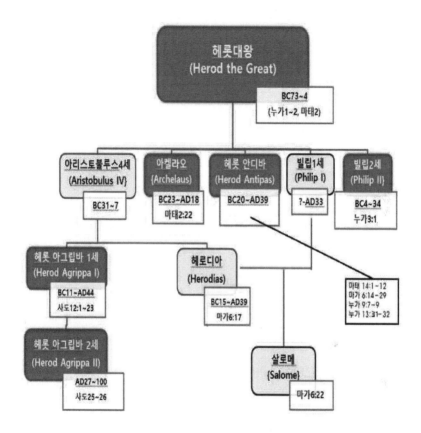

P. 로마 제국

1. 포에니 전쟁

21) https://survival-russian.tistory.com/181

지중해 팽창에서 마주친 첫 상대는 카르타고인이었다. 카르타고인과 로마인이 서부 지중해의 지배권을 놓고 벌인 전쟁이 바로 포에니 전쟁이다. 3차례 포에니 전쟁을 벌였다. 카르타고는 이태리 반도 주변의 코르시카, 사르데냐, 시칠리아섬에 대해 지배권을 행사할 만큼 서부 지중해 제일의 강력한 해상국가였다.

1) 1차 (주전 261~241년)

시칠리아를 로마의 속주로 편입시켰다. 시칠리아 지배권을 둘러싼 로마와 카르타고의 싸움이 20년간 지속되었다.

2) 2차 (주전 218~201년)

로마에 보다 큰 시련이 왔다. 카르타고의 명장 한니발이 에스파니에서 이태리로 침공하여 도처에서 로마군을 격파했다. 로마의 장군 스키피오는 카르타고 본토를 급습하였으며, 급보를 받고 귀국한 한니발을 자마에서 패배시켰다(기원전 202년).

3) 제3차 (기원전 149~146년)

카르타고의 급속한 부흥을 염려한 로마가 스스로 조작해 낸 구실을 내세워 억지로 일으킨 전쟁이었다. 카르타고는 2년 동안 필사적인 방어전을 폈으나, 마침내 성은 함락되었다.

2. 제1차 삼두정치(기원전 60년)

1) 군인 정치가 폼페이우스와 케사르(시저), 대부호 크랏수스가 협력하여 원로원에 대항하는 제1차 삼두정치를 성립하였다.

2) 폼페이우스는 동지중해 해적을 토벌하였다. 서아시아 원정이었다. 기원전 63년 예루살렘을 점령하였다.

3) 케사르와 폼페이우스와의 갈등이 일어났다. 케사르는 패주하는 폼페이우스를 쫓아 이집트로 향했으나 그가 알렉산드리아에 상륙하기 전에 폼페이우스는 암살을 당했고, 카이사르는 그곳 왕위계승 싸움에 휘말려 알렉산드리아 전쟁이 발발하였다(기원전 48년). 그러나 전쟁에서 승리를 거두고 클레오파트라 7세와 사이에 아들 카이사리온(프톨레마이오스 15세)을 낳았다.

4) 1인 지배와 암살

케사르는 1인 지배자가 되었다. 권력이 한 몸에 집중된 결과, 왕위를 탐내는 자로 의심을 받게 되어 기원전 44년에 공화주의자인 브루투스 일파에게 암살당하였다.

3. 2차 삼두정치(기원전 43년)

1) 옥타비아누스, 안토니우스, 레피두스가 연합하여 반케사르파에 대항하는 제2차 삼두정치를 구축하였다.

2) 옥타비아누스가 안토니우스와 이집트 클레오파트라 여왕의 연합세력을 기원전 31년에 악티움해전에서 물리침으로써 100여년의 로마 내전이 끝나게 되었다.

3) 옥타비아누스는 양부 케사르의 비극을 상기하고 공화정의 전통을 존중하면서 자신의 권력을 강화시켰다. 즉 옥타비아누스는 공화정 회복을 구호로 내세웠다. 기원전 27년 전시 모든 권한을 원로원에게 돌려주었다. 원로원은 다시 모든 권한을 옥타비아누스에게 돌려주고 아우구스투스(존엄자)로 칭하였다.

4) 제국의 전반적인 안정을 위해 군대조직을 정비(군인 정치

가의 재등장을 막고자) 자신이 로마군의 최고통수권을 장악하였다.

5) 아우구스투스의 치세를 기반으로 로마 제국은 향후 200년 동안 로마의 평화를 누렸다.

아우구스투스 이후 왕들

1) 아우구스투스(눅 2:1, 예수님 출생) 주전 27~주후 14년

2) 티베리우스 14~37년

3) 칼리굴라 37~41년

4) 클라디우스(행 11:28, 기근, 행 18:2 로마에서 떠나라고 명령) 41~54년

5) 네로(계 17:10 쓰러진 다섯 왕들) 54~68년

6) 갈바(계 17:10 하나있는 왕) 68~69년

7) 오토(계 17:10 이르지 아니한 왕) 69년

비텔리우스(계 17:11 여덟 번째 왕)

8) 베스파시아누스 69~79년

9) 티투스(계 17:10 열 번째 왕), 70년 성전 유린. 79~81년

10) 도미티아누스(단 7:24, 25절에 나오는 또 하나의 왕) 81~96년

11) 콘스탄티누스 324~337년

(그림 20)

(그림 21)

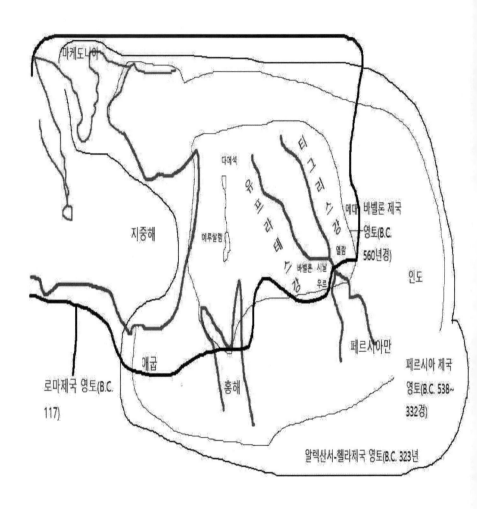

Ⅳ. 이집트의 역사22)

"나일강의 선물"로 알려진 이집트는 해마다 범람하는 나일강의 홍수에 의존하여 농사가 이루어진다. 이집트 역사는 대략 기원전 3000년경부터 알렉산더 대제가 이집트를 함락할 때까지의 332년까지. 기원전 2000년 이전의 연대에 관해서는 학자들의 의견 차이가 매우 심함. 왕조의 시작을 기원전 3200년부터 2830년까지 계산하고 있기도 하다.

연대

초기 왕조 시대 (기원전 3100~2686) : 1~2왕조
고왕국 혹은 피라미드 시대(기원전 2686~2160) : 3~8 왕조
제1 중간기(2160~2040) : 9~11왕조(제11왕조의 재정복기)
중왕국 시대(2040~1633) : 11 정복 후기~13왕조
제2중간기(1633-1558) : 14~17왕조
신왕조 제국 시대(1558-1069) : 18~20 왕조(19~20왕조 람세스 시대)
제3중간기(1069~656) : 21~25왕조
세이트(Saite) 시대(664~525) : 26왕조
후기 왕조 시대(525~330) : 27~31왕조

A. 왕조 이전 시대(기원전 3100년)

왕조 이전 시대의 문화 유적 가운데 가장 오래된 것은 나일강 삼

---

22) 노세영·박종수. 「고대 근동의 종교와 역사」(서울 : 대한기독교서회, 2009). pp. 34-54 참조.

각주의 남서쪽에 있는 마림다바니 살라마와 파이윰에서 발견되었다. 기원전 5000~4000년에 형성된 것으로 추정된다. 당시의 주민들이 손쉽게 지은 움막에서 살았고, 죽은 사람을 집안에 묻은 흔적이 있다. 농업에 종사하였다. 왕국이 형성되기 전에 이집트에서 발견된 여러 유물은 메소포타미아 유물들과 많은 점에서 유사한 점이 발견된다. 이 점에서 볼 때 이집트 문자 역시 메소포타미아의 문자 구조에서 유래했을 가능성이 있다.

B. 초기 왕조 시대(기원전 3100~2686년) : 1~2 왕조

왕조 이전의 상태와 유사한 양상이다.

1. 제1왕조

남부 이집트와 북부 이집트는 한 왕권 아래에 있었다. 제1왕조를 창건한 사람은 나머(Narmer, 메네스, Menes?)이다. 남부와 북부를 통일했다. 제1왕조 때 문자를 보급하였다. 중엽 때 파피루스가 필기도구로 사용되었다. 갑자기 부유해진 사람들은 다양한 무덤을 남겨 지위를 과시하였다.

2. 제2왕조

국가 종교에 대한 새로운 인식을 하였다. 태양신 레(Re/Ra)가 등장하였다. 왕조를 상징하는 호러스(Horus) 신도 태양신과 함께 섬겼다.

C. 고왕국(피라미드) 시대(기원전 2686~2160년) : 3~8 왕조

1. 제3왕조

이집트의 제3왕조 시대부터 초기 왕조 시대와 확연히 구별되었다. 성숙한 새로운 문화 의 형태가 이루어졌다. 제3왕조의 두 번째 왕 도세르(Djoser 혹은 Tosorthros)는 이집트 왕들 가운데 가장 뛰어난 사람이었다. 사카라에 있는 그의 피라미드는 돌로 만들어진 계단식 피라미드로 이전 것보다 몇 배나 큰 피라미드였다. 귀족 계급을 형성했다. 왕은 신으로 생각하는 신정정치였다.

2. 제4왕조

제4왕조 시기는 세계적으로 문명화가 이룩된 주요 시기였다. 이때 메소포타미아에서는 사르곤이 이끄는 아카드 제국이 강성해져서 이집트와 라이벌 관계였다. 피라미드를 많이 건설했다. 이로써 국가 경제가 피폐해졌다. 쿠푸의 무덤으로 건축된 대(大)피라미드 시대였다. 카프레를 건축한 제2 피라미드 시대였다. 멘 카우레를 위해 건축한 제3 피라미드 시대였다. 세계 7대 불가사의였다. 돌 표면 다듬기, 돌의 각과 길이의 정확성, 거대한 돌들의 조립이 이루어졌다. 문자 기록의 발전이 이루어졌다.

3. 제5왕조

왕을 위한 태양신을 섬겼고 제단을 세웠다. 제6왕조까지 거대한 피라미드 군(群)을 건설했다. 왕권의 상징으로 태양신 숭배와 관련이 있다. 죽은 왕의 신인 '오시리스'가 출현했고 영향력을 행사했다. 지방 관료들의 세력이 신장 되었고, 왕의 신성을 믿지 않았다. 이들도 자신들의 무덤을 세우기 시작했다.

고왕국 시대는 신과 동일시되는 왕이 다스리던 시대로서 왕족과 지배 계층의 관료들에 의해 통치되었다. 지방 군주들은 왕의 권력에 순응했고, 상호 협력체제를 이루었다. 말기에 멤피스에 권력의 누수 현상이 일어나면서 피라미드 시대는 막을 내리게 되었다.

D. 제1 중간기 (기원전 2160~2040년) : 9~11 왕조

왕의 측근 관료들과 남부의 군주들에 의해 왕권이 약화되었다. 지방의 귀족들은 독자적으로 활동했다. 이때 아시아 베두인족이 삼각주 지방에 침투했다. 기원전 2100년 권력 투쟁이 이루어졌다. 두 도시국가가 세워졌다. 헤라클레오 폴리스는 자기네가 고왕국 전통이라 주장했다. 남쪽 테베에 도시 국가가 세워졌다. 테베의 승리였다. 제11왕조 4번째 왕 멘투호텝 1세가 이집트를 다시 통일했다.

E. 중왕국 시대(기원전 2049~1633년) : 11 왕조(정복 후기)~13왕조

멘투 호텝 3세 때 왕의 대신 아메넴헷이 왕위를 빼앗고 중왕국 시대를 열었다. 제12왕조(기원전 1991~1786년) 창시자가 되었다. 왕족이 아닌 가문에서 출생하여 왕이 되었다. 뛰어난 행정가였다. 왕은 신이 아니라 목자로서의 왕권이었다. 제12왕조 초에 고전 형태의 이집트어가 문어로 정착하였다. 이집트 연대를 추정할 수 있는 최초의 문헌은 중기 이집트어로 쓰였다. 중왕국은 행정이 전문화를 통해 발전되었다. 이런 점에서 관료자들과 회계사들의 시대라고 불리기도 한다.

F. 제2중간기(기원전 1633~1558년) : 14~17 왕조

이집트의 영광은 제13왕조가 들어서면서부터 서서히 무너져 내렸다. 여러 왕권을 분할하였다. 제13~14왕조는 단명하였다. 제15왕조는 비교적 긴 수명을 이어갔다. 이 제15왕조가 힉소스 족에 의해 다스려지던 시기였다. 나일 삼각주 아바리스를 수도로 정하였다. 헬리오폴리스의 지방신 레를 수호신으로 삼았다. 이집트 전역은 통치하지 못하였다. 남부 지역만 통치하였다. 몇몇 성서학자들은 이 시기에 창세기에 등장하는 요셉이 총리대신이 된 것으로 짐작하였다. 그러나 이집트 역사 기록에서 성서의 증언은 발견되지 않는다. 아시아족이 이집트를 통치함으로 많은 변화가 일어났다. 새로운 악기와 음악이 등장하였다. 청동 세공술에서 도자기 제조기술과 직조 기술에 이르는 다양한 기술이 이루어졌다. 전쟁에서 말과 전차가 등장하였다. 제17왕조가 끝날 무렵 테베 왕 카모세가 힉소스 족과 투쟁하여. 삼각주 지방까지 몰아냈다.

G. 신왕조 제국시대(기원전 1558~1069년) : 18~20 왕조 : 람세스 시대

제18대 왕조, 카모세 다음 왕 기원전 1558년 아 모세(Ah-mose) 1세는 힉소스족을 몰아내고 남부 중심으로 이집트를 통일하였다. 18세기 왕조 초기에는 모계 중심이었다. 왕비들과 왕가의 여인들이 중요한 역할을 하였다. 투트모세 2세가 죽은 후 여성이었던 핫셉수트가 왕이 되었다. 이후 투트 모세 3세는 팔레스타인 므깃도를 공략하였다. 시리아와 팔레스타인을 공략하였다. 출애굽기 2장 23 '여러 해 후에 애굽 왕은 죽었고' 투트 모세 3세로 추측된다.

람세스 1세는 제19왕조 창시자이다. 람세스 시대(19~20왕조)를 연 주역이다. 람세스는 나일 삼각주 동부 출신이었으며, 그의 아들 세티 1세는 제국을 재건하였다. 팔레스타인을 진압하였고, 히타이트족을 몰아내었다.

제20대 왕조 중요한 인물은 람세스 3세이다. 삼각주에 침략해 들어온 리비아를 물리쳤다.

H. 제3중간기 (기원전 1069~656) : 21~25왕조

이집트의 제21~25왕조는 람세스 시대와 셋 시대에 다양한 왕조가 존재했던 시대였다. 제21왕조는 왕권이 약화되던 시대였다. 정치 세력과 종교 세력이 독자적인 영역을 확보하였다. 제22~25왕조 기간은 일반적으로 리비아 왕조로 규정되었다. 제22왕조 쇼셍크 1세는 르호보암 5년에 예루살렘 성전을 약탈한 시삭 왕으로 알려져 있다(왕상 14:25-26).

I. 세이트(Saite) 시대(기원전 664~525년) : 26 왕조

셋 왕조로 알려진 26왕조는 삼틱에 의해 창건되었다. 왕권의 강화로 이집트 전역을 한 왕이 다스렸다. 르네상스 시대로 불리는 이 시기는 자체적 힘을 키웠던 시기였다.

제26왕조 네코 2세(느고 2세, 기원전 609~594년)는 이집트의 영광을 되찾기 위해 신바빌론과 경쟁했다. 아시리아와 동맹하여 바빌론을 견제하기 위해 원정을 떠났다가 유다의 요시야 왕과 므깃도에서 전투를 벌였다. 요시야 왕은 므깃도에서 전사(기원전 609년, 대하 36:4)하였다. 이로 인해 유다는 바빌론의 침략에 멸망(주전 586년)하였다. 느고는 아시아에서 군대를 철수한 다음 상업을 발달시키고 해군을 증강시켰다. 나일강과 홍해를 잇는 운하를 건설하였다.

J. 후기 왕조 시대(기원전 525~330년) : 27~31 왕조

제27왕조 시대는 페르시아 캄비세스(기원전 525~522년)가 이집트를 점령하였다. 페르시아 시대의 제27왕조 기간(기원전 525~404년)에는 아람어가 이집트에서도 주요 언어로 통용되었다. 아람어를 통해 페르시아의 칙령에 따라 성문화되었다. 다리우스 1세(기원전 522~485년)는 토착민 제사장들에게 친절을 베풀었다. 나일강과 수에즈만 운하를 완성하였다.

마네토 왕조인 제28 왕조는 페르시아에 대항하여 독립을 쟁취했다. 제28~30왕조(기원전 404~341년)는 이집트의 마지막 왕조로서 독립을 추구하려 했지만, 결국 알렉산더 대제의 공격을 막아내지 못하고, 헬라 제국의 영향권 아래로 들어가게 되었다.

제31왕조는 제2차 페르시아 지배 시기임(기원전 343~332년)

알렉산더의 침공(기원전 332~323년), 프톨레미 왕조(기원전 304~30년), 로마의 침공(기원전 30년)

V. 메소포타미아의 역사

메소포타미아에서의 문명의 시작은 본토인이 아닌 외부인들이 그 지역에 들어와 새로운 문명을 형성함으로써 시작되었다. 외부인들은 대체로 다섯 방향에서 들어왔는데, 동쪽에서는 엘람족이, 서쪽에서는 아무루족이, 남쪽에서는 수메르족이, 북쪽에서는 수바르족이, 그리고 중앙에서는 바빌론 문화를 형성한 아카드족이 들어와 각기 세력을 형성하였다. 그 가운데 수바르 인들이 처음으로 기록을 남겼으며, 수메르 인들은 "문명의 발명자"로 간주된다. 서쪽 지역의 대부분은 주로 셈족이 활동하고 있었다. 셈족의 활동 시기는 수메르 인들의 활동 시기와 거의 일치한다. 그들은 대략 기원전 2900~2300년에 이르는 기간에 활동하기 시작했으며, 아카드 인들이 이룬 도시를 중심으로 활동 근거지를 이루고 살았다. [23)]

(그림 22)

북쪽(수바르)
아시리아

|

서쪽(아무르)
아모리인   -   바빌론(아카드)   -   동쪽 엘람

|

남쪽(수메르)

---

23) 노세영·박종수. 「고대 근동의 역사와 종교」 서울: 대한기독교서회. 2009. pp.16-17.

A. 초기 문명24) (석기 시대 ~ 기원전 7000)

고고학적 발견들에 의하면 초기의 문화는 메소포타미아 북쪽의 산악 지방으로부터 점차적으로 유프라테스강과 티그리스강을 거쳐 페르시아 만 쪽으로 펼쳐져 내려왔던 것으로 보인다.

칼라트 야르모(Qala't Jarmo) 유적 : 석기 유물들만 발견되었다. 신석기 문화 지역, 가축화되어 있는 동물들이 그려져 있는 점토 소상들이 발견되었다. 도기 제조 이전의 신석기 시대이다.

텔 하순나(Tell Hassuna) 유적 : 조잡한 도기들과 함께 부싯돌과 흑요석으로 만든 연장과 무기 발견되었다. 몇 가지 곡류들이 경작되었다. 몇 가지 곡류들 발견되었고, 벽돌로 집을 건축하였다.
텔 할라프(Tell Halaf) 유적 : 유목 생활로부터 정착 생활로 옮겨가는 변화였다. 최초의 촌락이 세워졌다. 구리로 만든 공기가 만들어졌다. 신석기(기원전 7,000년경~4,000년경)에서 동석기(기원전 4000년경~3000년경) 경로이다. 도기가 발견되었고, 여러 가지 색채를 이용한 도기가 발견되었다. 열로 구운 것이었다.

고대 근동 지역에서는 과격한 문화 혁명이 기원전 7000년경부터 일기 시작하였다. 이런 혁명은 여러 지역에서 일어났지만, 특별히 티그리스와 유프라테스강 사이의 메소포타미아 지역에서 급격한 개혁이 이루어졌다. 인간이 식물을 직접 지배하고 동물을 사육하게 되었으며, 돌로 만든 신상과 동물의 상이 출현하였다. 동굴에 그려진 벽화와 바위에 글과 그림을 새긴 부조물들이 신석기 시대

---

24) 문희석. 「구약성서 배경사」(서울 : 대한기독교서회, 2010), pp. 18-25

의 문화 혁명을 보여주고 있다.

기원전 9000년에 달하는 신석기 시대와 함께 후대 고대 문명의 기틀을 마련한 문화 혁신이 발생했는데, 그중 가장 중요한 혁신은 정착 사회를 가능하게 하는 농업이었다. 근동 특유의 생태적 다양성 덕분에 원주민들은 다양한 자원을 활용할 수 있었고, 그것이 다른 지역보다 농업을 더 일찍 발전시키는 계기가 되었다. 또한 무엇보다 중요했던 이유는 근동 지역의 숲과 초원의 확장과 몬순 한계선의 상승으로 농업에 알맞은 토지가 늘어났다는 것이다.

신석기 시대에 채집 수렵에서 농경으로의 급진적인 변화는 없었지만, 인간들이 직접 관리하는 자원에 대한 의존도가 높아짐에 따라 농경이 보급되기 시작했다. 물론 재배한 식량이 필요량을 채우지 못할 때 인간들은 종종 채집 수렵 생활로 되돌아가야 했기 때문에 농경 생활은 주로 야생 자원이 풍부한 곳에서 발생했다.

농경으로 인해 사람들은 한 곳에 정착할 수 있게 되었다. 주전 9000년에서 5000년 사이에 나타나는 다양한 고대 문화에서는 정착 생활의 다양한 특징이 드러났는데, 이 중 가장 두드러지는 것은 집이었다. 레반트에서는 석조 가옥이, 다른 지역에서는 진흙 벽돌로 만든 집이 나타났다. 둥근 집에서 직사각형 집으로의 변화는 주전 8000년경에 일어났는데, 그것은 사회적 위계를 가진 씨족이 함께 생활했음을 보여준다. 그리고 보다 많은 사람들에게 식량을 공급할 능력이 생기면서 그것을 보관하는 도자기 기술도 발전했다. 주전 8000년경 사람들은 진흙으로 된 용기를 이용해 곡물을 저장했으나, 주전 7000년경부터는 불에 구운 도자기를 개발했다. 이는 음식을 요리하거나 저장할 때 좀 더 유용했다.

주전 7000년경에는 고대 근동 전역에 본격적인 농경 마을이 나타났는데 이들은 모두 강수량을 확보할 수 있는 지역에 위치했다. 아나톨리아와 레반트(특히 예리코)에서 시작된 문화 발전의 초점은 이후 건식 농법이 가능한 메소포타미아 북부로 이동했으며, 주민들은 레반트로부터 관개 기술을 도입해 체계적으로 발전시켰다. 티그리스와 유프라테스강은 곡물들이 피해를 입는 늦봄에 범람했으므로 물을 통제하는 물길과 저수 시설, 제방이 필수적이었다. 그리고 강물의 범람 주기와 곡식 주기에 관한 의식이 전제되어야 했으므로 관개 시설을 통제하는 것에는 철저한 계획과 조직력이 필요했다. 자그로스 지역에서 소규모의 관개 시설이 최초로 형성되었으나, 그것이 중남부 메소포타미아로 확장되려면 그 시스템이 좀 더 발전해야 했다.

주전 6000년과 5500년 사이에는 메소포타미아의 저지대 평야에서 사람들의 영구적인 정착이 일반화되었고 그 후 그곳에 정착이 지속되었다. 이들은 정착 초기부터 강과의 전쟁을 치러야 했다. 계곡이 없는 평야 때문에 밭이 유프라테스강으로부터 범람한 물에 쉽게 피해를 입었다. 물이 범람할 때마다 강 양편에는 토사가 충적되어 자연 방죽을 형성했고, 강의 방죽 사이에도 토사가 축적되어 강바닥이 주변의 밭보다 높아지는 경우가 생겼다.

밭에는 배수 시설이 없어서 온도가 높아지면 자연히 물이 증발하면서 땅에 소금기가 많이 남게 되어 그것이 작물의 성장을 방해했다. 게다가 관개 시설이 설치된 뒤에도 수면이 상승하여 작물의 뿌리를 해쳤다. 그래서 수천 년 동안 메소포타미아 주민들은 유프라테스강의 많은 지류를 이용해 더 넓은 지역에 관개수를 대는 기술을 발전시켰다. 티그리스강은 유속이 지나치게 빠르고 지류가 적어 농경에 부적합했기 때문에 주변에 사람이 정착해 사는 일이 거의 없었다.

도자기의 모양새에 근거해 주전 7000년에서 3800년에 이르는 시기가 일련의 문화로 나뉘는데, 주전 6000년경 북메소포타미아의 건조 농경 지역에는 하수나(Hasuna) 문화가 발전하였고, 주전 6000년대 후기 북메소포타미아 관개 농경 지역에서는 사마라(Samarra) 문화가 형성되었다. 주전 5000년경에는 레반트 지역과 북메소포타미아에까지 걸친 할라프(Halaf) 문화가 일어났다. 사마라 문화의 영향을 받은 지역은 별다른 유물을 남기지 않았으나, 남부 메소포타미아 지역은 우베이드(Ubaid)라 하는 문화 유물을 사용한 사람들에 의해 영구 정착되었다. 우베이드는 주전 4500년경 할라프 문화를 대체하였다.

사회 발전 중 가장 중요한 것은 위계 사회와 권력의 중앙화였는데 그것은 공동체의 크기가 커짐에 따른 것이었다. 이는 남북 메소포타미아 문화를 구분하는 중요한 차이이다. 남우베이드 문화에서 일부 사람들은 농업 자원을 통제하는 특별한 지위에 있었고, 부족 중 하나가 중앙 처소에서 수확 곡물을 관장했다. 북메소포타미아의 할라프 문화는 평등 사회를 형성했으나 주전 5500년 이후 우베이드 문화가 퍼지면서 그곳에서도 사회적 분화가 시작되었다. 남쪽에서 왔을 것으로 추정되는 신흥 엘리트 계층은 정치적 권력을 힘이 약한 지방 부족에게 행세하고 장거리 무역을 관장했으며, 우베이드 시대 말기에 가서야 지역 농업의 통제를 행사하였다.

B. 우바이드 시대(기원전 5900년~기원전 4000년) - 금석 병용시대

수메르 족속은 수메르 본토인이 아니었다. 이들은 고고학적으로 '우바이드 족속'이라고 알려진 백성이었다. 농사를 실시하였다. 밀, 보리, 수수, 다른 곡식들. 대추야자, 올리브, 무화과, 포도, 채색된 질그릇을 사용하였다.

에리두 지역 : 갈대나 흙으로 지은 집이었다. 조그만 신전이 후에 커다란 신전들로 대치되었으며, 공동묘지가 만들어졌으며, 1,000개 발굴되었다. 죽은 사람과 함께 식기를 매장하였는데, 죽은 다음에도 생명이 지속이 되었음을 믿었다는 증거이다.

C. 우룩 시대(기원전 3300년~기원전 3000년)[25]

1. 수메르족의 출현

수메르(Sumer)는 메소포타미아의 가장 남쪽 지방으로 오늘날 이라크의 남부 지역을 가리킨다. 수메르족이 수메르에 나타나게 된 것은 아마도 기원전 4000년대의 최후 250년간이었을 것이다. 그들의 본래 고향은 어디였는지 분명히 밝힐 수는 없지만, 코카서스 산 지역이었을 가능성도 있다.

기원전 2000년쯤에 메소포타미아 북쪽의 아카드지방에 살던 셈족 계통의 아카드 사람들이 수메르 지방을 점령하고 바빌로니아를 세웠다. "수메르인"이란 말은 그들의 뒤를 이은 아카드 인이 메소포타미아 남부 지방에 사는 사람을 부르던 말이다.

수메르 문명이 가장 융성했던 때는 기원전 제3 천년 기로, 역사

---

25) 문희석, 「구약성서 배경사」. ibid., pp. 21~22.

학자들은 통상적으로 이 1000년의 기간을 크게 초기 왕조 시대 (주전 2900년?~2350년?), 아카드 왕조 시대(주전 2350 년?~2150년?), 우르 제3왕조 시대(주전 2150년~2000년)의 시대로 구분한다.

사용된 언어는 교착성 성격을 가지고 있다. 현재 사용되거나 이미 없어진 다른 언어와는 전혀 관련이 없는 것이다. 이 시대의 중요한 발명은 '문자' 발명이다. 상형문자로 쐐기 문자 발명이다. 알파벳의 기원이 되었다. 성전들과 관련된 경제적 거래들을 기록해야 할 필요성 때문이다. 처음에는 그림과 같은 상형문자였다. 숫자들도 점토 서판에 원형 모양이나, 또는 반 기호로 나타냈으며, 10진법과 60진법이 둘 다 사용했다. 나중에 상형문자가 표의문자로 바뀌었다. 이것이 다시 음절문자로 바뀌었다. 기호 목록 발견되었다. 세계 최초 도시 문화였다. 건축 기술 및 미술 발전 (지구라트, 벽화), 금, 은, 동 제련 기술과 합금, 성형, 주물 기술을 보유하였다. 가축을 이용 농사법이 개발되었다.

기원전 4세기 후반까지, 수메르는 10여 개의 독립된 도시 국가로 나뉘어 있었다. 도시국가들은 대체로 수로와 경계석으로 둘러싸여 있고, 중앙에는 도시의 수호신이나 수호여신을 모시는 사원이 위치하였다. 도시는 엔시라고 불리는 성직자나 루갈이라고 불리는 왕이 통치하였다.

다음은 수메르의 주요 도시들 위치를 순서대로(북쪽에서 남쪽 방향으로) 나열한 것이다. 괄호 안은 현재의 도시 이름이다.

마리(Mari), 아가데(Agade), 키시 (Tell Uheimir & Ingharra), 보르시파 (Birs Nimrud), 니푸르 (Nuffar), 이신

(Ishan al-Bahriyat), 아다브 (Tell Bismaya), 루팍 (Fara),
기르수 (Tello), 라가시 (Al-Hiba), 바드-티비라 (Al Medina),
우루크 (Warka), 라르사 (Tell as-Senkereh), 우르 (al
Muqayyar), 에리두 (Abu Shahrain)

(그림 23)

2. 우룩 시대[26]

인류 역사에서 제4천 년 기는 매우 중요한 시기이다. 이 시기에 몇몇 문화 발전들이 최고점에 이르렀다. 이 문화 발전들은 메소포타미아 남부에서 발생했다. 제4천 년 초기에 새로운 유형의 도자기 형태가 근동 전역에 출현했다. 거칠고 장식이 없는 접시, 사발, 물동이 대량 생산되었다. 실용적인 용도(많은 인구)였다. 이 때 '우룩 혁명'이 일어났다. 경제, 기술, 문화 등에서 많은 혁신이 일어났다.

1) 도시의 기원

우룩(Uruk) 시대 발전의 지리적 중심지는 메소포타미아의 최남단, 즉 페르시아만의 머리에 위치이다. 고고학 유적지 발견이 되었다. 가장 중요한 지역은 이안나 지역이다. 그곳은 제3천년기 초반에 파괴되어 제4천년기의 유물들이 지표면에 가까이 있었다. 성층은 제14 유적층에서 제3 유적층으로 되어있다. 우룩의 사회, 경제적 발전을 반영한다.

제4천 년 초기, 즉 우룩 시대가 시작함과 동시에 정착지의 수와 규모가 현저히 늘어난다. 특히 남부 바빌로니아 우룩은 하나의 정착지를 형성했다. 크기는 약 70헥타르(70만 평방 미터, 211,750평)이다. 당시 정착 인구의 급격한 증거는 확실히 설명할 수 없다.
후기 우룩 시대에도 도시 발전 지속되었다. 남부 바빌로니아 지역에서는 영구 정착민들이 사는 지역이 81헥타르에서 210헥타르로 증가하였다. 우룩은 인류 역사상 최초 도시였다. 도시 발전의 근거는 확실치 않다. 주변의 다양한 생태적 환경이 작용한 것 같다.

---

26) 마르크 반드 미에룹, 「고대 근동 역사」. pp. 49~76.

우룩은 페르시아만의 머리에 있는 늪지대에서 조금 떨어진 내륙에 위치했다. 농업은 유프라테스강의 지류를 통한 관개수에 의존했다. 이런 관개 농업으로 곡물, 과수 작물, 대추야자의 풍부한 농작을 이루었다. 양과 염소의 목축, 늪지대에 풍부한 물고기, 새 등. 물소 사육을 통해 우유를 얻을 수 있었다. 기술적 발전이 이루어졌는데, 노동 특화를 더욱 쉽게 하였다. 파종에 필요한 쟁기를 개발하였다. 교환 체계, 협력의 체계를 이루었는데, 도시 발생 중요한 요소가 되었다. 도시의 발전에 따라 전문인들과 기술이 등장했다. 직물 직조인, 전문화된 금속 제련소 발굴, 실린더 인장, 전문적인 석공, 생산 분야 전문 장인이다. 이로 인해 대량 생산 가능했다. 이로 인해 도시화가 되므로, 조직화할 권력이 생겼다. 이념적 토대를 이루어 줄 것으로 종교가 등장했다. 두 개의 성전이 우룩에 공존하였다. 하나는 이안나 성전이고, 다른 하나는 아직 발굴이 덜해진 아누-지구라트(신전 타워, 가로 50m, 세로 50m)이다. 종교 지도자(아마 문서에서 엔, En), 왕, 행정가, 농부, 어부, 목동 등의 계급 구조가 생겼다.

2) 문자와 행정의 발전

관료 체계는 도시 중심지들의 지역 경제 통제를 가능케 했다. 우룩 시대 말에 회계 장부 체계가 존재했다. 우룩의 문자 체제는 전통적으로 원시, 쐐기 문자(얇은 토판에 그림, 인류 최초의 상형문자 발명)였다. 최초의 토판은 이안나 신전의 우룩 제4a 유적층과 제3 유적층에서 발굴되었다. 회계 장부는 물건의 양, 사람 혹은 직책, 문자 이외의 인장 사용, 숫자가 적힌 토판(토큰 - token, 세 단위의 보리를 받았다는 사실은 세 개의 토큰을 줌)이다. 두 종류의 기호(하나는 숫자, 하나는 단어), 문자의 발전은 행정 발전의 과정이다.

메소포타미아 언어 가운데 가장 많이 기록으로 보존된 언어는 수메르어와 아카드어이다. 수메르어는 알려진 동족어가 없는 언어로 매우 독특한 문법과 어휘를 가지고 있다. 수메르어는 남부 메소포타미아에서 제3천 년 기 동안 사용되었다. 제2천 년 초기가 되면서 관료들과 신전 종사자들만 사용하였다. 아카드어는 히브리어, 아랍어, 그리고 근동의 다른 언어와 관계있는 셈어였다. 그러나 다른 셈어와 약간 다른 문법적 구조를 보인다. 아카드어의 동사 체계는 '동부 셈어'로 분류되고, 언급된 다른 언어들은 '서부 셈어'에 속한다. 아카드어는 제3천 년 기로부터 제1천 년 기 말까지 아주 광범위한 지역에서 사용되었다. 아카드어에는 두 가지 주요 방언이 있다. 메소포타미아 북쪽에서 쓰인 아시리아어와 남부 메소포타미아에서 사용된 바빌로니아어이다.

3) 우룩의 팽창

우룩의 팽창에 대해 우선 자원의 필요성이 농후해졌기 때문일 수 있다. 학자들은 종종 남부 메소포타미아에 나무, 돌, 금속이 부족했고 이 자원들을 획득하기 위해 외국과의 교역을 추진했다고 생각한다. 그러나 그런 자원 부족은 좀 과장된 것이다. 보다 중요한 요인으로 우룩 시대 남부 메소포타미아에서 발생한 인구 변화와 이념의 변화를 고려해야 한다. 도기 국가들은 새로운 형태의 이념, 그리고 새로운 사회 구조와 함께 발생했다. 어떤 사람들은 이전에 볼 수 없었던 권력을 가지고 되었고, 많은 사람의 삶에 영향을 가지게 되었다. 새롭게 생성된 엘리트들은 자신들을 일반인들과 구분해 줄 희귀한 물건을 가지고 싶었을 것이다. 보석, 금, 은 등 많은 사치품들은 메소포타미아 밖에서만 구할 수 있었기 때문이다. 그래서 다른 지역들을 식민지화하였을 것이다.

두 개의 신전 자리(하늘의 신인 아누신에 봉헌된 것과 모신인 이 안나에게 봉헌된 것)가 있다. 옹벽으로 되었다. 원통 모양의 도장을 만들었다. 금, 은으로 만든 도기가 나왔다. 촌락은 점차 신전을 중심한 도시로 바뀌었다. 국가 조직이 이루어졌다. 대표는 '루갈'이라 하는데, '위대한 사람'이라 불렀다. 그가 거처하는 곳은 신전이었다. 신전 창고에는 곡물을 저장하였다. 기술공, 제사장, 서기관, 및 군인들이 신전 주위에 모여 살면서 도시 형태를 이루었다. 신정 사회였다.

D. 엠뎃 나스르 시대(기원전 3000년~기원전 2800년) - 초기 청동기 시대[27]

기원전 3000년대의 첫 250년간에 번성했던 이 시대의 문화는 엘람, 이란, 소아시아, 시리아와 아마도 이집트(니케이드 2세) 등 근동 지방 전역에 그 영향을 미쳤다. 소인(消印) 도장과 채색 도기들이 다시 소개되어 있는 사실은 이란으로부터의 영향을 말해주는 것으로 보인다. 우룩에서는 이난나(Innana) 신전이 인공적으로 만든 대지 위에 건축되었으며, 모신(母神)들을 숭배했던 것이 하늘의 신인 아누(Anu)를 섬기는 숭배로 대치된 것으로 보인다. 이난나는 성경에서 담무TM(겔8:14)로 알려지고 있는 우룩의 전설적 왕인 반신(反神) 두무지(Dumuzi)와 밀접하게 연결되어 나타나기 시작하고 있다.

---

27) 문희석, ibid., p. 25.

E. 우르 제1왕조 시대(기원전 2500년~2360년) - 초기 왕조 시대[28]

1. 우르(Ur)

수메르의 왕의 목록에 보면, 이 왕조의 최초 통치자는 메샨니팟다(Meshannipadda)로 언급되어 있으며, 80년 동안 지배했던 것으로 본다. 이 시대는 많은 도시들이 번창, 마리, 앗수르, 닙푸르, 슈룹팍, 에리두 등이 있다.

2. 라가쉬(Lagash)

라가쉬의 정치적 역사에 관해서는 우리가 잘 알고 있다. 오히려 조그만 도시이기는 하였지만, 그곳 폐허지들은 19세기 후반 초에 사르젝(E De Sarzec)에 의해 밝혀질 때까지 매우 잘 보존되었다. 이 지역에서 나온 서판들은 루갈이란 명칭을 사용한 우르 난세가 왕조를 수립했다고 기록하였다.

3. 움마(Umma)

움마는 라가쉬를 정복하였다. 그러나 셈족의 사르곤이 메소포타미아 전역에 대한 권력을 장악하기 시작하였다.

이 시대 동안에 학교가 존재했던 것으로 보인다. 수메르의 학교는 수메르가 문명에 가장 크게 공헌한 것으로 생각되는 설형 문자 제도의 발명과 발전의 직접적 산물이었다. 최초의 기록 문서들은 에렉(우룩)에서 발견되었다. 경제적 행정적 각서들로 구성된

---

28) 문희석, ibid., pp. 29~31.

1,000여 개의 상형 문자로 된 점토 서판으로 구성되었다.

F. 아카드 제국(기원전 2360년~2180년)[29]

수 세기 동안 메소포타미아에 정착해 있으면서 수메르 문화에 철저히 동화된 셈족들이 이제는 메소포타미아의 정치적 영도력을 획득하기에 이르렀다.

1. 아카드 왕조의 창시자는 사르곤 1세였다.

사르곤은 군사적 힘을 통해 패권을 얻었다. 기스의 우르 자바바 왕의 집사로 지내다가 일약 왕위에 올랐다. 사르곤은 그의 군대를 활과 창으로 무장시켰다. 우룩과 우르, 수메르 전역, 엘람, 수바르투, 시리아를 정복하였고, 소아시아에까지 진출하였다. 어떤 역사가들은 그리스, 그레테와 키프로스의 인접 지역을 그의 영토로 인정하기도 하였다. 사르곤에 대해 다음과 같은 기록이 있다.[30] 자기 둘레에 궁정이 있었고, 매일 그와 함께 식사하는 사람이 5천 4백 명이었다 한다. 아마 5,400명의 남자는 상비군을 지칭하는 것 같다.

2. 나람

신의 통치 때는 중앙 통치를 용이하도록 하기 위해 몇몇 행정 단위에서 수량법의 표준화가 이루어진다. 서기관들은 왕실과 연관된 일에 길이와 무게에 대한 표준 도량형을 사용했다. 중앙에서 통제하는 수량법으로 날짜를 계산하는 일관된 방법을 확립하기 위해

---

29) 문희석, ibid., pp. 32~34.
30) Douglas R. Frayne, *Sargonic and Gutian Period,* p.31.

연호(year name)가 사용되었다.

3. 아카드 인들의 중심지는 아카드.

이것이 후에는 바벨론이 되었다. 아카드는 셈어를 사용했던 바빌로니아 북쪽 도시였다. 그 도시의 언어는 아카드의 언어로 알려졌다. 수메르의 문화를 전면 흡수 토착화시켰다. 자기들의 언어를 수메르의 설형문자 형식을 빌려 표기하였다.

4. 사상적인 면에서도 바빌로니아의 통일이 추구되었다.

사르곤은 종교적 제의의 전국 표준화를 꾀하였다. 자신의 딸을 우르에서 달의 신 '난나'의 대제사장으로 임명하였다.

5. 아카드는 한 세기 반 동안 세력을 떨쳤다.

중앙의 아나톨리아와 이란, 멀리는 인도와 이집트까지 무력 원정대를 보냈다.

6. 제국주의적 성격이 강해 전 영토를 통합하기 위해 지중해 북동쪽 첨단까지 점령하였다. 수메르 문화를 전파하였다.

7. 패망한 이유는 아모리 족, 티그리스강과 자그로스산맥 동쪽 사이의 지방에서 왔을 것으로 추측하는 쿠르드족(구티족) 침입하였다. 기원전 2200년이다. 구티 족은 우르 왕조 우트 헤갈에 의해 멸망되었다.

8. 아카드 제국 몰락 후 제국은 여러 도시 국가로 분할되었다.

라가쉬, 움마, 우룩, 작은 도시 국가들이다.

9. 길가메시 서사시(창세기의 창조 설화와 유사, 그러나 정확한 자료는 아님)이다.
친구 엔키두의 죽음 이후 불멸을 찾아 여행하는 영웅의 이야기이다. 그 여행으로 그는 세상 끝에 갔고 그곳에서 그는 홍수의 유일한 생존자인 우트나피슈팀을 만난다. 그는 길가메시에게 육체적인 불멸을 얻을 수 없다고 말해준다.

19세기 후반, 메소포타미아 지역, 아시리아 제국 도시에서 놀라운 유물들이 발굴되었는 데, 그 발견된 유물 점토판들에서 기독교계를 뒤집어 놓는 내용들이 기록되어 있었다. 그것은 방대한 서사시로 이뤄졌는데, 후에 이들을 모아 <길가메시 서사시>로 불려졌다.

이것이 공개되자 기독교계를 뒤흔들게 된 것은 그 내용이 구약의 창세기의 대홍수 이야기가 그보다 이전 문명에서 인용한 것으로 보였기 때문이다. 그 후 연구에 의하면, 그 길가메시 신화는 보통 알려진 바빌로니아 문명이 아닌 그보다 오랜 수메르 문명에서 왔다는 것이 밝혀졌다. 이는 최소 기원전 2000년 이상 오래된 신화라는 것이다. 이 <길가메시>신화는 그 후 인류사 신화에서 나타나는 괴물, 영웅, 신의 개입, 전투, 우정, 깨달음, 불사 등 모든 것이 포함되어 있다.

G. 우르 제3왕조 시대(기원전 2060년~1950년)31)

---

31) 문희석, ibid., pp. 34~37.

구티족을 축출해낸 사람은 우룩의 우투헤갈이었다. 그러나 우투헤갈은 그의 승리를 오래 누리지 못하였다. 그의 신하였던 우르의 우르남무가 그에게 반란을 일으키고 자기 스스로 수메르와 아카드의 왕이 되었다. 그래서 그는 우르의 제3 왕조를 창건하였으며, 약 반세기 동안에 걸쳐 지배권을 장악했다. 우르남무는 수메르와 아카드 이외에 오직 메소포타미아의 북부와 엘람의 일부 지역들을 포함하는 왕국을 다스리는 것으로 만족하였다. 그의 정책은 정복하는 것이 아니라 건설하는 데 있었다. 정부는 매우 효과적인 관료주의 체제를 가진 강력한 중앙집권적 형태로 나타났다. '최고의 시중꾼', 혹은 정부의 '일등 고관'이라고 번역할 수 있는 '숙갈 마크'라 하였다. 지방은 40명의 엔시들에 의해서 다스려졌다. 중앙집권적 체제이다.

이 시기의 문학적 업적 중 하나인 법전은 근동 법전들과 연관성 있다 하여 중요하게 취급되었다. 경제 활동 활발하게 이루어졌다. 대부, 신전 토지의 임대, 노예 구매가 이루어졌다.

우르남마는 계단식 단을 만들어 그곳에 커다란 지구랏을 건설하였다. 일종의 계단식 탑이었다. 정치력을 확보하려는 종교적 기반을 조성하였다.

두 개의 국가 체제가 있었다. 수메르와 아카드로 통칭 되는 본토가 하나, 티그리스강과 자그로스산맥 동쪽 지역이었다. 이 지역은 주둔군이 통치하였다. 본토는 왕을 대신하여 수메르어로 엔시라는 총독이 감독하였다. 통치 체제는 슐기 왕 때 주로 만들어졌다. 북서쪽에서 온 아모리인들, 남동쪽에서 온 엘람족의 연합 작전으로 멸망하였다. 우르 3왕조의 마지막 왕 입비신(Ibbisin)이 엘람에 죄수로 붙잡혀 갔으며, 우르는 완전히 파괴되었다.

아모리 족속

우르의 마지막 왕 입비신이 엘람족의 손에 떨어지자 수메르와 아카드 왕국의 통일도 끝장나게 되었다. 이때 서쪽 광야에서 이주해 온 아모리 족속의 영도력 밑에서 고대의 도시국가들이 다시 등장하였다. 그들은 가나안 사람들과 비슷하였다. 엘람은 라르사를 장악하였고, 아모리 족속은 유프라테스강 상류에 있는 마리를 침범하였다.

아모리라는 표현은 메소포타미아에서는 서부 지역을 가리키는 지리적 용어이다. 이집트에서는 레바논 산맥과 그 주위의 지역을 지칭하였다. 그러므로 '세부, 셈족'이라는 표현이 더 적합하다.

이들에 의해 고대 바빌로니아 왕국 세워졌다. 그 가운데서 가장 위대했던 왕이 제6대 왕인 함무라비이다. 이때 수많은 점토판들 발굴되었다. 행정적인 것과 상업적인 것이었다. 아브라함이 가나안으로 이주해오기 전 메소포타미아 정치적 상황을 이해하는 데 도움이 된다. 함무라비 법전은 민법, 형법에 대한 282조 판례집이다. 상당한 부분이 모세 오경의 민법과 유사하다. 방대한 과학 문서이며, 특히 밭을 측량하는 수확 계산을 한 수학 문서가 있다. 우르의 마지막 왕 입비신이 엘람 족속의 손에 떨어지자 수메르와 아카드 왕국의 통일은 끝장나게 되었다. 이제 각 곳에서는 본토민 지도자들의 통솔력 밑에서가 아니라, 엘람 족속, 더 크게 말해서는 아모리 족속의 영도력 밑에서 고대의 도시 국가들이 다시 나타나게 되었다. 아모리 족속들은 서쪽 광야로부터 메소포타미아로 이주해온 셈족의 새로운 파동을 대표하고 있다.

H. 이신, 라르사 시대(기원전 1960년~1830년)32)

마리 출신인 아모리 사람 이쉬비 이라(Ishbi-irra, 기원전 1956년~1927년)는 스스로 이신에서 주권을 장악하였다. 지역 전체 종교 중심지인 닙푸르를 접수하였다. 누구든지 닙푸르의 제사장이 왕으로 인정하면 수메르와 아카드의 왕이 되었다. 또 다른 경쟁자였던 나플라눔(Naplanum, 기원전 1960년~1940년)이 라르사를 장악하였다. 이쉬비 이라를 시작으로 16명의 왕들이 무려 225년 동안, 함무라비가 바빌로니아의 왕이 된 해에 라르사의 림신에게 이신이 정복될 때까지 계속 이신이 왕위를 장악하고 있었다.

바빌로니아에서는 아모리 족속이었던 수무아붐(Sumuabum)이 독자적인 지배자가 되었다. 고대 앗시리아도 이신과 라르사의 왕들이 연약한 틈을 타서 독립하였다. 남부 메소포타미아에 큰 변화가 일어났다. 수메르-아카드 문화에서 아카드, 아모리 문화로 넘어갔다. 결정적인 역할은 관계 시설과 상업의 발달이었다. 고대 앗시리아 상인들의 빈번한 왕래가 이루어졌다.

라르사의 림신이 이신을 정복하였다(기원전 1793년). 바빌론에서는 함무라비가 왕위를 이었다(기원전 1792년). 라르사는 기원전 1763년에 함무라비에게 정복당했다.

---

32) 문희석, ibid., pp. 38~41.

I. 마리(기원전 1950~1761)[33]

마리는 역사적으로 그리고 또 고고학적으로 매우 중요한 곳이다. 이 옛 도시는 유프라테스강 중류에 위치하고 있었으며, 오늘날에는 아부 케말(Abou Kemal)에서 북쪽으로 10 킬로미터 떨어져 있는 텔 하리리(Tell Hariri)로 알려지고 있다. 마리는 기원전 1761년 바빌론 함무라비에 의해 정복당했다.

J. 고바빌로니아 시대 (기원전 1830년~1530년)[34]

메소포타미아 하류에 여러 도시 국가들이 서로 경쟁하는 동안 수무아붐(기원전 1830년~1817년)이 아카드의 지배자가 되었다. 그 도시의 이름은 밥 일루 또는 바빌로니아이다. 최초 왕조의 창설자이다. 그의 아들 수물라일루는 더 훌륭하였다. 36년 통치하였다. 법전화 사업을 이루었다. 그 뒤 아들 사붐, 그리고 나서 6대 함무라비(기원전 1728년~1686년)가 왕이 되었다. 31년 되는 해에 라르사를 정복하였고, 그다음해 마리가 정복되었다. 함무라비는 법전을 만들었고, 자신을 결코 신으로 내세우지 않았다. 보호자라 하였다. 초기의 법전들은 우르의 우르남무 법전, 수메르 언어 이신의 리피트 이쉬타르 법전이었다. 함무라비 법전에는 귀족, 평민, 노예 세 계급으로 나누었다. 결혼은 신랑이 신부 아버지에게 값을 치렀다. 신부는 결혼 지참금을 준비하였다. 아내는 어떤 상황에서는 이혼할 수도 있었다. 남편도 이혼할 수 있으나 지참금을 주었다. 결혼은 오직 문서 계약으로 합법적인 결혼을 하였다.

---

33) 문희석, ibid., pp. 48~50.
34) 문희석, ibid., pp. 41~44.

자녀를 두지 못할 때 첩을 둘 수 있다. 양자를 둘 수 있었다. 무고죄, 절도. 살인, 간음 등은 사형에 처했다. 기원전 1595년 히타이트 무르실리 1세에 의해 정복당했다.

K. 고앗시리아 왕국(기원전 2000?~기원전 1700?)[35]

메소포타미아 지역의 바벨론 상부 티그리스강 상류 유역에 제국을 이루었다. 기원전 5500년~3300년 하수나, 사마라, 텔 할라프 지역에 도시 형태를 이루었다. 기원전 2900년 최초 왕정을 이루었다. 기원전 1950년쯤 우르의 제3왕조가 멸망하게 되자 아시리아는 부분적 독립을 이루었다. 이 새로운 시대 두각을 나타낸 왕은 일루슈마(ILLushuma, 기원전 1867년~)이다. 기원전 1650년경 후리 제국(미탄니)에 복속되면서 고앗시리아는 소멸되었다.

앗시리아는 기원전 2000년대 처음 250년간 소아시아 지역에 영향을 주었는데, 주로 상업적이었다. 상인들 왕래하였다. 기원전 1749년 서부 셈족 삼시 아닷(Shamshi-Adad 1세 기원전 1749년~1717년)이 지역의 패권을 잡았다. 삼시 아닷 1세는 메소포타미아 위대한 지도자였던 라르사의 림신(기원전 1758년~1698년)과 바빌로니아 함무라비(기원전 1728년~1686년)와 동시대 인물이었다.

L. 힛타이트 족속(기원전 약 1800년~1200년)[36]

---

35) 문희석, ibid., pp. 44~47.
36) 문희석, ibid., pp. 51~58.

아카드 본문들에서 '핫티(Hatti)땅'이라 부른다. 제19대 이집트 왕조 자료에서는 '헤타(Heta)땅'으로 기록이 되었다. 인도 아리안 족속과 더불어 기원전 2000년 초에 러시아의 남쪽으로부터 코카서스를 건너서 서쪽으로 소아시아에까지 이주하였다. 아나톨리아 북중부의 하투샤를 중심으로 형성된 왕국이다. 그들의 언어는 서부의 인도-유럽 계통의 언어군과 밀접하게 연관되었다. 기원전 14세기경에 최절정기를 이뤘다. 당시에 아나톨리아의 대부분, 시리아 북서부(레반트의 북부), 남쪽으로는 리타니 강의 하구(지금의 레바논)까지, 동쪽으로는 메소포타미아 북부까지 장악하였다. 히타이트의 군대는 전쟁 시에 전차를 잘 사용하였다. "히타이트"라는 낱말은 구약성경의 "헷 사람들(sons of Heth, 헷 족속)"에서 유래하였다. 19세기에 아나톨리아에서 히타이트를 발굴한 고고학자들은 처음에 이들을 성경에 등장하는 히타이트와 동일시하였다. 기원전 1180년 이후에 히타이트 제국은 분열되어 여러 독립된 도시국가로 나뉘었으며, 몇몇은 기원전 8세기경까지 존속하였다. 이 도시국가들을 신히타이트(Neo-Hittite) 도시국 가라고 한다. 헬라인들처럼 많은 종족으로 구분되었다.

힛타이트 족의 역사는 세시대로 나눈다. 1) 고대 왕국(기원전 1800년~1450년) 2) 중간 시대(기원전 1450년~1400년) 3) 새 제국(기원전 1400년~1200년)

힛타이트는 동편은 앗시리아에게 압박되고, 소아시아 서부에서는 후리기아가 대두하여, 그리스계 해상 민족의 침입으로 기원전 1190년경 히타이트는 멸망하였다.

1. 고대 왕국

한 통치자 밑에 여러 힛타이트 종족들이 통일하게 된 것은 아니 타스에 의한 것으로 보인다. 라바르나스(기원전 1600년~)는 힛 타이트 왕국의 실제적인 창건자였다. 그의 아들 핫투실리스 1세 는 영토 확장에 착수했던 최초의 힛타이트인이었다. 동생 무르실 리스 1세는 핫티 땅을 근동 지방에서 최고의 위치로 끌어올렸다.

2. 신제국

새 제국의 가장 강력했던 왕은 숩필룰리우마스 1세(기원전 1344 년~1322년)이다. 이집트가 쇠약해진 틈을 타 시리아의 전 영토 를 통합하였다. 소아시아 전역을 진압하였다. 후리족이 유프라테 스강 상류에 세웠던 미탄니 왕국을 정복하였다. 핫투실리스 3세 는 힛타이트 마지막 왕이었다.

아래 그림 24와 25는 메소포타미아에 역사에 관한 것인데, 괄호 안의 숫자는 정복의 역사 순서를 나열한 것이다.

(그림 24)

- 140 -

M. 후리 족속37)

성서에서는 호리 족이라 한다. 족장 시대 여러 사회 습관들은 후리 족에까지 소급된다. 그들이 언어는 히브리어 및 서북방 셈족의 음성학에 영향을 주었다. 후리 족은 아나톨리아와 시리아의 인접 지역, 동쪽으로 누지를 포함한 아랍카 지방(오늘날 이라크 키르쿡), 남쪽으로 중앙 팔레스타인까지 정착하였다. 기원전 3000년 중엽으로부터 2000년 말까지 번창하였다. 정치적으로 가장 위대했던 그들의 나라는 미탄니 왕국, 그 수도는 하란 근처이며, 유프라테스강 중류이다.

N. 카시트 족속 (기원전 1600년~기원전 1155년)38)

역사가들에게 코시안 족으로 알려져 있다. 함무라비 제국의 폐허지 위에 지배권을 확립하였다. 이들은 코카서스 근방 지역에서 유래하였다. 그들이 섬기는 신들의 명칭을 토대로 볼 때 그들은 인도-아리안족과 접촉하였다. 바빌로니아 언어를 채택했다. 메소포타미아 북서쪽에 독립 왕국을 이루었다. 카시트 왕조의 몰락은 아시리아와 엘람의 침공의 결과였다. 투쿨티-니루르타 1세(기원전 1243년~07년)는 13세기 초부터 시작된 아시리아의 팽창 정책을 계속하여 바빌로니아를 침공하였다. 기원전 1155년 엘람족에 의해 정복되었다. 이후 제2 이신 왕조가 바빌로니아를 지배하였다.

---

37) 문희석, ibid., pp. 59~61.
38) 엄원식, 「구약성서 배경사」, ibid,, p. 58.

O. 중아시리아 왕국[39]

기원전 14세기 미탄니 쇠퇴에 중아시리아 제국이 재건되었다. 앗슈르 우발리트1세(기원전 1363년~28년) 중아시리아 최초의 왕이 되었다. 서쪽으로 힛타이트를 공격하지 않고 이집트와 우의를 다졌다. 북쪽에서 승리를 거둬 바빌로니아를 침략하였다.

P. 중세 엘람 왕국

기원전 1500년과 1100년 사이 세 왕조를 이루었다. 중세 엘람국의 형성은 두 번째 왕조의 업적이었다. 창시자는 이기-할키이다. 200년간 지배하였다. 슈트룩-나훈테 기원전 1155년 카시트를 침공하였다.

Q. 해상 민족

이집트 람세스 3세(기원전 1187년~1156년) 재위 5년 되던 해 북쪽에서 내려온 사람들의 공격 언급하였는데, 이 사람들을 '해상 국가'라 불렀다. 해양민족으로 알려진 불레셋인들은 어디에서 왔는지는 분명치 않지만, 성서에서는 그리스 밑에 위치한 갑돌(크레테) 섬에서 유래했다고 한다(신명기 2장 23절 "또 갑돌에서 나온 갑돌 사람이 가사까지 각 촌에 거주하는 아위 사람을 멸하고 그들을 대신하여 거기에 거주하였느니라")

현재까지의 학자들의 연구 결과에 따르면, 기원전 2000년대 초반에 지중해 연안과 유럽 남동부 지역에서 대대적으로 민족 이동

---

39) 문희석, ibid., pp. 66~71.

이 있었다. '바닷 백성들(Sea Peoples)'인 이들은 에게해의 동부 지역을 비롯하여 소아시아, 시리아, 이집트에까지 침략의 손길을 뻗었다. 람세스 3세 재위 8년 보고서에 해상 민족들이 하티와 키주와나와 같은 나라들을 침입하였다. 이집트도 침략하였다. 그러나 그들은 람세스 3세에 격퇴를 당한다. 그러나 에집트의 라므세스 3세에 의해 격퇴된 후 일부는 다시 바다를 건너가 크레타, 시실리, 사르디니아로 향했고, 일부는 가나안의 남부 해안지방에 정착하여 다섯 도시국가로 이루어진 불레셋을 세웠다. 불레셋 사람들의 다섯 추장은 가자, 아스돗, 아스클론, 갓, 에크론의 추장들이다"

이집트 비문들에는 그들을 플레사테(Pulesoti) 라고 했고, 히브리어로는 플리쉬팀(Pelishtim)이고, 플리쉬팀이 사는 지역의 히브리어 이름은 플렙셋(Pheleseth)이다. 우리말 성서 공동번역판의 블레셋은 이 히브리어 이름을 따른 것으로 그리이스어로는 필리스티노이(Philistinoi)가 된다.

(그림 25)

- 144 -

VI. 고대 근동의 왕권40)

현대 민주주의 사회에서는 종교와 정치의 분리를 강조한다. 정치가 종교를 장악할 때 그 사회는 그 사회가 부패하기 때문이다. 만일 우리가 현대적 사고를 가지고, 고대 근동의 왕권을 정치적 입장에서만 이해하려고 한다면 고대 사회를 정확하게 이해할 수 없다. 고대 사회에서는 왕과 그 역할을 그들 사회의 종교와 분리할 수 없는데, 사회 모든 분야의 기초로서 안정, 정의 및 평화가 올바른 왕권으로부터 발생한다고 생각하였기 때문이다. 특히 고대 근동의 종교를 연구함에 있어서 왕권 사상은 종교의 핵심에 자리잡고 있다.

고고학에 의하여 많은 문서들이 발견되면서, 학자들은 왕과 신의 관계성에 대하여 관심을 갖게 되었다.

후크(Hooke)와 엥그넬(Engnell)

고대 이집트, 메소포타미아, 이스라엘 왕은 신으로부터 기원한다. 왕은 신과 동일시 하였다. 왕은 제의에서도 결정적인 역할을 한다. 왕이 제의를 통하여 고대 근동의 신화에 나오는 죽음과 부활 의식을 포함하여, 혼돈의 신에 대한 질서의 신의 승리를 재현하기도 하였다고 말한다. 곧 왕이 제의적 역할을 할 뿐만 아니라, 어떤 경우에는 신이기도 하였다는 말이다.

프랭크포르트(Henri Frankfort)

그의 책 *Kingship and the God* (1948년)에서 메소포타미아

---

40) 노세영·박종수, 「고대 근동의 역사와 종교」. ibid., pp. 95~114.

와 이집트의 사회와 자연환경이 서로 다르기 때문에 각각의 왕권의 기원과 그 역할은 서로 차이가 있다.

이집트 - 왕과 신이 동일시되었다. 왕은 죽지 않는 신이었다. 나일강의 비옥한 환경, 전쟁의 위험이 비교적 없었던 안정된 지역적 위치 때문에 왕권의 강화로 신적 존재로 숭배되었다.

메소포타미아 - 자연환경(유프라테스강의 범람)이 늘 불안하였다. 왕이 비록 제의적 역할을 하였다 할지라도 신과 동일시 되지 않았다. 왕은 인간이었다. 다만 왕은 자연과의 조화를 통하여 왕의 역할을 하였다.

이스라엘 - 신이 아니고, 야웨 하나님께 대한 유일성과 초월성에 근거하여 왕권이 서 있다.

A. 왕권의 기원 - 프랭크포르트 주장

 1. 이집트 왕권 이해

　　1) 이집트 사회는 나일강이 규칙적으로 범람, 자연이 매우 안정적이므로 우주 질서 창조 사상은 이집트 사람들에게 인간의 삶의 문제에서도 삶은 영원하다.
　　2) 죽음의 실체를 부정한다. 특히 왕은 죽지 않으며, 신으로 숭배하는 존재로 변화한다. 따라서 이집트 왕권은 매우 안정적이다. 힉소스 족의 왕권 쟁취 등과 같은 몇몇 경우를 제외하고는 왕권 찬탈을 위한 음모라든가 혁명과 같은 것들은 거의 나타나지 않았다.
　　3) 창조신인 레(Re)가 그의 피조물을 다스리도록 왕권을 세

웠을 것이라는 가정에서 출발한다. 즉 창조신에서 세워진 왕권으로 자연과 사회의 질서가 완성된다는 말이다. 따라서 왕권 지배의 개념은 우주의 시작과 같은 그 맥을 같이 한다.

4) 남부 이집트와 북부 이집트 왕권의 통일 또한 정치적 사건이 아닌 신의 은총으로 된 것. 통일이 안 되는 정치적 혼란은 신의 은총을 받지 못한 것으로 여긴다.

5) 왕권에 대한 초월적 이해는 이 세계가 이원론으로 구성되어 있다는 사상에서 출발한다. 우주는 하늘과 땅, 땅은 북쪽과 남쪽으로 구성. 두 땅이란 말은 정치적 의미의 두 나라를 의미하는 것이 아니라 우주론적 개념에서 이해, 두 땅은 땅의 전체성을 표현하는 이원론. 또한 '두 땅의 주'라는 말은 왕권의 보편성을 의미한다.

2. 메소포타미아 왕권 이해

1) 정치적이고 역사적으로 이해된다.

2) 메소포타미아의 사회는 전적으로 계절의 순환에 적응한다. 계절의 변화는 질서의 신과 혼돈의 신이 갈등하며, 전쟁함으로써 발생한다고 간주했다. 자연은 항상 혼돈으로부터 위협을 받고 있으며, 혼돈이 우세할 때는 자연도 혼돈을 경험하게 되어 죽음을 맞이한다.

3) 사람이 불멸하는 것이 아니라 항상 죽음의 위협이 있다. 반드시 죽는다. 따라서 사람들은 질서의 신과 혼돈의 신이 빚는 갈등의 결과를 정확하게 예측할 수 없다. 그로 인해 자연에 대한 불확실성을 갖게 되었다. 종교적인 축제를 통하여 이러한 불확실성 자연과 조화를 이루고자 노력하였다.

4) 야콥슨(Jacobsen)은 왕권은 전쟁이나 다른 위협이 발생하면서 생겨나는 임시적인 직무였다고 주장한다. 전쟁의 위협이 발

생하면 이를 극복하기 위해 민주적인 절차에 의하여 왕이 선택되었다가 그러한 문제가 사라지면 왕의 직무도 없어지게 된다. 그런데 그 사회 속에 계속적인 전쟁의 위협 등이 생기면서 왕권도 영속적으로 나타난다.

3. 이스라엘의 왕권 이해

1) 사무엘상 7장에서 12장까지 - 신정정치(사사 시대까지) 시대에서 블레셋 비롯한 주변의 나라들의 군주정치가 외국의 침략으로부터 자신들을 보호할 뿐 아니라 강력한 나라를 만드는데 효과적이라는 것을 알았다. 지파 중심, 사사들에 의한 통치(신정정치)가 다른 나라에 비해 덜 효과적이었다. 자주 블레셋의 침략에 의해 더 강력한 지도력 필요가 되었다. 사무엘에게 요청(삼상 8:1-5)하였다.

2) 메소포타미아처럼 초기에 민주적인 절차를 통해 왕이 생겨난 것이 아니었다. 이스라엘의 왕권은 야웨 하나님만이 이스라엘의 왕이라는 사상과의 갈등에서 발생하였다. 그럼에도 왕은 하나님의 선택에 의해 출발하였다. 왕권은 유일한 제도로 존재하지 않고, 하나님이 이스라엘을 다스리는 왕이라는 사상과 함께 존재하였다.

B. 신적인 왕권

1. 이집트

1) 바로 왕은 죽지 않는다. 왕은 신 자신이다. 성육신하신 신이다. 신의 현현이다. 바로를 신과 동물의 혼합형으로 보았다. 투트모세 4세의 전차 안에서 발견된 그림을 보면, 바로는 매의 머리

를 가진 전쟁의 신 '몬투'의 날개를 가진 사자로 표현하였다. 그
리고 적들은 사자 모양의 왕에게 밟혀 고통을 받고 있다.

2) 바로에 대한 두 가지 신성.

첫째는 바로가 태양신 Re의 아들, 아들이란 태양신 레의 육체
로부터 나온 육체적인 아들. 분명히 이 땅위에서 여자에게 태어난
사람이다, 그러나 그를 낳은 아버지는 분명히 레이며 따라서 바
로는 신이다.

둘째는 바로가 두 이집트(남부, 북부)를 동시에 다스리는 매
신, '호러스'로 간주 된다. 호러스는 풍요와 농업의 신인 '오시리
스'의 아들이다. 좋은 왕이던 오시리스와 그의 형제였으며 악한
왕이던 '셋'은 두 이집트를 나누어 지배. 오시리스가 셋에 의해
살해되고, 그 아들 호러스가 아버지 오시리스를 승계하기 위해
셋과 싸워 승리하면서 두 왕국을 다스리는 왕이 된 것. 따라서
죽은 이집트의 바로 왕은 소시리스가 되고, 살아 있는 왕 바로는
호러스로 불리웠다.

3) 이러한 오시리스에 대한 이야기를 통하여 고대 이집트 사람
들은 왕의 죽음이란 두 땅의 연합이 일시적으로 문제가 생긴 것
이며, 호러스의 왕위 승계는 두 땅이 다시 평화와 안녕을 얻게
된다고 믿었다.

4) 고 왕국 시대 이집트 왕은 '후'(Hu, 신적인 언어), '시아
'(Sia, 신적인 지식), 헤카(Heka, 신적인 에너지와 마술) 등과
같은 능력을 지닌 자로 간주하였다.

5) 중 왕국 시대 왕은 어떤 경우에는 바로와 신이 동일시되지
만, 어떤 경우는 왕의 인간적인 면이 표현하였다.

6) 신왕국 시대, 왕이 신의세계의 영역에 속해 있으며 왕에게
신적인 요소가 있음을 보여주는 의도적인 노력에도 불구하고 왕
도 죽을 수밖에 없는 존재임을 인식하였다.

2. 메소포타미아

1) 고대 시대, 수메르 왕의 목록 - 왕권은 하늘로부터 옴. 신에 의해 양자로 선택된 신의 아들로 불리었다. 엔카의 아들, 수엔의 아들, 왕이 땅의 신, 인류의 신, 수메르의 태양신으로 불리었다.

2) 고대 바빌론의 함무라비 법전 - 왕권은 우주론적 차원에서 이해. 왕권은 신들의 왕인 안(An)과 하늘의 땅의 주인 엔릴(Enlil)에 의해 인정되었고, 앗시리아의 에살하돈과 살만에셀 등과 같은 왕들은 신들로부터 선택된 자들이었다.

3) 왕이 곧 신의 형상, 신의 아들이었다. 함무라비는 한때 신의 아들, 다간의 아들, 마르둑의 아들로 불리었다. 때를 따라 다른 여러 신들의 아들로 불리웠다는 것은 육체적으로 단순히 한 신의 아들이 아니라 상징적으로 신의 아들임을 암시하였다. 이러한 견해는 이집트의 신적인 왕권과는 다르다. 즉 왕이 육체적으로 오시리스의 아들이었다고 하는 이집트 사람들과는 달리 왕이 육체적으로 신의 아들이 아니라는 말이다. 왕이 인간의 세계로 성육신된 것이 아니라, 인간 사회에서 지도력이 있는 사람이 민주적인 절차에 의해서 왕으로 선택. 왕은 처음부터 불멸 신적인 존재일 수 없다.

4) 프랭크포르트는 사냥을 하러 간 왕의 모습을 설명하면서 차이점을 말했다. 이집트 왕은 그 능력이 완전하여 사자를 죽이는 신으로 묘사, 메소포타미아 왕은 군대의 우두머리로서 다른 사람들과 마찬가지로 생명의 위협을 느끼는 영웅적인 사람으로 나타난다.

3. 이스라엘

1) 북쪽 이스라엘보다는 남쪽 유다의 다윗 왕조에서 왕권의 신성을 발견된다.

2) 유다의 왕권의 신성은 이집트보다 메소포타미아 왕권에 가깝다.

3) 시편 2편 - 왕은 야웨 하나님에 의해 지명되었다. 왕은 하나님에 의하여 태어난 아들이다.

4) 사무엘하 7장 14절 - 하나님은 다윗의 후손이 하나님의 아들이 되고, 하나님은 그의 아비가 될 것이다.

5) 왕은 야웨의 기름 부음을 받은 자이다. 예언자들은 기름을 부어 왕을 세우거나, 폐위하는데서 결정적인 역할을 한다.

6) 성육신적 이집트 왕권이나, 선택된 메소포타미아 왕권과 달리 이스라엘 왕권은 혈통으로부터 유래된 세습적 지도자의 형태이다.

7) 이스라엘 왕권은 사람들의 요구에 의해 생겨난 것(삼상 8:19-20)이다. 하나님이 왕이다. 그러므로 왕권은 하늘에서 온 것이 아니다. '솔로몬이 여호와께서 주신 위에 앉아 부친 다윗을 이어 왕이 되어' 프랭크포르트는 '야웨에 의하여 인정된 왕위'로 해석된다. 이러한 견해는 왕권이 신적인 것이라기보다는 다만 신성한 의무와 기능을 가졌음을 의미한다. 하나님의 대리인으로서 그 책임을 가진 사람이다.

C. 왕의 기능

고대인들은 자연 속에 신적인 힘이 숨겨져 있다. 이 힘이 자연을 지배하며 인간 사회와 깊은 관계를 맺고 있다고 믿었다. 따라서 자연 속의 신적인 힘과 그들의 삶이 항상 조화를 이루어야 한다 생각하였고 이러한 일들은 평범한 사람이 할 수 있는 것이 아니라 신으로부터 그 임무를 부여받은 왕을 통해서 가능하다 여겼다.

이러한 왕의 기능은 이집트나 메소포타미아에서도 크게 다르지 않다. 메소포타미아에서는 처음에는 비록 인간 사회의 일원이지만 왕권이 하늘로부터 내려온 정치제도로서 신적인 왕권으로 인정되면서 이러한 기능 수행하였다. 이집트에서는 신이 직접 인간 사회에 내려와서 조화시키는 역할을 수행하였다. 이집트는 그들의 왕이 곧 신이었기 때문에 사회나 자연을 안정적으로 생각하였다. 반면 메소포타미아 사람들은 항상 적들의 공격에 노출되어, 자연은 항상 위험한 대상으로 존재하였다.

이집트에서 왕은 모든 번영, 전쟁과 평화의 지도자, 정의와 법의 근원이다. 메소포타미아에서 왕은 사회를 외세의 침략에서 보호하고 질서의 세계로 만들어야 한다. 전쟁의 지도자, 군대의 우두머리, 목자이다. 성공적인 왕의 기능을 수행하기 위해 신으로부터 위임을 받아야 한다. 이러한 사명을 잘 감당하기 위해 왕은 신에 대한 제의의 의무를 다하여야 하고 기도하여야 한다. 그러므로 왕은 신이 거주할 수 있는 신전을 짓고 그 신전은 항상 좋은 상태를 유지하여야 한다.

이스라엘 왕도 사회의 정의, 복지, 그리고 진리를 위한 역할을 가지고 있었다는 점에서 다른 지역과 비슷하다. 다윗이 성전을 짓기 위한 모든 준비, 법궤를 모시는 일, 솔로몬이 성전을 짓는 것이다. 이스라엘 왕의 제의적 역할은 다른 지역에 비해 적었다. 제사장들의 몫이었다. 왕은 하나님의 뜻을 찾기 위해 제사장을 찾기도 하였고 때로는 예언자를 찾기도 하였다.

고대 근동의 다른 나라들의 왕권과 이스라엘의 왕권의 차이점을 연구하는 데서 가장 중요한 사실은 이스라엘의 왕권은 포로기 이후에 들어서면서 메시야적 왕권으로 변화한다는 점이다.

VII. 고대 근동의 종교

A. 고대 근동의 제의41)

제의(ritual)를 한마디로 정의하는 것은 매우 어렵다. 왜냐면 문화적 관점에 따라서 그 이해의 범위도 다양할 뿐만 아니라, 종교학에 관련된 용어 가운데 제의를 적절하게 설명해 줄 어휘가 그리 많지 않기 때문이다.

웹스터 사전은 제의를 넓은 의미에서 '공동체에 의해 엄격하게 규정된 예배와 관련된 모든 행위나 활동', 이보다 좁은 의미의 의식(rite)은 '예배와 관련된 종교의식이나 정형화된 종교 행위' 그러나 제의나 의식은 유사한 개념으로 사용되며, 보다 제한적인 의미로는 '제사'라는 용어가 종교 행위의 대표적인 의미로 사용되었다. 고대 사회에서 거의 모든 종교 행위는 제사 행위로 집약되어 있다 할 수 있다.

고대 근동 사회에서도 다양한 제사 행위가 있다. 그 가운데 여러 지역에서 공통적으로 발견되는 의식은 "희생 제사"이다. 구약성서를 비롯한 고대 근동의 각종 문헌에 희생 제사에 대한 언급이 종종 발견된다. 구약성서의 희생 제사는 이스라엘에서 중요한 위치를 점유한다. 여기서 다루어지는 제의는 주로 희생 제사에 관련된 것이다.

셀만(Martine J. Selman)은 고대 근동의 희생 제사를 이해하기 위해서는 다음 네 가지 사항을 염두에 두어야 한다고 말한다.

---

41) 노세영·박종수, ibid., pp. 115~133.

첫째로 구약성서와 관련된 고대 근동의 희생 제사는 이집트에 관한 것보다 메소포타미아와 우가릿에 관한 것으로 범위를 한정시킬 필요가 있다. 왜냐면 이스라엘 종교는 이집트보다는 메소포타미아나 가나안의 고대도시 우가릿과 더욱 유사한 모습을 보여주기 때문이다.

둘째로 구약성서와 이스라엘의 주변국을 비교하는 것은 서로 비슷한 유형이 많다. 그러나 나름대로 독특성이 있다는 것을 알아야 한다.

셋째로 고대 근동의 문헌 가운데 희생 제사에 관한 기록이 발견되었다 해도 모든 정보를 다 얻을 수 없다. 당시 문화와 사상적 토대를 근거로 재해석해야 한다.

넷째로 현재까지 진행된 고대 근동의 희생 제사에 대한 연구는 아직도 미미하다. 이로써 메소포타미아를 중심으로 한 고대 근동 사회에서 희생 제사가 공동체에서 중요한 역할을 하지 않았음도 추론할 수 있다.

1. 메소포타미아의 제의

물과 희생 제사 차이점이 있다. 제물은 성전에 드려지던 제사 음식을 말하며, 희생 제사는 신에게 드려진 동물 제사를 말한다. 기원전 3000년경 수메르 시대에는 거대한 신전이 세워졌다. 그러나 2000년대 들어와서는 왕권이 성장하면서 성전의 영향력이 감소되었다.

성전에 바쳐진 제물은 농산물, 가축, 양, 염소 등. 이들 제물은 성전의 행정과 경제를 위해 쓰여졌다. 이것은 예루살렘 성전의 유지와 그 관리들을 위해 주어진 십일조와 제물과는 약간 성격이 다른 것이다. 이스라엘 희생 제사는 보통 제단에서 드려졌다. 그러나 메소포타미아에서는 흔히 제단 외에서 드려지기도 했다. 또한 메소포타미아에서는 이미 성전에 바쳐진 제물들과 함께 제사장에 의해 봉헌된 반면에, 이스라엘에서는 일반 백성들도 희생제물을 제단에 가지고 나와 그곳에서 제물을 죽여 봉헌할 수 있었다.

메소포타미아 희생 제사의 주요 관심은 주로 신들을 돌보는 것이다. 특히 신들을 먹이는 행위로 이해되었다. 인간은 신들에게 음식물을 제공함으로 신과의 교제를 하였다. 신도 인간과 같이 음식물을 섭취한다는 믿음을 가진 것이다.

몇몇 토판에서 희생 제사 순서가 있다. 1) 신상 앞에 제상을 준비 2) 손 씻을 물 대야에 준비 3) 다양한 음식물과 마실 것 제공, 그동안 악사들이 음악 연주 4) 제단에 향불 5) 제상이 치워지고 신상의 손가락을 씻기 위해 대야를 준비한다.

제물은 죽은 사람의 영에게도 정기적으로 제공되었다. 정령신앙의 토대이다. 주요 신들에 대한 관심보다 영과 악귀들에 대한 관심이 더 많았다. 사람이 죽으면 지하세계로 들어간다. 죽은 영혼에게도 만족할 만한 음식을 주어야 한다. 이런 것이 이루어지지 않을 때 배고프고 지친 영혼이 땅으로 올라온다. 옷과 그 밖의 물건도 드렸다. 정규적인 의식에서 희생 제물이 주로 드려졌으며, 신들의 상을 새롭게 단장하는 의식도 행했다. 이스라엘 종교는 "피의 제사"가 강조되었다. 동물의 피를 제단에 뿌렸다.

제의에서 주문의 기능이 중요했다. 제의와 주문을 분리하지 않았다. 마클루 문헌의 제의와 주문에는 흑주술에 대항하여 안전을 기원하는 내용이 주를 이룬다. 그것은 마법사 모양을 한 밀납이나 나무로 된 형상이 불과 관련된 신에 의해 불살라지는 내용이다. 이러한 주문을 외움으로써 마법사의 주술을 무력화하며 고통받는 사람을 해방시켰다. 이러한 제의행위는 병마를 물리치는 엑소시즘(귀신 퇴치)이 행해졌다. 사악한 영을 의미하는 상(image)을 깨부수고, 땅에 묻음으로써 병마를 물리치기도 했다.

정결 의식은 다양한 목욕 형태가 있다. 제사장, 참회하는 왕, 장례식 동안의 시체, 신상까지도 목욕하는 의식이 있다. 날마다, 달마다, 매년 행사로 치러진다. 악한 세력을 제거하기 위한 의식이다.

2. 시리아-팔레스틴의 제의

북시리아의 우가릿에서 발견된 기원전 14~13세기의 문헌을 통해 알 수 있다. 우가릿 문헌은 신화와 서사시로 된 문헌과 관습에 대한 두 종류의 문헌이다. 우가릿 문헌에서 발견된 가나안 제의는 다른 고대 근동의 제의와 별다른 차이가 없다. 시리아의 제의들은 다양한 형태를 띠고 있다. 우가릿 제의에서 주목할 것은 쉘라밈 희생 제사(화목 제사)와 인신 제사(인간 희생)이다. 구약에서 인신 제사를 언급했다. 요시야 왕이 종교개혁을 통해 이방신에게 사람을 제물로 드리는 관습을 철폐했다. 열왕기하 23장 10절 "사람으로 몰렉에게 드리기 위하여 그 자녀를 불로 지나가게 하지 못하게". 인신 제사는 주로 위기 시에 행해졌다. 이스라엘에 패한 모압 왕이 자기 아들을 번제로 바침(왕하 3:27). 구약성서 인신 제사는 주로 가나안 종교와 관련해서 언급되었다.

히타이트 제사의식은 주로 동물의 형상을 하고 있는 신에게 드려졌다. 황소 모양을 하고 있는 폭풍의 신, 사슴 모양의 보호신, 사자 모양의 전쟁신이다. 히타이트 신전에는 하나 혹은 두 개의 신이 동시에 섬겼다. 신전에 제물과 함께 신상들이 봉헌되었다. 제의는 축제와 함께 거행되었다. 축제는 주로 농경 생활과 관련되었다. 봄 제의 축제는 작물의 시작을 축하, 가을에는 추수를 즐기는 축제였다.

3. 이집트의 제의

이집트의 종교는 메소포타미아처럼 도시 국가 중심이다. 각 도시를 지배하는 신이 경배의 대상이다. 여러 신이 공존했다. 그러다가 어떤 도시의 세력이 확대되면 그 도시의 신이 이집트 전역에 알려졌다. 여러 신이 공존하는 가운데 인간과 밀접한 관련을 맺는다. 이와 동시에 신의 아들로 여겨지던 파라오에 대한 예배도 전국에 걸쳐 시행되었다.

이집트 종교는 개인적인 성격보다 공동체 성격이 강하다. 엘리트들은 카르낙이나 룩소르 등과 같은 대규모 신전에 제의 의식을 가졌다. 평민들은 작은 규모의 신전에서 제의 의식을 가졌다. 신전에는 신상을 세웠다. "하늘의 문"으로 불리는 신전은 우주의 형상으로 인식되었다.

파라오가 유일한 제의자이었지만 실제로는 제사장들이 왕의 대리자로서 제의를 집행했다. 이집트 제의의 목적은 신이 계속해서 지상에 현존하기를 바라는 의식이다. 신은 지상의 삶을 풍요롭게 하고 나라의 평화를 보장한다. 이집트인들은 신상이 훼손되었을 때 신들이 인간의 요구에 응답하지 않는다 믿었다. 공동체의 남성들은 세속적인 직업을 소유했지만, 그들의 아내들은 날마다 신전에서 찬양을 하였다.

이집트에서 종교는 고대 이집트 사회를 사상적으로 통합하는 역할을 하였다. 이집트 종교의 가장 두드러진 성격은 사후 세계에 대한 믿음이다. 이집트 신들은 죽음과 재생의 순환 구조에 있었다. 죽음 이후 부활에 대한 믿음을 가졌다. 그래서 무덤을 화려하게 장식했다. 그리고 죽은 사람에게 날마다 음식을 제공했다. 이집트에서 희생 제사 의식을 찾기는 쉽지 않다.

4. 이스라엘의 제의

이스라엘의 희생 제사는 창세기, 출애굽기, 레위기, 민수기를 비롯해서 여러 곳에 언급되었다. 구약의 희생 제사는 주로 번제, 화목제, 속죄제, 속건제와 관련되었다. 이방신에게 음식을 바치는 행위, 귀신 쫓는 행위나 주술에 희생 제사를 드리는 행위는 금지되었다.

레위기 1장에서 7장까지 에서 제물의 종류와 절차

1) 번제

동물 전체 불태워 드림. 제물의 종류에 따라 순서가 다름.

소를 제물로 바칠 때

1) 흠 없는 수컷을 회막문(제단)앞에서 드린다. 2) 바치는 사람(일반 백성)이 번제물의 머리에 안수함으로 속죄. 3) 봉헌자가 야웨 앞에서 수송아지를 잡는다. 4) 아론계의 제사장들은 제물의

피를 가져다가 회막문 앞 사면에 뿌린다. 5) 봉헌자는 번제 희생의 가죽을 벗기고 각을 뜬다. 6) 제사장들은 단 위에 불을 놓고 불 위에 나무를 늘여 놓는다. 7) 제사장들은 봉헌자가 뜬 각과 머리와 기름을 단 위에 놓여있는 나무 위에 놓는다. 8) 제사장들은 제물의 내장과 정강이를 물로 씻은 다음 그 전부를 불살라 번제로 바친다. 이러한 수송아지 번제는 화제로서 야웨 하나님을 기쁘게 해드리는 행위이다. 제물의 향기가 하늘로 올라가서 하나님께서 그것을 흠향하기를 원하는 의도에서 비롯된다. 번제는 가끔 곡물이나 음료(포도주)와 함께 드려진다(민15:1-10).

양이나 염소일 경우, 소를 바치는 것과 유사.

새의 번제, 산비둘기 새끼나 집비둘기 새끼를 바칠 때

이 경우 제사장이 제물을 단으로 가져다가 그 머리를 비틀고 단 위에서 불사르고 피는 단 곁에 흘린다. 먹통과 더러운 것을 제거하고 제단 동편에 있는 재 버리는 곳에 던진다. 제사장은 제물의 날개 자리에서 몸 일부를 찢어 그것을 제단 위에 있는 불에 살라 화제로 바친다(레 1:14~17).

번제는 이스라엘 희생 제사에 있어 가장 중요한 역할이다. 번제는 또한 이스라엘의 축제 시에 드려진 제의 행위(민28-29장)이다. 번제는 수컷 짐승으로 바쳐졌으며 전부 불사른다.

  2) 소제

이스라엘에서는 선물의 의미가 후에 곡물 제물인 소제로 쓰였다. 소제는 대체로 번제와 함께 드리는 경우가 많았다. 순서는 1) 봉헌자가 곡물 가루에 기름을 붓고 그 위에 유향을 놓아 제사장에게 가지고 온다. 2) 제사장들은 고운 기름 가루 한 줌과 유향을 취하여 단 위에 불사른다.

3) 화목제

일반적으로 쉘라밈으로 불린다. 화목제는 공동체 성격이다. 피는 제단에 음식은 공동체가 나누어 먹는다. 그러나 기름과 피는 먹을 수 없다. 순서는 번제와 거의 유사하다. 다만 소로 화목제를 바칠 때 수컷으로만 바치는 번제와는 달리 수컷이나 암컷 가리지 않고 흠 없는 것으로 드린다.

4) 속죄제

다른 희생 제사와 함께 드려진다. 정결 제사이다. 제단의 모서리 위에 뿌려지는 피가 하나님과의 화해를 이룬다. 봉헌자가 그의 손을 짐승위에 얹는다. 드리는 사람에 따라 절차가 다르다. 제사장이 드리는 속죄제는 제사장이 직접 수송아지로 제물을 드린다. 회중이 죄를 범하였을 때는 회중의 장로들이 수송아지 머리에 안수하고 제물을 야웨(제단)앞에서 잡으면 제사장이 피와 함께 제물을 드린다.

5) 속건제

거룩한 물건에 대한 범죄시에 드린다. 남의 물건을 훔쳤을 때도 금전으로 환산된 가액으로 숫양을 바친다(레5:15). 배상의 성격이다.

이스라엘의 제의행위는 성전이나 전통적으로 이름있는 특정한 장소(벧엘, 길갈, 실로, 세겜, 놉 등)에서 거행되었다. 솔로몬 성전이 세워지기 전에는 가나안 사람들의 경우처럼 주로 산당(바모트)에서 행해졌다.

멕킨 타이어는 이스라엘의 제의의 기능을 다음과 같이 설명한다.

1) 죄 사함을 받고 하나님의 호의를 얻기 위해.
2) 공동체 결속, 내적인 갈등 해소, 동시에 외부의 침입에 공동으로 대응하기 위해.
3) 제의에 참여할 수 있는 사람들을 구별, 선민의식의 발전 계기.
4) 지도자들 정치력 발휘, 포로 후기 시대 에스라와 느헤미야가 제사장 중심의 통치 체제하의 제의적 상황에서 민족의 지도자로서 중요한 구실을 함.

이스라엘 희생 제사는 메소포타미아보다는 시리아-팔레스틴의 전통에 보다 가까우며, 고대 그리스와도 교류가 있었음을 보여준다. 번제와 화목제는 히브리인과 가나안 사람들이 흔히 행하던 의식이다. 그러나 다른 지역과는 달리 이스라엘의 제사는 죄 사함에 대한 의미가 강했으며, 민족의식과도 깊은 연관이 있다. 유월절 희생양은 출애굽을 기억하는 민족신앙을 보여준다. 셀만은 이스라엘 제의의 독특성은 유일신 신앙을 들고 있으며, 계약신앙에 근거한 제의는 다른 고대 근동의 제의와 구별된다고 주장한다.

B. 고대 근동의 예언[42]

1. 예언의 정의

1914년 횔셔(G. Holscher)는 사무엘상 10장, 19장에서 나타난 황홀경이 가나안에서 유래되었다 한다. 이후 황홀경을 예언 현상으로 이해했다. 그러나 항상 일치하는 것은 아니었다. 기원전 18세기 마리 지역에서 발견된 문서인 마리 지역의 예언자 연구에서 이스라엘의 예언도 고대 근동에서 발견되는 보편적인 종교 현상이라 하였다.

허프만(H.B. Huffmon)이 제안한 고대 근동 공통적인 예언 현상

1) 중보자(예언자)를 통하여 제 3자에게 신의 뜻을 전하려는 신적인 세계로부터 교통.
2) 황홀경, 꿈, 혹은 내적인 감동이라고 할 수 있는 어떤 것을 통한 영감.
3) 즉각적인 메시지, 즉 그것을 해석하기 위해 어떤 기술적인 전문가를 필요로 하지 않는 메시지.
4) 메시지가 요청되지 않을 가능성.
5) 메시지가 교훈적이거나 경고적인 가능성.

예언이란 어떤 기술적인 방법이나 수단이 아니고 직접 신으로부터 메시지를 전달받아 제 3자에게 전달하는 행위이다. 이런 정의에서 한 가지 주의할 것은 신점/점술과 예언의 구별이다. 일반적으로 신점이란 어떤 사람의 문제에 답하기 위해 어떤 기술적인

---

42) 위의책, pp. 135~149.

방법으로 신의 뜻을 알아내는 행위이다. 이런 점에서 예언과는 구별되며 구약성서에서는 제비뽑기와 같은 특별한 행위를 제외하고는 이런 행위는 매우 부정적이다.

허프만은 마리 문서에 나타난 네 가지 유형의 예언자를 소개한다.

1) 신으로부터 받은 메시지를 왕에게 전달하는 아필루/아필투(대답하는 자)가 있다. 메시지는 왕의 간청에 의해 나타나기도 하고 때로는 간청없이도 주어졌다. 그룹으로도 활동했다.
2) 아필루와 마찬가지로 제의적인 인물인 무후/무후투(황홀경에 빠진 자, 미친 자)가 있다. 개인적인 예언을 하지만 그룹으로 활동하기도 한다. 이들의 메시지는 왕이 신에게 해야 할 일과 직접적인 관계. 조상의 왕들에게 제사를 드릴 것과 도시의 성문을 건축할 것 등과 같이 왕의 일반적인 임무이다.
3) 남자들에게서만 적용되는 아시누가 있다. 왕에 대해 경고하는 메시지이다.
4) 일반 평민 중의 한 사람으로서 예언자적 메시지를 전달하는 자가 있다.

예언자는 제의에 관계없이 신탁을 받는다. 황홀경에 빠져서, 혹은 꿈을 통하여 받기도 한다. 제의적 음악을 통해 받기도 한다.

예언의 문학적 형태, 내용 등이 이스라엘과 고대근동과 유사한 점이 많다.

 1) 아누키툼이 말씀하시기를 '다간이 나를 보냈다. 그리고 두려워 말라. 2) 내가 네 적을 네 손에 붙이겠다 문구들은 이스라엘 전쟁 신탁에서도 전형적인 문구로 나타난다. 유사한 것이라 하여

반드시 같은 것은 아니다. 이스라엘 유일신론적 종교가 또 다른 형태의 예언을 생산한다.

C. 고대 근동의 신탁행위[43]

1. 신탁행위에 대한 일반적인 이해

주로 민간전승을 통해 가져온 신탁행위는 인류 역사의 종교사와 거의 함께해 왔다. 신탁행위는 신 혹은 초월적인 존재가 어떤 수단을 통해 인간에 전달되는 모든 수단이다. 예언자나 영매에 의해 전달, 자연 현상, 물질적인 도구를 통해 미래를 예측하는 기타 점복 행위이다. 메소포타미아에서는 예언보다 신탁 행위(혹은 신점)이 더 각광받았다. 국가의 중대사 결정을 하는 것에 아주 중요한 부분이다.

허프만은 예언과 신탁행위와 구별되는 예언의 특징을 소개했다.

1) 예언은 신적인 세계로부터 오는 전언으로 주로 제 3자(청중)에게 전해진다. 매개체는 신 자신이 될 수 있고, 대개는 예언자에 의해 이루어진다.
2) 예언은 대개 비의도적인 꿈이나 황홀 상태 얻어진 영감이 통찰력이다.
3) 예언은 즉각적인 메시지, 어떤 기술적인 매개수단 필요치 않는다.
4) 예언은 신탁행위와는 달리 그 메시지가 인간의 요구에 의해 이루어지지 않는다.

---

43) 위의 책, pp. 151~173.

5) 예언은 대개 훈계적이거나 교훈적인 내용이다.

허프만은 신탁행위는 특별히 자연현상을 해석한다든지 혹은 동물의 간을 살펴서 신의 뜻을 알아보는 구별된 전문가의 행위로 규정한다. 그러나 포터는 신탁행위와 예언을 구별하지 않는다. 예언자 아모스는 선견자이면서 동시에 예언자였다. 아모스가 본 환상은 자연현상을 관찰함으로써 신의 뜻을 파악하는 신탁행위 과정을 보여준다.

신탁행위는 주술을 사용하기에 예언자들의 지탄을 받아왔다. 주술과 신탁행위를 금지하는 신명기 18장 11절에서 12절에는 유사한 종교 현상으로 간주했다. 신탁행위와 주술은 가끔 제의에서 동반자 역할 수행했다. 신탁행위자가 주술을 통해 신의 마음을 움직여 자신의 뜻을 관철할 수 있다는 믿음을 가진다.

신탁행위를 통해서 정결 효과도 노린다. 제비 신탁은 민간인에게 널리 유포되었다. 일반 시민들은 점을 치는 경우가 많았다. 고대 이스라엘은 제사장에 의해 수행되는 제비 신탁 외에는 공식적으로 신탁행위가 금지되었다. 그 이유는 1) 이스라엘의 예언자들이 사회에 유익하지 못하다. 2) 다신교적 성격이 강한 신탁행위이기에. 3) 야웨 신앙을 배타적으로 고수하기에. 4) 가나안, 이방 종교로 간주하기에. 그러나 민중들에게는 인기(삼상28:3-19)가 있었다.

 2. 고대 근동의 신탁행위

신탁행위는 양자택일이다. 내담자의 질문에 긍정, 부정 형식으로 전달된다. 세 번째 선택은 유보이다. 오펜하임은 고대 근동의 신탁을 두 차원으로 분류했다. 1) 왕족 중심, 주로 제사장, 전문가. 2) 민간 중심. 이스라엘도 두 차원이다.

1) 간신점

동물의 간을 살펴서 점을 친다. 색깔이 변화하는 모양을 관찰한다. 양자택일이다. 메소포타미아에서 왕족이나 국가적 차원에서 활용한다.

2) 수유점

물에 기름을 띄워 기름의 방향을 보고 점을 치는 것이다. 메소포타미아 지역에서 널리 행해진 수유점이 시리아-팔레스틴에서는 거의 발견되지 않는다.

3) 막대기점

나무로 만든 막대기의 움직임을 보고 판단한다. 메소포타미아에서 많이 활용되었다. 출애굽기 4장 4절, 17절, 17장 9절을 보면 모세가 막대기를 주술적 도구로 사용한 흔적이 있다. 호세아 4장 12절에 사람들이 막대기를 이용해 신탁을 구한 것을 보여주며 그러한 미혹에 빠지지 말 것을 경고했다.

4) 화살점

에스겔 21장 20절, 21절은 바빌론 왕이 예루살렘을 공략할 것인지 아니면 암몬 족속의 랍바로 갈 것인지를 화살점을 통해 결정한다.

5) 몽점

꿈의 예언과 함께 신의 의지를 전달하는 가장 보편적인 수단이다. 메소포타미아에서는 별로 환영받지 못했다. 이스라엘 사람들도 꿈을 하나님의 계시의 수단으로 보았다.

6) 초혼점

죽은 자의 영혼을 불러드리는 점이다. 메소포타미아에서는 비록 활발하게 전개되지는 않았지만 초혼점이 이용되었다. 이집트에서는 사자의 혼을 불러들이는 초혼점 대신 대제사장이 죽은 자에게 편지를 보낸 사실이 발견되었다. 시리아-팔레스틴에서도 이집트와 마찬가지로 죽은 자들에게 제물을 바치는 의식을 통해 그들의 영을 추앙하였다.

7) 별점(점성술)

천체의 움직임을 관찰한다. 메소포타미아와 이집트에서 널리 활용되었다. 동방에서 온 박사들이 그 예다.

8) 제비 신탁

메소포타미아에서는 제비뽑기가 유산을 분배, 성전 수입을 나누거나, 관리를 선출할 때 쓰였다. 시리아-팔레스틴에서도 널리 행해졌다. 요나에게 적용된 제비뽑기가 그 예다. 맛디아를 뽑을 때, 고대 이스라엘에서는 제사장에 의해 제비뽑기가 수행되었다. 다윗 시대 이후에는 제사장에 의한 제비뽑기 외에는 다른 신탁행위가 금지되었다.

D. 고대 근동과 이스라엘의 주술[44]

1. 주술이란?

주술(magic)을 한마디로 정의하는 것은 쉽지 않다. 종교와 더불어 주술은 인류 역사와 함께 오랫동안 공존했다. 현대인의 시각에 보면 주술은 미신적, 비합리적. 그럼에도 오늘날까지 주술은 존재한다.

주술은 원인과 결과 사이의 관계성에서 출발한다. 원인과 결과는 과학적 사고의 출발이다. 어떤 결과가 있기까지는 원인이 존재한다는 믿음이 주술을 낳는다. 주술은 타인을 저주하거나 해를 입히기 위한 흑주술, 자신이 처한 어려움을 극복하기 위해 행하는 백주술이 있다. 그러나 주술은 과학에서처럼 원인과 결과를 입증할 수 없으며, 인간의 신앙의 행위이다.

제임스 프레이저

주술은 유사한 행위를 통해 그와 동일한 결과를 창출해내는 행위로서 결과가 원인을 닮아간다는 믿음에서 출발한다. 주술은 서로 접촉한 적이 있는 두 개의 주체가 서로 떨어져 있는 동안에도 영향을 끼친다고 믿는다. 이것은 부적이나 글씨를 새겨 저주함으로 멀리 떨어져 있는 상대방에게 피해를 입히는 경우를 의미한다. 이와 같은 관점에서 프레이저는 감응적 주술에 대한 두 가지 원리를 제시한다. 하나는 모방적 주술, 다른 하나는 전염성 주술. 두 형태 모두 서로 떨어진 곳에서 비밀스러운 교감에 의해 영향을

---

44) 위의 책, pp. 175~192.

주고받는 행위이다. 이런 행위는 원인과 결과 사이의 관계를 기본으로 하는 과학이나 기술의 기본 원리를 토대로 한다. 과학의 경우처럼 주술 역시 원인이 되는 어떤 행위를 통해 자신이 바라는 결과를 기대한다. 그러나 주술은 수행자의 의지와 관계없이 결과를 보장하지는 못한다. 이 점에서 프레이저는 주술을 거짓 과학으로 간주한다. 과학은 자연의 원리에 따른 원인과 결과가 분명하게 드러나지만, 주술은 초자연적인 힘과 인간의 소망 사이에 이루어진 믿음과 신앙 행위라는 점에서 과학과 주술은 구분된다. 그는 그의 책 「황금가지 : 주술과 종교에 대한 연구」에서 종교적 사고를 주술에서 발전된 사고로, 과학적 사고를 가장 발전된 기술로 간주한다.

말리노브스키

주술을 과학적 원리와 유사한 것 이해한다. 주술은 과학의 경우처럼 인간의 요구에 부응하는 구체적인 목표를 가지고 있다. 그는 주술과 과학을 서로 다른 전통과 사회적 환경에 따라 상호 간에 영향을 끼치는 인간 행위라고 여긴다. 그는 프레지어가 주장하는 주술의 진화에는 동의하지 않는다. 오히려 주술과 종교, 그리고 과학은 인간의 행동 양식으로 이해된다. 주술적인 모든 행위는 주술 행위자가 처한 환경에서 발생하며, 그에 대한 인간의 본능적인 반응에서 출발한다.

다고스티노

주술과 종교를 기본적인 인간 경험의 두 가지 측면으로 이해한다. 주술은 혼돈의 상황이나 심각한 스트레스, 혹은 두려움이나 상실감 따위의 비정상적 상태에 젖어있을 때 종교에 침투할 수 있다.

요즘 한국 사회 입시 철만 되면 무당에게 찾아가 조치를 취하는 것과 유사하다.

주술과 종교는 구별된다. 주술은 원시사회의 사람들에게 제도화된 의식을 통해 발생 가능한 위험 상황을 미리 제거할 수 있다는 믿음을 주는 반면, 종교적 신앙은 모든 형태의 가치있고 바람직한 태도를 조성하며 사람들에게 삶에서의 용기와 자신감을 준다.

비에티는 주술과 종교를 크게 구별하지 않는다. 주술과 종교는 모두 실천적이며 과학적인 면보다는 제의와 상상적인 개념과 행위를 포함한다. 따라서 단순화된 사회일수록 주술과 종교는 서로 구별되지 않고 함께 어우러져 있다. 그러나 종교와는 달리 제도화된 주술행위는 그 자체의 삶의 자리에서 특별한 목적을 지닌다.

말리노브스키에 의하면 주술은 종교와는 달리 우주적 힘에 대한 추상화된 개념이 아니라 구체적인 상황에 적용되는 인간의 행위라는 점이다. 따라서 각 주술행위는 그것이 발생한 상황에 따라 독립적으로 형성된다. 이런 점에서 종교에서의 신화는 우주적으로 적용되는 공동체의 선이나 기존의 체제를 옹호하는 신념으로 믿어지는 반면, 주술에서 신화는 부분적으로 전승되며, 주로 개인적인 목적에 의해 활용된다. 주술은 종교와 과학과 더불어 인간의 삶 속에서 중요한 역할을 해 온 삶의 양태이다.

　2. 고대 근동의 주술

주술의 세 가지 요소

　1) 주술을 행하는 주술사

2) 주술과 관련된 의식
3) 주술행위

메소포타미아 사람들은 마법사에 의해 행해지는 흑주술과 합법적인 주술사에 의해 행해지는 백주술을 구별한다. 주술은 가끔 종교적 신화에 동반되어 수행되기도 한다. "드 브리"는 주술을 심리학적인 입장에서 분석한다. 그에 의하면 주술은 초월적인 힘을 이용하여 일상적인 범주 외부에 있는 것을 조정한다.

감응 주술은 주술의 심리적 측면을 잘 보여준다. 고대 이집트 사람들은 "아펩"이라고 하는 괴물의 형상을 만들어 그것을 불에 던짐으로써 실제로 그 괴물을 제거할 수 있다고 믿었다. 이것은 오늘날 증오하는 대상을 허수아비로 만들어 불로 태우는 것과 같다. 비슷한 경우가 앗시리아 문헌에도 발견된다. 앗시리아 사람들은 자신들이 마법에 걸려있다고 생각할 때 주술사를 찾아간다. 주술사는 의뢰인을 괴롭히는 마법을 무력화하는 대안 주술을 행한다.

메소포타미아의 주술 문헌에도 마법 제거 주술에 대한 내용이 소개된다.

3. 이스라엘의 주술

주술을 공식적으로 부인한다. 예언자들은 주술행위가 야웨 종교를 위협하는 사술이라 한다. 공식적으로는 이루어지지는 않았다. 그러나 그럼에도 일상적인 삶에서 주술행위가 이루어지고 있음을 성서는 증언하고 있다. 창세기 30장 14절에서 16절을 보면 주술적 도구로 합환채가 사용되었다. 합환채는 다산에 도움이 된다고 믿었다. 성욕을 부추기는 성질이 있다고 여겼다.

야곱이 라반의 집에서 일한 품삯을 얻기 위해 양 떼에게 행한 주술적 행위를 하였다(창30:37-39)

제사장에 의해 행해진 주술적인 치료, 문둥병에 걸린 사람이 완쾌되었다는 것을 입증받기 위해서는 일정한 의식이 필요했다. 정결하게 구별된 새 두 마리를 가져다가 그중 한 마리를 잡아서 생수가 담긴 오지그릇에 담는다. 제사장은 죽은 새의 피를 살아있는 새에 뿌려 들판에 날려 보낸다(레14:1-7).

예수님 역시 주술적 방식으로 병자를 치료했다. 소경의 눈을 뜨게 하기 위해 소경의 눈에 침을 뱉고 그에게 안수했다(막8:23).

뱀에게 물린 사람들을 하나님이 직접 치료하지 않고 장대에 달린 놋 뱀을 보고 낫게 하는 행위가 있다. 고대 가나안의 뱀 주문과 유사한 주술행위 전승의 영향이다(민21:6-9).
고대 근동에서 주술은 종교의식과 습합되어 민중의 삶 속에 깊이 자리하였다. 주술은 제도화된 종교는 아니다. 그렇지만 종교 행위임에는 분명하다. 이스라엘과 같은 유일신을 신봉하는 종교에서는 주술적 효과도 공동체가 섬기는 야훼에 의해 발생한다. 주술은 종교의식을 동반함으로써 공동체의 일체감을 조성, 사회 통합의 기능이 있다. 교회 예배에서 행해지는 세례식과 성찬식은 주술의 종교적 기능의 긍정적 발전을 보여준다.

E. 고대 근동의 죽음에 대한 이해[45]

고대 근동의 종교, 특별히 죽음의 문제를 다룰 때 무엇보다도 먼

---

45) 위의 책, pp. 193~211.

저 언급해야 할 것은 '신화'의 문제이다. 대부분의 고대인들이 그렇듯이 고대 근동에서도 그들은 종교와 사상을 표현하면서 신화라는 문화적 매개체를 사용했기 때문이다. 다시 말해 고대인들에게서 신화란 우리가 생각하듯이 단순히 어떤 신들의 이야기이거나 믿지 못할 허무맹랑한 이야기가 아니라 그들의 신앙, 사상, 그리고 삶의 모든 문제들에서 발견되는 진리와 사실을 발견하였고, 그 자연속에서 신들이 내재되어 있다고 믿었기에 신들의 이야기가 곧 그들이 알고 있는 진리와 동일한 것이라고 간주하였다.

죽음의 문제에서도 그렇다. 곧 죽음이 왜 있어야 하며, 무엇을 의미하며, 죽음 이후의 세계는 어떠한가? 라는 등의 사변적인 질문들이 고대인들에게는 무엇보다도 중요했고(이 질문은 오늘날도 중요), 그 질문에 대한 대답을 신화라는 매개체를 통해 시도했다. 따라서 고대 근동의 죽음의 문제는 죽음에 대하여 말하고 있는 신화를 연구함으로 알아볼 수 있다.

그러나 고대 근동의 죽음에 대한 신화를 알아보는 것은 무엇보다도 어렵다. 그것은 그 시대, 장소, 그리고 종교적 상황의 차이에 따라 서로 약간씩 다른 견해를 보였다는 점과, 현대의 독자들의 세계관이 고대인들의 세계관과 매우 다르다는 점이다.

고대 메소포타미아의 경우는 적어도 기원전 2000여 년 전부터, 그리고 이집트의 경우는 적어도 기원전 4000여 년 전부터 죽음에 대한 신화들이 나타나기 시작하였다.

1. 메소포타미아

1) 길가메쉬의 이야기

죽음의 개념과 지하세계 등에 대한 기본적인 사상을 연구하는 출발점이다.

(1) 기원전 2600년경 도시 국가 우룩의 왕으로 있던 역사적 인물인 길가메쉬를 그 주인공으로 하고 있다.

(2) 길가메쉬는 대단한 힘과 능력 소유했다.

(3) 힘을 가지고 전쟁을 함으로 국민은 가정을 제대로 돌볼 수 없었다. 이로 인하여 사람들이 신들에게 불평, 신들은 길가메쉬와 같은 힘을 가진 그의 친구를 만들어 줄 것을 결의하고 창조신 아루루(Aruru)에게 요청했다.

(4) 아루루는 진흙으로 신의 형상을 만들어 엔키두를 창조하였다.

(5) 엔키두는 자연의 사람으로서 굉장한 힘을 가지고 있으며, 동물과 함께 거주했다. 그는 도시에 대하여는 전혀 몰랐고, 동물처럼 풀을 먹으면서 살았다. 그런데 사냥꾼이 이 새로운 손님으로 말미암아 사냥을 제대로 할 수 없게 되자 아버지에게 이러한 상황을 말했다. 아버지는 아들에게 우룩의 길가메쉬에게 가서 창녀를 얻도 그녀를 엔키두와 지내게 하라고 충고하였고, 사냥꾼은 아버지의 말대로 길가메쉬에게 가서 창녀를 데려왔다. 사냥꾼이 엔키두가 잘 오는 물가에서 사흘을 기다리다가 엔키두가 나타났다. 사냥꾼의 계략으로 엔키두는 동물들과 떨어져 창녀와 7일 밤을 지내다가 동물들에게 돌아가고자 하였다. 그러나 동물들은 엔키두를 보고 도망하였고, 엔키두는 더 이상 동물들을 쫓아갈 힘도 없었고, 그들과 함께 대화하면서 지낼 수 없음을 알게 되었다.

(6) 엔키두는 여자를 알게 되면서 여자의 권고에 따라, 인간 사회로 오게 되었고 마침내 우룩으로 오게 되었다. 여기에서 엔키두는 이제 막 결혼을 하려는 길가메쉬를 만나게 되었고 그와 겨루게 되었다. 엔키두가 싸움에서는 이겼지만, 둘은 이 일로 인하

여 친구가 되었다. 길가메쉬의 어머니는 엔키두를 형제처럼 지내도록 배려하였다.

(7) 길가메쉬는 엔키두에게 모험을 할 것을 제안했다. 먼 나라 서쪽 숲에 사는 '후와와'를 죽이자고 하였다. 길가메쉬는 엔키두의 도움으로 후와와를 죽였다. 그들이 우룩으로 돌아오자 우룩의 여신 '이쉬타'는 길가메쉬에게 반하여 자신과 결혼하여 줄 것을 요청했다. 결혼하면 금마차와 보석을 주고 모든 왕이 그에게 절하도록 제안했다. 그러나 길가메쉬는 거절했다. 이쉬타를 조롱했다. 이쉬타는 이를 참지 못하고 하늘의 신이자 아버지인 '아누'를 찾아가서 길가메쉬를 죽일 수 있도록 하늘의 황소를 데리고 갈 수 있게 허락을 받았다. 이쉬타가 하늘의 황소를 데리고 우룩에 나타나자 길가메쉬는 이를 죽여버렸다.

(8) 길가메쉬와 엔키두는 그 힘과 명성에 절정에 이르렀다. 그러나 문제가 생겼다. 후와와에게 서뿍 나라 숲을 지키라고 명령한 '엔릴'이, 후와와가 죽었다는 소식을 듣고 대노했다. 꿈에 엔키두는 신들이 회의를 열어 이 두 사람을 사형에 처할 것을 논의하였으나, 태양신의 중재로 더 죄가 많은 엔키두를 죽일 것을 결정한 것을 보게 되었다. 그 후 엔키두는 병에 걸려 죽었다.

(9) 사랑하는 친구가 죽게 되자 길가메쉬는 죽음의 실체를 경험했다. 죽음에 대한 두려움에 사로잡혔다. 그러나 그는 홍수에서 살아남아 영원한 생명을 얻게된 조상 '우트나피쉬팀'의 이야기를 알게 되어 그를 찾아가 죽음을 극복할 수 있는 길을 배우고자 결심했다.

(10) 길을 가던 중 그는 주막집에 들러 여주인을 만나 자신의 사정을 말하고 우트나피쉬팀을 찾아가는 길을 안 뒤 우트나피쉬팀의 뱃사공인 우르샤나비의 도움을 받아 우트나피쉬팀이 사는 섬에 도착했다.

(11) 길가메쉬는 우트나피쉬팀에게 영생의 길이 어디에 있는지

물었으나 우트나피쉬팀는 자신이 홍수에서 어떻게 살아날 수 있었는가를 말하면서 이것은 오직 자신에게만 주어진 유일한 것이라는 것을 강조하였다. 계속된 길가메쉬의 간청에 못 이겨 우트나피쉬팀은 길가메쉬가 죽음의 동생인 잠을 이겨 6일 낮과 7일 밤 동안 잠을 자지 않으면 혹 죽음을 극복할 수 있을 것이라고 제안했다. 길가메쉬는 이에 도전하였으나 잠들고 말았다. 우트나피쉬팀은 길가메쉬를 깨워 우룩으로 돌아가라고 말한다. 그러나 우트나피쉬팀은 그의 아내의 간청으로 길가메쉬를 깊은 물 속에 있는 불로초를 먹으면 젊어질 수 있다는 도 다른 방법을 가르쳐 주었다.

(12) 길가메쉬는 불로초를 구할 수 있었다, 그러나 뱀이 훔쳐 달아나 그것을 먹어버렸다. 길가메쉬는 영생을 위하여 아무것도 할 수 없음을 인정하고, 죽음을 받아들일 수밖에 없었다.

(13) 죽음의 한계에 길가메쉬는 자신이 세운 성벽이 영원하듯 이 성벽을 통하여 자신의 업적이 영원할 수 있다는 생각을 하였다. 그가 깨달은 것은 인간이 결코 죽음을 이길 수 없고 다만 수용할 뿐이라는 것을 깨달았다. 그리하여 영원히 이 땅 위에 남아 있을 문명의 발전을 통하여 자신의 업적을 영원히 전달함으로써 죽음을 극복할 수 있다는 상징적인 의미를 추구하였다.

(14) 적어도 길가메쉬의 이야기를 보면, 고대 메소포타미아 사람들이 인간의 죽음은 창조 때부터 이미 신들에 의하여 정해진 것이라는 점을 알고 있었다는 것이다.

2) 창조 신화

(1) 메소포타미아 아트라하시스의 창조 신화

이 땅을 통치하도록 인정받은 전쟁의 신 '엔릴'이 낮은 신들을 관개 사업에 동원되었다. 이 신들이 중노동에 대한 불만을 품고 데모를 하자 엔릴은 다른 신들과 의논하여 여신 '닌투르'로 하여금 낮은 신들의 피로 진흙을 반죽하여 인간을 창조하였다고 말한다.

(2) 바벨론 창조 신화 - 에누마 엘리쉬

인간은 마르둑을 대적한 '킹구'를 죽여 그의 피로 만들어졌다. 창조신 마르둑을 위한 도시를 건설하고 높은 신들을 섬기는 데 이용하도록 하였다.

이러한 창조 신화를 통하여 인간은 신들의 피조물이며, 신들을 위해 일하도록 창조되었기에 인간은 전적으로 이 땅에 속한 것이며, 죽을 수밖에 없는 존재임을 암시하고 있다. 결코 인간은 신처럼 영원히 살 수 없다. 메소포타미아 사람들은 길가메쉬처럼 죽음을 극복하고자 노력하는 것은 헛된 것이라 생각하였다.

죽음은 죄로 이하여 재촉당하기도 한다. 엔키두가 후와와를 죽인 죄로 인하여 사형을 당한 것은 죄로 인한 죽음이라 하였다. 기근이나 가뭄 등의 자연재해를 통한 죽음도 신들에 의하여 정해진 것이라 하였다. 이러한 죽음에 늘 제사를 드리고 경건한 행동을 함으로써 생명을 연장할 수는 있지만 그렇다고 죽음을 결코 피할 수는 없다. 그렇다고 죽음이 절대적이고 완전한 파멸이나 삶의 끝을 의미하는 것은 아니다. 이에 대하여 '스프롱크'는 다음과 같이 표현했다. "죽음은 삶의 다른 편으로의 변화이다. 이 중단(죽음)이 후 남아있는 것은 뼈 이외에 이전에 살아 있던 존재의 그림자 곧 바람의 숨결이다. 그것은 살아 있는 자들의 세계에서 활동할 수 있는 죽은 자의 영혼이다. 이는 육체와 영혼의 분리를 말하며,

육체가 땅속에 누워 있다면, 영혼은 지하세계로 내려가 거주한다는 것이다.

죽은 자의 영혼을 '에템무'라고 불렀다. 그리고 이 에템무는 신과 같은 존재로 여겨졌다. 그러나 에템무가 신과 동일한 존재는 아니며, 다만 실제로 초인간적인 능력을 가진 존재이다. 일반적으로 에템무는 지하세계로 내려간다. 그러나 만일 그의 육체가 살아 있는 사람에 의하여 제대로 묻히지 않거나 정기적으로 음식과 물을 제공받지 못하면 에템무는 지하세계로 내려가지 못하고 땅 위를 배회하다가 인간을 만나면 그를 공격한다. 따라서 죽은 자의 후손들은 방황하는 에템무의 공격으로부터 피하기 위해 죽은 자를 잘 묻어주며 정기적으로 음식과 물을 제공한다. 이 점에서 살아있는 자들과 죽은 자들은 서로 의존하며 살아간다.

2. 팔레스틴의 죽음 이해

1) 아캇 이야기
(1) 아버지 다니엘 왕과 아들 아캇의 이야기이다.
(2) 다니엘은 자신의 사후를 위하여 아들이 절대적으로 필요하다.
(3) 바알은 엘 신에게 다니엘을 도울 것을 요청했다.
(4) 엘은 출생의 여신 '코타라트'에게 다니엘을 보냈다. 코타라트에 의하여 아들 아캇이 출생하였을 것이다.
(5) 신적인 능력을 가진 장인이 활을 만들어 다니엘에게 주었고 다니엘은 아들에게 주었다. 이로 인해 아캇은 초인간적인 힘을 갖게 되었다. 신들의 영역에까지 도달했다.
(6) 여신 '아낫'은 아캇의 무기에 매력을 느꼈다. 아캇에게 활을 달라 요청하자 거절당했다. 아낫은 활을 주면 영생을 선물로

줄 것을 약속했다. 그러나 아캇은 영생이란 신들에게 속한 것이지 인간에게 속한 것이 아님을 알고 아낫의 그런 제안을 꾸짖었다. 아낫은 아캇을 엘의 신의 아들 중의 한 명으로 만듦으로써 이 약속을 지킬 수 있다고 설득했다.

(7) 아낫의 영생이란 바알이 해마다 지하세계로 내려갔다가 다시 지상의 삶으로 되돌아오는 부활을 의미한다. 아캇이 죽으면 다시 살 수 있는 순환이 된다. 그러나 아캇은 이런 제안을 거절했다. 아캇은 부활보다는 현재의 삶을 계속해서 누리며 자신의 위대한 활도 계속 가지기를 원했기 때문이었다. 아캇은 부활할 수 있는 존재가 된다 하더라도 늙어서 죽을 수밖에 없음을 알았던 것이다.

(8) 이후 아캇은 아낫의 수행원들에 의해 죽임을 당했다. 아버지는 죽은 아들의 부활을 위해 제의를 드렸다. 이러한 제의는 죽은 자를 위할 뿐만 아니라, 살아남아 있는 자들을 위한 현재 삶의 은혜와 축복을 기대케 한다.

(9) 부활을 할 수 있는 존재인 '르프움'은 일시적으로 지상에 나타나 사람들을 치료하고, 복지를 책임지는 역할을 감당한다.

(10) 팔레스틴 지역 사람들의 죽음에 대한 생각은 고대 근동 사람들의 것과 유사점과 차이점이 있다. 죽게 되면 적절하게 묻혀야 하며, 산 자들에 의하여 계속적으로 음식과 물을 제공받아야 한다는 점은 공통적인 생각이다. 그러나 우가릿의 왕족들의 경우에는 지하세계에서도 다른 평민들과 다른 특별한 지위를 가진다. 왕족을 중심으로 한 귀족의 경우 바알과 같이 지상 세계로 일시적이긴 하지만, 정기적으로 부활한다는 것이 메소포타미아와는 다른 점이다.

(11) 이스라엘 죽음은 계약의 상황에서 이해해야 한다. 죽음은 계약의 중단이다. 죽음은 야훼 하나님과의 계약이나 창조질서를 파괴한 인간의 선택에 대한 결과로서 이해한다.

(12) 이스라엘에서는 죽음 후의 세계와 죽은 자들이 삶에 대해서는 거의 관심이 없다. 그들은 다만 죽음을 죽은 자들과 함께 잠을 자는 것으로 표현할 뿐이다. 그들은 오히려 개인적인 죽음보다는 이스라엘 공동체의 연속되는 삶을 강조한다. 죽음이 개인의 삶을 마지막으로 만들지만, 결코 공동체를 마지막으로 만드는 것이 아니다. 이런 면에서 이스라엘 사람들은 죽음에 대해 특별히 두려워하거나 열중하지 않았다.

3. 이집트

1) 프랭크포르트는 고대 이집트 사람들은 우주를 서로 다른 극에 있는 것들이 균형을 이루고 있는 것이다 주장했다.

2) 학자들은, 고대 이집트 사람들은 죽은 후에도 죽기 전의 삶을 그대로 연장하여 산다는 신앙을 가졌다는 견해에 동의한다. 곧 이집트 사람들은 죽음의 실체를 역설적으로 부인했다. 피라미드 무덤은 죽은 후의 삶이 현재의 삶과 연장 선상에 있다 생각했다. 그들은 자신이 죽기 전에 죽은 후의 거처를 준비했다. 주검이 보존되어 있어야 하며, 살아있을 때처럼 음식을 제공 받아야 했다. 이 음식은 죽은 자의 생명력을 의미하는 '카'를 위한 것이다. 이러한 음식물을 제공되기 위해 무덤 안에 작은 벽돌방이 있다. 밖에서 이 방으로 연결할 수 있는 구멍이 있다. 프랭크포르트는 이 구멍을 죽은 자와 산 자의 '대화 채널'이라 부른다. 이런 행위는 산 자나 죽은 자 서로를 위하여 필요했다. 산 자는 죽은 자들에게 산 자의 복지를 요청했다. 죽은 자는 산 자들의 음식물과 물을 계속적으로 공급받았다. 그러나 제 1 중간기를 지나면서 음식 공급이 약화되었다.

3) 고 왕조시대 - 왕족과 일반 평민들의 죽음 후 세계가 서로 다르게 나타났다. 왕은 곧 신이었다. 왕은 죽은 후에도 신이었다.

평민들은 이 땅에서 삶을 그대로 유지했다.

4) 이집트 사람들에게는 살아있는 동안 죽은 후에 거할 집과 물품들을 준비했다. 안전한 길을 보장받을 수 있기 때문이었다. 반면 준비하지 못하였을 때 가장 큰 두려움을 느꼈다. 준비하지 못한 사람은 오시리스가 지배하는 지하세계로 들어가지 못하고, 함정과 덫이 있는 곳으로 여행을 해야 한다. 그리고 그곳에서는 정확한 절차를 따라 적절한 주문을 외움으로써만 그곳을 빠져나와 오시리스의 세계로 갈 수 있다고 여겼다.

5) 미라 - 이집트 사람들에게 죽음이란 육체와 영혼의 분리가 되지 않는다는 생각이 있었기에 주검을 제대로 보관하는 것이 사후의 삶을 위해 필요했다. 미라는 살아있는 주검으로 간주했다. 이집트 사람들은 무덤 속에서 계속된 삶을 살 수 있다는 사상이다. 이러한 죽음을 극복하기 위한 생각은 죽음에 대한 두려움이 강했을 것을 짐작이 된다.

F. 고대 근동의 종교와 이스라엘 종교46) - 메소포타미아와 이집트를 중심으로 -

드보는 성서학회 100주년 모임에서 고대 이스라엘의 종교와 고대 근동의 종교의 비교 연구에는 다음의 세 가지 다른 입장이 있음을 발표하였다.

1) 일반 역사가들의 입장으로 이스라엘을 고대 근동의 나라 중 하나로 간주하여 연구하는 것. 따라서 이들은 이스라엘의 종교적 제도에 관심을 둔다.

2) 종교 역사가들의 방법으로서, 이스라엘의 신앙은 하나님이

---

46) 위의 책, pp. 240~260.

선택한 백성인 이스라엘의 전체 역사를 주관하셨다는 확신에 기초한 것으로 어떻게 이스라엘이 그의 역사를 해석했느냐에 관심을 가진다. 그리고 그들은 이스라엘 종교를 고대 근동의 다른 종교의 하나로 보기 때문에 가능한 객관성을 가지고자 노력한다.

3) 신학자들의 견해로서 위의 두 견해와는 대조적으로 하나님이 이 역사 안에서 자신을 계시하셨다는 점을 전제로 출발한다. 곧 하나님이 이스라엘에 무엇을 설명하고자 하였느냐에 그 관심을 가진다는 말이다.

방법론의 차이점에도 불구하고 이들 학자들의 연구를 통하여 이스라엘이 고대 근동의 다른 나라들과 사회적, 문화적, 그리고 종교적으로 같은 환경에서 지냈으며, 같은 관심사를 공유하여 왔고, 서로 간에 영향을 주고받았다는 점이다. 이런 점에서 이스라엘의 종교와 역사를 이해하기 위해서는 고대 근동의 종교와 역사에 대한 연구가 필수적이다.

1. 고대 메소포타미아의 종교

오펜하임은 고대 메소포타미아의 종교에 대한 지식을 얻는 것은 거의 불가능하다고 주장했다. 그는 적어도 만신전의 신만도 1,500가지 이상의 이름들이 있는 데다가 지역과 시대에 따라 변화하고 있음을 지적한다.

1) 야콥슨의 글 "Ancient Mesopotamian Religion"

(1) 당시의 종교는 주로 풍요, 생산, 그리고 음식에 대한 힘을 가진 신들에게 드리는 제의와 관련이 깊다.

(2) 기원전 3000~2000년대 적으로부터 공격에 대한 두려움

- 왕권의 출현 - 신으로부터 선택, 신의 아들로 불리기도, 신적인 능력을 가진 존재이다. 이 신은 자연 속에서의 힘뿐만 아니라, 인간 사회와 역사 속에서 인간의 문제에 대하여서도 그 능력을 발휘한다.

(3) 기원전 2000~1000년대 - 인간 개인의 운명에 많은 관심이 있다. 즉 질병, 고통, 죄 등이다. 이런 것들에 대한 두려움을 해결, 개인의 삶을 보호하기 위한 개인 신이 나타난다. 또한 기원전 1000년 이후 시대에 도덕적 개념과 사회정의를 위한 계약 등이 나타난다.

2) 종교의 특징은 다신론
적어도 1,500종류의 신이 있다. 남신과 여신, 악마의 신이 있고, 계급화를 이루었다. 신전이 있다.

3) 이원론적 구조
많은 신들이 존재하였음에도 자연 세계 속에는 이원론적 구조가 존재한다. 자연은 악이나 혼돈 혹은 고통의 힘으로 상징한다. 혼돈과 질서, 이원론 구조를 가지고 있다.

4) 자연의 순환
메소포타미아 사람들에게서 인간의 삶은 계속적으로 반복되는 자연의 순환에 지배를 받는다. 삶은 자연의 한 부분이며, 자연은 살아 움직이는 존재이다. 이 자연의 법칙을 자연과 신들과의 관계 속에서 이해한다.

5) 신화를 통해 표현
자연과 종교의 관계를 신화라는 문학적 매개체를 통하여 표현한다. 자연의 사건은 곧 신들의 사건이다. 따라서 삶의 순환을 신화의 언어로 표현한 것이다. 그들은 모든 사물, 동물, 그리고 식물

속에 있는 삶의 힘을 발견하고자 하였다. 죽음의 문제를 '길가메쉬 이야기'에서, '에누마 엘리쉬'에서 세계와 인간의 창조를 말하는 것은 삶 속에서 경험되는 모든 실체를 신화라는 매개체에 담고 있음으로 말하고 있다.

6) 고대 메소포타미아 사람들이 말한 신화를 단순히 허무맹랑한 믿지 못할 이야기로 생각한다거나 단순히 신들의 이야기로 이해하는 것은 그 의미를 정확하게 이해하지 못할 것이다. 그들은 신화를 통하여 당시 삶의 실체를 담았고 그들이 믿었던 진리를 표현한다.
7) 신화는 제의를 통해 재현됨으로써 실체의 사건으로 인식한다.

2. 고대 이집트의 종교

1) 다신론

윌슨(J. A. Wilson)의 구분

(1) 어느 장소, 혹은 도시의 신들 - 멤피스의 프타와 테베스의 아문
(2) 우주적 신들 - 하늘의 여신 누트, 땅의 신 겝, 태양신 레.
(3) 서로 다른 기능을 가진 신들 - 정의의 신 마아트, 집안을 돌보고 아이들의 출생을 관할하는 베스, 전쟁과 질병의 여신 세크메트

위 신들은 역사적인 시간이 흐름에 따라 이 종류가 서로 혼합한다.

2) 안정과 균형에 기초한 일원론적 사고

자연환경이 영향을 준다. 나일강은 비옥한 땅이나 좀 지나면 사막, 죽음의 땅으로 변한다. 이러한 지리적 환경 때문에 우주가 서로 다른 것들이 균형을 이루면서 존재하는 것이다. 따라서 안정과 균형은 매우 중요하다. 물이 범람하더라도 터전을 파괴하기보다는 농토를 비옥하게 한다. 자연이 삶을 위협하는 존재라기보다는 자연을 통하여 풍요로운 삶을 보장받을 수 있다는 사상이다. 낙관적 사고이다. 세상이 갈등의 이원론적 구조이기보다는 안정과 균형의 일원론적 구조로 창조된다.

3) 질서 유지를 위해 국가 창조

이런 점에서 국가는 이러한 균형을 유지하기 위해 창조된다. 이집트 왕은 하늘과 땅을 연결하는 자이며 신적인 왕권을 가진다. 이러한 삶에 대한 일원론적 관점이 왕을 곧 신과 같은 존재로 여기게 하며, 왕은 곧 삶을 마아트로 이끄는 사명을 가진 존재이다.

4) 죽음의 문제를 심각하게 다룸

이러한 사고로 그들은 죽음의 문제를 심각하게 다룬다. 죽음은 그들의 안정과 균형을 위협하는 실체이다. 그들의 삶에 대한 이해와 죽음에 대한 실체 사이의 불일치는 왕이 신과 같은 존재라는 이해에서 해결한다. 그들은 왕이 신으로서 불멸의 존재이며 죽음조차도 극복하는 자이다. 따라서 살아 있던 왕 호루스가 죽어서는 오시리스가 되어서 지하세계와 죽은 사람들을 지배한다는 생각을 하거나, 왕이 죽어서 낮에는 태양신과 함께 여행을 한다고 믿었다.

5) 신화와 종교의 관계

종교가 신화라는 문학적 매개체에 의하여 표현된다. 고대 근동의 사람들에게 자연은 철저하게 신들의 현존과 깊은 관련된다. 나일 강의 생동력을 신화나 전설에 담게 된다. 그러한 것들을 종교와 연결. 신으로서 왕은 나일강의 범람과 풍요를 그의 뜻대로 조절된다. 곧 나일 강은 왕의 뜻에 따라 움직이는 것이다.

3. 이스라엘 종교와 고대 근동의 관계

1) 유일신론 - 이스라엘
브리젠은 "야웨이즘"이라 표현하였다. 엘로힘이란 신명이 구약에 2,500번, 야웨라는 이름은 6,800번, 야웨는 오직 한 분이다.

2) 왕은 신으로부터 그 권한을 위임.

왕은 하나님의 아들로 불리기도(삼하 7장, 시 2편)했다. 하나님의 대리자이다. 그럼에도 불구하고 왕은 결코 신과 같은 존재가 될 수 없다.
3) 자연에서 신성을 제거한 점
야웨 하나님이 자연 창조하고, 지배한다.

4) 신화 거부.

물론 구약에 신화적 모티브가 있는 것은 사실이다. 그러나 고대 근동의 신화에서 직수입된 것은 아니다. 그러나 유산을 공유한다. 공유된 문화 가운데 이스라엘이 어떻게 야웨 종교를 정착시키고 발전시켜 나갔느냐? 에 관심을 가져야 한다.

G. 가나안 종교와 이스라엘의 종교[47]

1. 가나안 종교와 이스라엘 종교의 연관성

시리아- 팔레스틴은 이집트나 메소포타미아 지역에 비해 아직은 밝혀지지 않은 내용이 많다. 그러나 가나안 북부에 위치한 에블라와 지중해 연안의 우가릿 유물이 발견됨으로써 고대 가나안 종교와 문화에 대한 많은 지식을 얻게 되었다.

기원전 14세기 우가릿의 문헌들은 이스라엘 종교와 많은 유사성이 있다. 성서 전통은 가나안 종교와 이스라엘 종교의 연관성을 대체로 부인한다. 구약성서는 가나안의 바알 종교를 배척해야 할 대상으로 지적했다. 최근의 시리아-팔레스틴 고고학은 고고학적 자료를 판독하는 입장에서 고고학적인 입장에서 성서의 기록을 판단하기에 정확한 일치를 발견하기 어렵다. 이러한 어려운 점이 있다 하더라도 가나안 종교와 이스라엘 종교를 같은 범주에서 취급하는 것은 나름 의미가 있다. 우선 가나안 지역과 이스라엘 지역이 동일한 팔레스틴 땅에 있다는 점이다. 이스라엘이 초기에는 가나안 문화의 영향권 아래 있었음을 부인할 수 없다. 이스라엘이 가나안 문화와 결별을 시도한 것은 우리가 생각하는 것보다 훨씬 후대의 일로 간주된다.

가나안 문화와 이스라엘 문화의 연관성을 언급하는 데 필수적으로 따르는 문제는 출애굽 사건에 대한 이해이다. 이스라엘이 가나안에 정착하게 된 여러 가지 학설이 가나안 종교와 이스라엘 종교의 관련성을 어느 정도 보여준다. 전통적으로 우리는 가나안 정

---

47) 위의 책, pp. 263~278.

복을 하나님께서 선물로 주신 것으로 이해하고 믿는다. 그런데 성서비평학이 확립되면서 이스라엘의 가나안 정복에 대한 견해가 다양하게 대두되었다. 사사기 1장 1절~2장 5절의 보도에 의하면 이스라엘의 가나안 정복은 때론 무력에 의해, 때로는 평화적인 이주나 가나안 원주민과의 협력 체제하에 서서히 이루어진다. 이런 점에서 어떤 사람은 평화 이주설을 주장한다. 유목민이던 이스라엘은 점차적으로 가나안에 이주했다 한다. 그러나 이 이론은 가나안에서 정착하는 과정에서 발생할 원주민과의 갈등 요인을 고려하지 않았다는 점에서 문제점을 야기한다.

멘덴홀과 같은 사람은 "농민혁명가설"을 세웠다. 이집트를 탈출한 무리들과 가나안의 하층 계급이 연대하여 가나안의 봉건 제후에 대항하였다 한다. 이 이론은 무력에 의한 정복을 어느 정도 충족시키면서 동시에 이스라엘과 가나안 원주민과의 연대 가능성도 배제할 수 없다는 점이 타당성을 뒷받침한다. 그러나 출애굽한 이스라엘과 가나안의 농민계급이 연대하게 된 배경이 불분명하다. 학계에서는 가나안 정복이라는 말이 가나안 정착이라는 말로 자리 잡아 가고 있다.

2. 가나안 종교와 이스라엘 종교의 특징

1) 다산(多産) 문화의 영향

가나안 문화의 뿌리는 다산 종교이다. 농경 문화권에서 다산을 기원하고 풍부한 수확을 바라는 종교의식은 고대 근동에서 흔히 발견되는 종교현상 가운데 하나이다. 우가릿 신화에 의하면 바알의 아들 혹은 바알 자신으로 명명되었던 알린(Aliyn) 신은 고대 가나안에서 물을 풍요롭게 공급하는 신이다. 그의 별명은 'rkb.

rbt"인데 그 뜻은 "구름 타는 자"이다. 구름 타는 신은 바알의 이미지와 동일하며, 강수량을 조절하여 농사일을 주관한다고 믿어졌다.

창세기 2장 5절 "여호와 하나님이 땅에 비를 내리지 아니하셨고 경작할 사람도 없었으므로 들에는 초목이 아직 없었고, 밭에는 채소가 나지 아니하였으며" 창세기 기록 역시 야웨 하나님이 비를 주관하는 신으로 등장하고 있음을 보여준다. 일반적으로 J문서(야웨 문서)로 알려져 있는 창세기 2장 4절b 이하는 이스라엘의 농경 문화 전승을 반영한다. 또한 하나님은 비를 다스리는 분, 혹은 비를 창조하는 분으로 출현(시148:8)하였다. 성서의 창세기는 비를 주관하는 신이 가나안의 바알이 아니라, 야웨 하나님이라는 사실을 상기시킨다. 그럼에도 하나님이 비를 주관하는 신이라는 사실은 이스라엘 역시 가나안의 다산 문화 영향을 받았음을 보여준다.

2) 혼합종교의 영향

가나안 지역에는 수많은 신들을 만들고 그 신들을 숭배하였다. 이러한 신들이 이스라엘에 영향을 끼쳤다. 대표적으로 바알과 아세라이다.

(1) 바알

바알은 우가릿 종교에서 다산의 신이며, "우가릿의 영주"라는 칭호에서 보듯이 그 도시의 수호신이었다. "엘"이 만신전의 우두머리로 등장하지만, 바알은 점차 가나안 종교의 지배자로 부상하였다. 시간이 지나면서 엘의 위력은 점점 약화되고 바알이 가나안의 주신으로 등장했다. 우가릿 신화에서 엘은 늙어서 성적인 능력을 상실한 신으로 묘사된다. 그래서 엘보다 더 젊고 건강하며 풍요와 다산을 상징하는 후계자 신들에게 그 지위가 넘어가는 과정에 있었다.

우가릿 문헌에서 바알은 엘의 아들로 소개되었다. 바알의 아버지는 일반적으로 다곤으로 나타났다. 다곤은 명목상 아버지로 보인다. 우가릿 만신전의 신목록에는 다곤이 엘과 바알 사이에 위치하고 있는 점을 볼 때, 바알은 실제로 엘의 손자라고 볼 수 있다.

우가릿 문헌에 의하면 엘은 가나안 만신전의 우두머리 신으로 인식되었다. 엘은 강들의 근원에 살며, '신들의 아들들'로 구성된 회의를 주재하고, 고령의 지혜로운 신으로 묘사된다. 엘은 성경의 여호와와 유사하지만, 유일신 여호와와 결코 동일하지 않다. 엘은 인간과 신들의 아버지로 생각되어 '아버지의 황소'로 불렸다. 엘은 모든 신의 아버지이다. 엘이라는 이름은 당시 셈족에게 널리 알려진 일반 명사로서 "신"이라는 뜻이다. 우가릿에서는 "자비로운 이" 혹은 "온후한 이"라는 뜻이다.

"만물의 창조자" 엘이 거처하는 산에는 두 개의 강줄기가 흘러 온 세계에 신선한 물을 공급한다. 히타이트-가나안 계열의 신화인 엘쿠니르사에는 엘이 유프라테스 강의 근원지에 거주한다고 되어 있다. 우리는 에덴동산이 유프라테스와 티그리스 강의 근원지에 자리 잡고 있었다는 성서의 기록을 주목할 필요가 있다. 엘은 그 산에 있는 장막에 거하며 그의 아들들로 일컬어지는 모든 신을 주재한다. 우가릿 신화에 아티랏(Atirat)이 엘의 여성 파트너로 등장한다. 아티랏은 "모든 신에게 생명을 주는 어머니"로 불렸다.

북 왕조 이스라엘 오므리 왕조 기간에는 바알 종교가 국교로 받아들여졌다. 이런 점에서 볼 때 가나안 종교와 야웨 종교는 혼합된 형식으로 공존했음을 알 수 있다.

(2) 아세라

아세라는 엘의 여인 아티랏의 기능을 이어받은 것 같다. 아세라는 엘의 아들 바알의 아내로 등장했다. 우가릿 문헌에는 아낫이 바알의 아내로 등장, 페니키아(시돈) 문헌과 구약에서는 아스다롯이 바알의 여성 파트너로 등장한다. 아세라는 고대 근동 지방에서 다양한 이름을 가진 여신이었다. 아카드 지역에서는 아슈라툼(Ashratum)이다. 우르 제3왕조의 신들 목록에 처음 등장하며, 바벨론 제1왕조의 어머니 여신 닌마흐(Ninmah)와 동일시되기도 한다. 힛타이트에서는 앗세르투(Asherrtu), 우가릿의 엘에 해당하는 엘쿠니르샤(Elkunira) 신의 배우자로 나타나기도 한다. 성경에는 아스다롯과 아세라 두 이름만을 교차해서 사용한다. 아세라의 가장 완전한 정보는 우가릿 문헌이다. 아세라는 특히 바알 신화집에 가장 많이 등장하는 특정 여신인 아티랏(Atirat)이며, 엘의 베우자, 바알을 포함한 70여 신들의 어머니로 나타난다.

구약성경의 아세라는 여신의 이름을 뜻하는 경우와 제의 상징물을 뜻하는 경우로 나타난다.

1) 여신의 이름으로 아세라는 기원전 2000년대 말기까지는 엘의 아내로, 기원전 2000년대 말기부터는 폭풍의 신 바알이 가나안 만신전의 최고신이 되면서 자연스럽게 바알의 아내로 바뀌게 된다.

2) 아세라가 제의 상징물로 나타낼 때는 주로 풍요와 연관되며, 성스러운 기둥(아세라 목상), 나무들(푸른 나무들)이 아세라의 상징이었다. 모세는 가나안 땅을 점령할 때 아세라 목상(기둥)을 없애라 했다(신7:5; 16:21).

후기 청동기 시대에서 철기 시대에 제작된 수많은 작은 입상들이 가나안에서 발견되었는데, 여인의 신체 가운데 가슴 부분이 유별나게 크게 제작된 이 입상들은 풍요의 여신들로 여겨진다. 주로 가나안의 가옥에서 발견된 이런 입상들은 당시 가나안 민중들이 바알과 더불어 풍요의 여신들을 경배했음을 보여준다. 성서의 창세기는 풍요의 신에 대하여 보여주지는 않지만, 라헬이 아버지 라반이 소유한 드라빔은 고대 가나안이나 이스라엘 사회에서 작은 입상으로 된 신들을 항상 보관하던 관습이 있었음을 보여준다. 재미있는 사실은 히스기야 종교개혁이 단행될 때까지도 가나안에서 섬기던 여신인 아세라를 계속 섬겼다는 것이다. 신명기 사가들은 아세라 숭배를 끊임없이 비판했지만, 고고학적 연구 결과는 아세라가 이스라엘 민중들에게 믿음의 대상이었음을 보여준다.

최근에 북부 시내 사막에 위치한 쿤틸레트 아즈러드(Kuntillet Ajrud)에서 발견된 유물은 기원전 9세기 말엽부터 8세기까지 이스라엘 종교의 단면을 보여준다. 쿤틸레트 아즈러드는 사막에 있는 일종의 휴식처로서 여행객들이 그 지역 신을 경배하는 종교적 기능을 수행하는 곳이었다. 그곳에서 약간의 토기를 발견했는데, 그 토기에는 가나안의 엘 신, 뿐만 아니라, 야웨와 그 밖의 다른 이방신의 이름이 새겨져 있다. 그 가운데 바알과 아세라의 이름이 들어있다. 파손된 토기 중에 "사마리아의 야웨와 그의(his) 아세라가 당신을 축복하시길--- 여기서 소유격 "그의"를 어떻게 해석할 것인가에 대한 토론은 아직 확실한 결론을 맺지 못하고 있다. 대체적으로 일치된 견해는 아세라가 야웨의 파트너로 등장하고 있다는 점이다. 야웨와 하프를 켜고 있는 아세라가 나란히 있고, 그 옆에 이집트 신 베스가 겹쳐진 채로 그려져 있는 것은 서로 다른 시기에 이미 있는 그림위에 다른 그림을 겹쳐서 그렸음을 짐작하게 한다. 이 모든 점을 고려해볼 때 다양한 출신의 여행자들이 자기가 섬기는 신을 휴식처에서 경배하고 여행길을 갔다는 것을 알 수 있다. 야웨 종교는 중앙의 통치자나 정통 야웨주의자들의 일신교주의와는 별도로 혼합종교 상황에서 유지되었음을 짐작할 수 있다.

가나안에서는 엘과 바알뿐만 아니라, 태양과 달도 신으로 섬겼다. 태양의 여신 샤파쉬는 바알이 지하세계에 머무는 동안 땅을 강렬한 빛으로 쪼이는 역할을 한다. 동시에 태양의 여신은 죽음의 신 모트에게 때가 이르면 바알과의 싸움을 멈추라고 조언한다. 가나안 신화에서 달은 그리 중요한 존재로 부각되지 않는다. 우가릿 문헌에서 발견된 한 문헌은 달신인 야리크와 여신 니칼의 결혼을 축하하는 의식이 있었음을 보여준다.

에블라 문헌에 출현하는 지하의 신 레세프는 메소포타미아의 지하신 네르갈과 동일한 신으로 나타난다. 바알의 모습을 하고 있는 두로의 우두머리 신 멜카르트 역시 지하세계의 신으로서 레세프와 동일시되기도 했다.

3) 성막의 영향

이스라엘이 가나안에 정착하기 전에 광야 생활을 할 무렵 성전 대신에 움직이는 "성막(장막 성전)"이 사용되었다. 성막은 야웨 하나님이 계신 곳이며, 동시에 하나님의 말씀을 듣기 위해 모이는 회막이었다. 출애굽기 26장과 36장은 성막이 장막 제단으로 사용된 기원을 설명해주고 있다. 이 장막제단은 시리아-페니키아의 성전구조를 따른 것이었다. 성소와 지성소로 구성된 성막과 성막 앞에 세워진 두 개의 기둥은 당시 가나안의 신전 형태와 유사하다. 이런 구조가 후대의 솔로몬 성전에 영향을 끼쳤다. 실로에 세워진 성막은 중앙 성소의 상징으로 이해된다. 실로는 이스라엘 지파 동맹에게 종교적 중심지였다. 이런 유형은 우가릿에서도 나타난다. 우가릿 성전에서 엘의 장막은 신의 처소이면서 동시에 신탁을 받는 장소이기도 했다(참조 출33:7011, 민11:16-30, 12:4-10). 이처럼 유사한 장막 제단은 이스라엘의 종교 전통이 가나안 종교 활동에 그 근원을 두고 있음을 짐작하게 한다. 이스라엘 성전이 세워지기 전에는 집안에 세워진 작은 제단이나, 야외에 세워진 작은 제단이 활용되었다. 각처에 세워진 작은 제단에 수많은 풍요의 여신들과 희생제물과 제사 음식이 발견된다. 이것은 이스라엘에 야웨 종교가 확립되기 이전에 여러 종교가 혼재된 상태로 존속했음을 보여준다.

4) 제의의 영향

구약성서에서 거론되는 장막절, 무교절 등은 가나안의 축제에서 비롯된 것으로 추정된다(참조, 삿9:27). 가을에 거행되는 장막절에는 곡물과 포도주, 그리고 기름 등이 준비되었다. 가나안의 이런 축제들은 농경 문화에서 유래한 것들로서 바알이 부활하여 왕으로 등극하는 것을 기념하기 위한 것들이다. 신들에게 바치는 음식으로 희생 제사가 드려졌으며, 우가릿 문헌에는 나타나지 만, 인신 제사도 가끔 바쳐졌음으로 성서는 증언하고 있다(왕하 3:27, 23:10).

기도가 신들과의 교통수단으로 제의 행위에 동반되었다. 가나안 신전에는 성창들이 제의를 집행했던 것으로 여겨지지만, 우가릿 문헌에서는 분명하게 나타나 있지 않다. 그 밖에도 가나안에서는 메소포타미아의 경우처럼 신탁행위가 유행했다. 특히 동물의 간과 허파의 모양을 하고 있는 모형이 많이 별견된 점에서 동물 내장 점이 널리 시행된 것으로 여겨진다.

가나안의 제의행위는 이스라엘 종교와 깊은 관련이 있다. 그 대표적인 예로 송아지 상에 대한 숭배 사상을 들 수 있다. 정통 유대인의 시각에서 볼 때 많은 문제점이 있지만, 여로보암 1세가 벧엘과 단에 제단을 세우고 금송아지 상을 숭배하게 한 것은 가나안의 바알 종교와 야웨 종교의 혼합된 종교적 습합이라는 결과를 초래했다(왕상 12:25-33).

이스라엘 종교 전통에서 뱀을 숭배하던 흔적들은 가나안의 뱀 숭배 사상과 무관하지 않다. 뱀은 아세라-아낫으로 대변되는 가나안 여신들의 상징이었다. 아세라 상을 보면 손에 가끔 뱀을 쥐고 있는 모습이 발견된다. 이로 보아 뱀은 가나안 사람들뿐만 아니라, 이스라엘 사람들에게 신적인 존재 혹은 신의 상징으로 여겨졌다. 정통 유대인들로부터 뱀 숭배 사상은 철저히 거부되었지만, 민중들의 삶은 이상적인 종교 생활보다는 편리한 방식의 종교전통을 별로 거리낌없이 수용했던 것이다. 이러한 혼재된 종교적 양상은 항상 예언자들의 비판의 표적이 되기도 했다. 성서에는 뱀을 악한 존재로 기술했다. 그러나 뱀을 지혜로움의 대명사로 소개하기도 한다(마10:16). 민수기 21장 4절-9절은 이스라엘 사람들이 뱀에 물렸을 때 장대에 매단 놋 뱀을 쳐다봄으로 고침받은 이야기이다. 이 사건이 유래가 되어 이스라엘에는 뱀을 숭배하는 풍토가 생겼다. 이러한 폐단을 제거하기 위해 히스기야 왕은 종교개혁을 단행하여 제단의 놋 뱀을 제거(왕하18:4)했다. 창조기사에서 나타난 뱀에 대한 부정적 평가는 가나안의 뱀 숭배 사상에 대한 배척 의도에서 비롯된 것으로 여겨진다고 한다.

5) 성적 타락의 영향

바알 종교는 성적 행위와 밀접한 관련성을 가진다. 바알은 비를 주관하는 신으로 비가 오기 위해서는 반드시 성적 행위가 있어야만 했다. 바알 신전에는 남녀 신전 창기가 있었다. 하나님은 성전에 메소포타미아와 가나안 종교에 있었던 신전 창기를 금하셨다. 신전 창기들은 가나안의 풍요의 신들인 바알과 아세라/아스다롯을 대신하여 예배자들과 성적 관계를 맺는 자들이었다. 가나안 종교의 신전 창기는 사사 시대부터 이스라엘 왕국 때까지 지속적으로 행해져 왔다. 이스라엘 왕국 시대에는 왕권의 비호를 받으며 합법적으로 자행되었다. 고대 가나안 지역에서 결혼 적령기가 된 여자들은 장래의 남편에게 다산(多産)을 보증하기 위하여 신전에 있는 풍요의 여신을 대표하는 남자 신전 창기와 성관계를 맺는 경우가 많았다. 신전 창기와 성관계를 맺은 여성은 더 이상 처녀가 아니며, 풍요의 세력권 내에 있음을 나타내는 표식을 가지게 되었다. 남자들은 신전 제의를 거친 여자를 신부로 맞이했다.

이스라엘 종교는 가나안 종교와 유사한 점이 많다. 그러나 가나안 종교와 이스라엘 종교의 관계는 생각보다 간단하지 않다. 외형적으로 드러난 유사점 외에 서로 다른 점도 현저하게 나타나기 때문이다. 야웨 종교는 언제나 가나안 종교를 경계했으며(신 7:1-5), 예언자들은 가나안 종교와의 혼합주의를 거부했다. 특별히 야웨 종교는 야웨의 형상을 만들지 말 것을 촉구하면서, 야웨 신앙의 정체성을 유지했다(출20:4-6, 신4:15-40). 이스라엘은 야웨 유일신을 중심으로 독특한 신앙을 유지하였다. 당시 고대 사회에서 신의 형상을 배제하는 종교의식은 거의 없었음으로 상기해 볼 때, 이스라엘의 형상이 없는 종교는 실로 특이한 것이었다. 이러한 종교전통은 야웨 종교가 확립되면서 보다 후대에 자리를 잡아 갔던 것으로 여겨진다. 따라서 이스라엘 종교를 평가할 때 주변 세계의 것과 유사한 내용이 있다고 해서 모두 이방적인 요소라고 평가 절하할 필요가 없다. 그러나 동시에 유사성이 이스라엘 종교의 특성을 이해하는데 도움이 된다는 사실을 명심해야 한다. 고대 근동의 종교현상을 비교 종교학적으로 검토하는 것은 어느 하나를 택일한다기보다는 서로 풍요한 정보를 함께 공유한다는 데 더 큰 의의가 있다. 이스라엘 종교는 메소포타미아나 이집트 종교보다는 가나안의 종교적 유산과 훨씬 친밀한 관계를 유지하고 있었음으로 부인할 수는 없다.

H. 고대 근동의 우상의 종류[48]

1. 암(Amm)

'아버지 - 아저씨'란 뜻으로서 대단히 오래된 고대 셈 족들의 신의 명칭으로서 아이가 그 어머니의 남편의 무리들 가운데서 자기의 아버지를 구별할 수 없었던 일처다부 사회 시대에서 비롯되었다. 신에 대한 인간들의 관계를 묘사할 때 종족의 두령신으로서 '암'이라 지칭되었다. 암 요소를 내포한 고유 명사로써 이스라엘에 의해 채택되어 보존되어 온 가나안의 도시명은 암-아드, 욕느

48) 한민수, 「고대 근동과 성경의 우상」 (서울: 기독교문서선교회,2018), pp.137-249.
엄원식, 「구약성서 배경학」(대전: 침신대학교출판부, 2005), pp.163-179.

-암(여호수아 19장 11절), 욕드-암, 욕매-암, 기드-암 등이며, 인명으로는 암미-엘, 암미-후드, 벤-암미, 빌-암몬, 말-캄 등 무수히 많다.

2. 아브(Av, Abu)

"아버지"란 뜻으로서 사회 발전의 다음 단계, 즉 일부다처 시대에 비롯된 것으로서 아이가 그 아버지를 처음으로 인정하게 되었을 때 지칭된다. 구약에 나타난 곳은 아비-아달(사무엘상 22장 22절) 등이 있다.

3. 아흐(Ah, Ahu)

'형제, 또는 '남자 근친'의 의미를 갖고 있다. 구약성서에 나타난 인명으로는 아히-압(열왕기상 16장 28절, 아합) 등이 있다.

4. 암몬의 밀곰/몰렉/몰록

이 신은 바빌로니아와 앗시리아, 가나안과 페니키아 및 카르타고에서 성행한 듯하다. 이 신에게는 보통 사람을 제물로 드렸다. 아하스, 므낫세, 북왕국 사람들, 유다 왕들과 백성들이 제사를 드렸고, 요시야가 이를 금했다.

5. 송아지

고대 근동 세계에서 황소 숭배는 널리 퍼져있는 대표적인 종교 현상 중에 하나였다. 특별히 메소포타미아와 가나안, 이집트, 에게 해 지역에서 황소 숭배는 중요했다. 이후 헬라-로마 시대에는 전 지중해 지역으로 확대되었다. 고대인들이 황소를 신으로 숭배한 이유는 황소의 특징들 때문이다. 황소의 길들여지지 않는 야수성과 무제한의 강한 힘, 강한 성욕과 생산 능력, 왕성한 활동은 풍요를 상징하는 신의 특징으로 여겨졌다. 그래서 고대에 '기후의 신(소아시아-팔레스타인), '달의 신(바벨론, 앗수르, 남아라비아)의 상징으로 사용되었다.

6. 드라빔

성경의 드라빔은 야곱 이야기에 처음 등장한다. 누지법에 의하면 양자는 재산을 상속받을 뿐 아니라, 가정신인 드라빔을 소유하게 된다. 드라빔은 성공적인 인생을 보장해줄 뿐 아니라, 재산을 상속하는 것을 보장해준다. 드라빔은 다소 하급의 신들을 대표했다. 드라빔은 점을 치는 데도 사용했다.

7. 돌기둥/마체바

돌은 항상 종교의 중심 또는 상징성을 내포하고 있다. 전 세계를 막론하고 고대나 현대까지 인간에게 종교성의 상징으로 사용되었다. 고대인들은 돌들을 성스러운 존재로, 신의 현현으로 보기도 했다. 각 종족 간에 협약의 증표로 사용되기 했고, 돈으로 사용되기도 했다. 돌은 주술사나 무당들에 의해 주술적인 돌이나 치료석으로 사용되기도 했으며, 보석의 용도인 귀석으로 사용되기도 했다.
구약에서 사람이 돌로 만들어 세운 기둥을 히브리어로 "마체바"라 한다. 고고학적 증거들에 의하면, 이스라엘 주변 세계, 특히 팔레스타인 지역에서 발견된 대부분의 돌 기둥에는 그림이나 글이 그려지거나 새겨져 있지 않았다. 구약 성경의 돌기둥은 긍정적 신앙의 표현으로도 사용되었고, 부정적인 주상의 돌기둥 숭배로도 소개되었다. 긍정적인 것은 야곱이 세운 돌기둥(창 28:18, 22:31.45.51-52), 모세가 세운 이스라엘의 열두 지파의 돌기둥(출24:4)이다. 부정적인 것은 우상숭배의 대상인 주상들을 파괴하고 섬기지 말라고 명령하셨다(출23:24).

8. 바벨론의 마르둑

바벨론의 창조 신화 『에누마 엘리쉬』에 보면, 아무 것도 창조되기 전에 담수의 신 압수(Apsu)가 잇었다. 압수는 신들의 아버지였다. 그리고 생명을 주는 어머니로 모든 신들을 장차 낳을 염수의 여신 티아맛이 있었다. 압수와 티아맛은 결혼하였고, 그들 사이에서 전쟁의 남신 라흐무, 전투의 여신 라하무가 태어났다. 그리고 하늘의 패배자라고도 일컬어지는 안샤르, 가장 견고한 땅으로 일컬어지는 키샤르가 태어났다. 이 둘은 먼저 태어난 둘보다 월등히 강한 능력의 신들로 태어났다. 안샤르와 키샤르는 하늘의 신 아누를 낳았다. 아누는 자신의 형상을 따라 지혜의 신 누딤못(또는 에아)를 낳았다. 그러나 압수는 티아맛의 자녀들이 천방지축으로 소란을 일으키자 그들을 없애 버릴 계획을 세웠다. 이를 알게 된 지혜의 신 에아/엔키(바벨론의 아카드어로 수메르의 하늘의 신 안을 아누, 엔릴을 엘릴, 엔키를 에아라고 부른다)는 주문을 외워 압수를 깊은 잠에 빠지게 한 후 그를 죽이고 힘의 왕관을 탈취했다. 에아는 아내 담키나와 결합하여 '폭풍의 신' "마르둑을 낳았다.

마르둑은 세 과정을 거쳐 바벨론의 최고의 신이 되었다.
 1) 운명을 결정하는 일곱 신들의 최고의회에 소개되었다.
 2) 신들 중에서 마르둑의 위치가 확정되었다.

3) 고대 메소포타미아의 중심지가 바벨론이 되면서 바벨론의 수호신인 마르둑이 최고의 신으로 확정되었다.

마르둑은 바알 므로닥, 벨 므로닥으로도 불리기도 하였다(렘 50:2).

9. 블레셋의 다간/다곤(Dagon)

다간은 성경의 다곤이다. 우가릿 신화에서 다간의 바알의 아버지로 나타나며, 풍요의 신의 식물과 관련된다고 추측한다. 다곤은 아모리인들의 신들 가운데 가장 중요한 신이었다. 다곤은 성경의 여러 곳에 기록되었다. 1) 여호수아가 각 지파별로 땅을 분배할 때 아셀 지파의 땅에 "벧 다론(다곤의 집)이라는 지명이다(수 19:27). 2) 블레셋에 잡힌 삼손은 다곤의 신전에서 최후를 맞는다(삼상5:1-9). 3) 블레셋은 이스라엘에게 하나님의 법궤를 빼앗아 아스돗에 옮긴 사건에서 나타단다(삼상5:1-9). 4) 블레셋은 길보아 산에서 사울과의 전투에서 승리를 거두며, 사울의 갑옷을 그들의 신전에 두고 그의 머리를 다곤의 신전에 달았다(삼상10:10).

10. 모압의 그모스

모압의 국가 신은 바알이 아니라 그모스였다. 성경도 모압의 주신은 그모스로 언급하였다(민21:29 - 모세는 그모스의 백성아. 입다는 네(모압)신 그모스라 - 삿11:24). 이스라엘은 왕정 시대에 모압의 그모스가 유입되어 숭배되었다. 솔로몬은 예루살렘 맞은 편 산에 모압의 가증한 그모스 산당을 지었다(왕상11:7). 예루살렘의 그모스 산당은 요시야 왕까지 지속되었다. 요시야 왕은 종교개혁을 일으키면서 모압 사람의 가증한 그모스를 없애 버렸다(왕하23:13).

Ⅷ. 고대 근동의 지혜 전승[49]

고대 근동의 지혜문학은 문명의 발달과 함께 지적인 탐구와 학문적 활동을 통해 일어났다. 이것을 지혜라 부른다.

구약성서의 지혜 전승이 다른 전승들보다도 더욱 고대 근동의 지혜 전승과 매우 밀접한 관련을 갖고 있다는 점이 19세기 이후 고고학에 의하여 발굴된 많은 지혜 문헌을 통해 증명되었다.

구약성서에서 고대 근동의 지혜에 대하여 언급하고 있는 부분은 다음의 네 군데이다.

1) 창세기 41장 18절 - 고대 이집트 술객들과 박사들이 꿈을 해몽하는 관례.
2) 출애굽기 7장 11절 - 아론과 이집트의 박사들이 서로 지팡이를 던져 뱀을 만드는 형태
3) 열왕기상 4장 30절(마소라 본문 5:10) "솔로몬의 지혜가 동양 모든 사람의 지혜와 애굽의 모든 지혜보다 뛰어난지라"
4) 이사야 19장 11절~15절 - 이집트의 지혜를 말하고 있는 점 (11절 "바로의 가장 지혜로운 모사의 책략은 우둔하여졌으니).

구약에서 말하고 있는 지혜

지혜(호크마)는 초기에 실제적인 지혜를 의미한다. 사람이 그 삶을 성공적으로 살 수 있게 하는 적절한 행위이다. 구체적으로 사람이 어떻게 친구, 가족, 이웃, 윗사람, 아래 사람과의 관계성

---

49) 노세영,박종수, 고대근동의 역사와 종교, pp. 214~237.

속에서 성공적인 삶을 살 수 있을까에 대하여 보여준다. 또한 이런 지혜는 자연에서 정해진 법칙에 의하여 발견될 수 있다고 여겨졌다. 이런 의미에서 구약의 호크마는 이집트에서는 지혜라는 말로 표현되기보다는 일반적으로 교훈, 혹은 가르침이라는 말로 표현되었다.

한편 아카디안에서의 지혜라는 말은 아카드어로 '네메쿠'로서 사실상 이스라엘에서의 지혜와 그 의미가 전혀 다르다. 일반적으로 네메쿠는 도덕적 개념으로는 거의 사용되지 않고, 제의와 마술을 위한 기술과 징조의 해석 등을 의미한다. 그럼에도 불구하고 메소포타미아 지역에서도 네메쿠 의미의 지혜만이 아니라, 이스라엘에서 말하는 의미의 지혜 문헌들도 많이 발견된다. 한 가지 이상한 연상은 구약에서 말하는 지혜문학의 형태가 이집트, 메소포타미아에서는 많이 발견되는 반면, 이스라엘을 제외한 팔레스틴 지역에서는 거의 발견되지 않는다는 점이다.

A. 이집트의 지혜문학

　1) 이집트의 교훈은 "왕자 할드제프의 교훈에서부터 시작하여 프톨레미 시대의 "인싱거의 파피루스"(Papyrus Insinger) 에까지 나타난다.
　2) 이 교훈의 기본적인 양식은 아버지가 아들에게 가르치는 형태이다.
　3) 왕이나 혹은 고위 고위직 공무원이 주로 선생으로. 때로는 지혜자가 왕을 가르치는 선생이다.
　4) 이집트의 교훈에 대하여 머피는 다음과 같이 소개한다.
　"이러한 '교훈'은 매우 실제적인 목적을 가지고 있다. 이집트의 궁정에서 일해야 할 젊은이들이 그들의 성격을 위하여, 그리고 그들의 궁정에서의 의무를 효과적으로 감당하게 하기 위하여 훈련받을 필요가 있었다. 이러한 지식과 도덕적 성품은 조상들로부터 전해지고 배움을 통하여 전수된다. 이러한 것들은 다음과 같은 것들이다 - 정직, 부지런함, 신뢰성, 그리고 자제력, 이상적인 사람은 모든 면에서 자신을 잘 다루는 사람이다 - 혀, 기질, 그리고 욕망, 이러한 교훈들은 성서적인 지혜와 비슷하다 - 잠언 14:17, 22:24-25,29, 15:18, 29:22)"

5) 이러한 지혜의 근본은 마아트(Ma´at)이다. 마아트는 곧 우주론적이고 윤리적인 사상이며, 그것은 진리, 의, 정의, 혹은 원초적인 질서 등으로 번역되었다. 본래 마아트는 여신으로서 헬리오폴리스 지역의 종교적 체계에 속해 있었다. 그녀는 태양신의 딸로 나타난다. 그녀는 태초에 모든 피조물의 올바른 질서로서 사람들에게 내려왔다. 그런데 셋과 그의 동료들의 악한 공격으로 인하여 이 질서는 파괴되었지만, 호러스가 승리함으로써 다시 회복되었다. 호러스의 화신으로 새 왕은 그의 대관식을 통하여 이 올바른 질서를 새롭게 하는데 이는 마아트의 새로운 상태, 즉 새로운 평화와 정의가 밝아오는 것이다.

이 마아트를 프랭크포르트는 다음과 같이 정의한다.
"마아트는 창조 때에 세워진 신적인 질서이다. 이 질서는 사건들의 평상적인 과정을 통하여 자연 속에 명백하게 나타난다. 그것은 의로서 사회 속에 명백하게 나타난다. 그리고 그것은 진리로서 개개인의 삶 속에 명백하게 나타난다.

따라서 이집트의 지혜의 목표는 마아트이다. 신적 질서로서의 마아트는 절대적인 합법성을 가지며, 풍요로운 삶과 복을 받는 것 등은 모두 이 마아트와의 온전한 조화를 통하여 성취되며, 마아트에 거슬러 사는 사람은 결코 풍요로움을 누릴 수 없는 것이다. 지혜는 마아트의 길을 가르치는 것이며, 동시에 이 길은 배움을 통해 얻을 수 있다.

6) 이집트의 이런 지혜는 이스라엘에서와 마찬가지로 크게 두 가지 형태로 나누인다. 이 두 형태의 지혜는 서로 모순되는 주제들을 가지고 있다.

(1) 보다 오래되고 전통적인 것으로 보수적인 입장이다.
수많은 잠언들, 도덕적인 규례들로서 Sebayit(지혜문학적 색채를 띤 '규범집': instruction)라는 특별한 제목을 갖는 문학적 양식을 갖는다.
(2) 구약성서의 욥기와 전도서 등과 비슷한 것이며, 지적이며 철학적이다.

이는 사람들의 풍요로운 삶을 위협하는 현상에 대한 반응으로 전통적인 도덕적 가치와 도덕적 완전성에 근거한 종교적 관점들에 대하여 문제들을 제기한다. 즉, 진정한 삶의 의미가 무엇이며, 진리와 거짓 사이의 갈등, 그리고 의로운 자의 고난 문제 등을 다룬다.

7) 뷔르트바인 - 이집트 지혜의 특징

(1) 삶은 고정된 질서에 따라 진행된다.
(2) 이 질서는 가르쳐지고 배울 수 있는 것이다.
(3) 사람은 삶을 통하여 그의 길을 결정하고 안전하게 하는 도구를 받았다.
(4) 왜냐하면 신은 이 질서 혹은 법에 따라 자신을 모형화해야

하기 때문이다. 이는 이집트의 지혜가 세계와 삶에 대한 종교적이고 결정론적인 이해와 밀접하게 묶여 있음을 말하고 있다.

이스라엘의 지혜와 이집트의 지혜 사이에는 많은 유사점이 있음을 대부분의 학자들은 동의한다. 양식 면에서 도덕적 교훈에 대하여 아버지가 아들에게 가르치는 양식, 잠언의 교육적 사용과 지혜자의 높은 가치 인정, 그리고 그 내용 면에서도 신에 의해서 세워진 우주론적이고 도덕적인 질서, 삶의 가치와 정의의 의미 등과 같은 것들은 공통적인 관심사이다. 그러나 이러한 유사점이 이스라엘이 이집트의 지혜를 수입했다거나 혹은 직접적인 영향을 받았다는 것을 증명하는 것은 아니다. 오히려 아마도 인간의 사람, 사회의 변화, 그리고 종교적인 문제에 대한 공통적인 관심사가 있었음을 말해 주고 있다. 이러한 인간사에 대한 공통적인 관심사에도 불구하고, 이스라엘은 그들의 독특한 야웨 종교와 접목하여 이집트와는 다른 특징을 지닌 지혜를 소유하였다. 따라서 이집트와 이스라엘 지혜의 차이점은 신학적이다.

B. 메소포타미아의 지혜 문학

메소포타미아 지역은 지리적으로 이스라엘과 매우 떨어져 있지만 직접 혹은 간접적으로 자주 접촉해왔기 때문에, 여러 면에서 이스라엘과 밀접한 관련을 맺고 있다. 메소포타미아에서 지혜 문학이라는 이름 아래 쓰여진 문헌들의 전체 수가 비록 이집트의 지혜 문학보다 적을지라도 지혜 문학 안에서 발견되는 장르의 숫자는 이집트보다 더 많다.

메소포타미아에서 지혜는 기원전 3000년 이전부터 시작되었다. 설형문자가 시작되면서 지혜 문학이 나오기 시작한 것을 의미한다. 기원전 2000년대 학교가 성행했다. 모든 문헌들은 진흙 서판에 쓰여졌다.

1. 아버지가 아들에게 가르치는 양식을 가진 지혜 문학
이집트의 교훈과 흡사함. 도덕적이고 실제적인 문제를 가르침.

스코트(R. B. Scott)는 이런 형태의 지혜 문학을 두 종류로 나눈다.

(1) 신화적인 삶의 자리에서 지혜가 소개된다.

"수루팍의 교훈" 수메르인의 홍수 이야기의 문학적 구조 속에 나타난다. 홍수에서 살아남은 수루팍이 새로운 파멸에서 건짐을 받기 위한 올바른 행위를 아들에게 가르치는 것이다.

(2) 이집트의 교훈에 더 가까운 것으로 궁정에서 직책을 소유하게 될 아들에게 정직, 적절한 언변, 그리고 좋은 친구 등을 가질 것을 충고하는 것들이다.

이런 형태의 지혜는 "지혜의 권고"에서 발견된다. 이 작품은 도덕적 훈계를 수집한 것으로 160개의 줄로 구성된다. 아버지가 아들에게 주는 교훈 10가지 주제이다. 나쁜 친구들을 피할 것, 부적절한 언어, 언쟁을 피하고 원수와 화친할 것, 어려운 사람들에게 친절할 것, 바람직하지 못한 노예 여자와 결혼, 창녀를 아내로 삼는 것의 부적절함, 관리의 유혹, 부적절한 언어, 종교의 의무와 장점, 친구들의 기만 등이다.

2. "아히카의 이야기"

가장 오래된 자료이다. 현재 소장된 분문 중 가장 오래된 것은 20세기 초 나일강 주변의 엘레판틴에서 발견된, 기원전 5세기 추정되는 아람어 본문이다.

본문의 아히카는 앗시리아 왕 산헤립과 에살핫돈의 선생이다. 이집트에서 하늘과 땅 사이에 궁궐을 지을 사람을 보내 줄 것을 요청한다. 아히카는 이집트로 갔다. 그는 이집트에서 하늘에서 궁궐을 지을 뿐 아니라, 많은 수수께끼도 풀었다. 교훈의 내용은 잠언, 수수께끼, 우화 및 종교적인 문제 등이 수집되었다. 젊은이들에게 필요한 신실성, 겸손의 덕목이 기록되었다.

구약의 이야기와 비슷한 것 - 아히카 이야기 81~82줄에 나타난 육체적 형벌은 잠언 22장 13절, 14절과 비슷하다. 207줄에 나타난 자만이 예레미야 9장 22절과 비슷하다. 그러나 직접적인 관련은 충분한 증거가 되지 못한다. 후기 유대 문학에서 발견되는 아히카의 이야기에서 아히카는 토빗서에서 중요한 인물로 나타난다. 그는 납달리의 후손으로 나타난다. 그는 아람어 본문에 나타난 아히카와 같이 앗시리아 왕 산헤립과 에살하돈의 궁정 관리로 등장한다. 여기서 아히카가 지혜자로 나타나는 것은 아니지만 이스라엘 사람으로 나타나는 것은 매우 흥미로운 일이다.

메소포타미아의 지혜 문학은 이집트의 경우보다 철학적이고 사변적이다. 인간의 죽음의 문제와 의로운 자의 고난에 관한 문제이다. 이 문제들은 전통적인 지혜가 가르치는 인과응보 교리에 대한 의문이기도 하다.
죽음의 문제를 다루고 있는 문헌 중에는 기원전 12세기경에 아카드 언어로 쓰인 "염세주의에 대한 대화"가 있다. 인간의 모든 수고는 헛된 것이며, 대화는 죽음에 관한 주제를 다루면서 끝이 난다.

인간의 고통과 신의 정의의 문제를 다루는 문헌들은 이집트의 경우에는 거의 소개되지 않고 있는 반면에 메소포타미아에서는 보다 잘 알려진 주제이다. 그중에서 대표적인 것들은 수메르어 본문인 "사람과 그의 신"과 아카드 본문인 이집트 시대에 편집된 것으로 알려진 "내가 주를 찬양할 것입니다"이다. 사람과 신에서 부자요 지혜자이며 의로운 자인 한 사람이 질병과 고통을 겪게 된다. 그럼에도 불구하고 이 사람은 결코 신을 저주하거나 원망하지 않고 오히려 눈물과 탄식으로 그의 신 앞에 엎드려 탄식의 기도를 한다. "내가 주를 찬양할 것입니다"도 역시 한 고통받는 자의 이야기이다. 구약이 욥과 같이 죄인으로 대우를 받는다고 생각하여 자신의 과거의 의로움을 진술한다. 여기에서도 결국은 전통적인 인과응보의 교리로 그 답을 찾는다. 구약성서의 욥의 이야기와 흡사한 모티프를 발견한다. 그러나 욥의 이야기와 문학적인 면에서 볼 때 매우 다르다. 욥기에서는 처음과 마지막 부분이 이야기 양식을 취하면서 친구들과의 논쟁이 대부분을 차지하고 그 절정에 이르러서는 하나님의 중재가 나타난 반면 "내가 주를 찬양할 것입니다"에서는 고난받는 의인의 마르둑을 향한 찬양시가 나타난다.

카사이트 시대의 또 다른 대표적인 철학적 지혜 문학은 "바빌론 신정론"이다. 이는 의인이 겪는 고통에 대하여 두 친구가 서로 논쟁하는 대화 하는 형식으로 각각 11개 행을 가진 27개의 연으로 구성되어 있다. 이 문헌은 전통적인 견해를 가진 친구와 현재 고통 중에 있는 의로운 친구 사이의 논쟁이라는 점에서 욥기와 비슷한 것 같으나, 그 형식과 내용 면에서 큰 차이가 있다. 우선 그 형식에서 욥의 경우에는 세 친구가 대화하면서 1명의 젊은이가 보조적인 발언을 한다면, 바빌론의 신정론은 고통받는 자와 친구 사이의 대화이다. 욥기는 대화 속에 답을 얻지 못하고 하나님의 현현을 통하여 해답을 준다. 바빌론의 신정론은 자신의 의로움에도 불구하고, 고통을 당하고 있음을 말하는 친구와 전통적인 인과응보의 교리를 말하는 친구 사이의 논쟁 끝에 결국은 두 친구가 신이 창조 때에 인간에게 죄성과 악을 심어놓았다는 내용이다. 그러나 구약은 결코 인간이 창조 때에 죄성을 가지고 창조되었다고 말하지 않는다. 창세기 1장 31절 인간의 창조는 매우 선한 것이다. 인간이 불순종함으로 죄와 악이 이 땅에 들어왔음을 말하고 있다. 이는 이집트에서와 마찬가지로 유사한 면이 있으나 신학적으로 결코 같지 않다는 점이다.

3. 고대 근동 지혜 문학의 특징

이스라엘의 지혜 개념과 다른 고대 근동의 지혜는 아카드의 지혜에서 잘 나타난다. 아카드어로 지혜는 네메쿠(nemequ)이다.

1) 윤리적, 도덕적 개념보다는 제의와 마술을 위한 기술과 해석을 의미한다.
2) 지혜는 특정 계층의 점유물로 사용되었다.
3) 이스라엘의 지혜가 이집트, 메소포타미아와 유사한 점들이 있는 반면, 팔레스틴(가나안, 시리아) 등지에서는 잘 나타나지 않았다는 점이다.

이집트와 메소포타미아 지혜와 유사점은 인간이 살아가면서 만나게 되는 문제점들을 합리적으로 해결 시도(세계 질서에 대한 통찰을 통해), 그리고 종교적인 세계관에 입각해서 풀려고 한다.

4. 고대 근동 지혜 문학의 종류

1) 자연 과학적 지혜

고대 근동의 지혜 문학은 놀라울 정도로 발전하였다. 애굽과 메소포타미아의 기하학, 천문학, 물리학, 측량술, 건축술 등이 있다. 애굽의 피라미드는 기원전 2500년 전에 만들어졌다.

2) 실용적 지혜

사회현상을 연구하였다. 애굽인들은 이 보이지 않는 원칙과 법칙을 마아트라고 부른다. 인간이 이 마아트에 순응하면 행복, 불응하면 불행이다.

3) 사변적 지혜

인간 존재, 고통(특히 의인의 고통), 삶과 죽음, 가치, 선과 악 등의 문제 고민, 사색이다.

5. 구약 학계에서 지혜 문학을 등한시 한 이유

1) 하나님의 구속사가 언급되어 있지 않은 이유
2) 이스라엘 민족의 역사에 무관심
3) 내용의 기조가 신본주의보다는 인본주의에 더 기울어짐
4) 기독교 전통신학에 위배(지혜는 인간 중심으로 살 수 있다)

구약학계의 대표적인 학자라 할 수 있는 폰 라드의 책 「구약성서 신학」에도 지혜 문학이 빠져 있다. 폰 라드는 지혜 문헌이 인간의 성공을 위한 처세술을 다루기 때문에 이스라엘의 신앙과 제의에 맞지 않는다는 생각이다. 그러나 폰 라드는 그로 10년 후 지혜 문헌이 들어간 「구약성서 신학 3권, 이스라엘의 지혜문학」 단행본 출간했다.

최근에는 지혜 문학이 '하나님과 인간의 대화'라는 관점에서 연구가 주목받기 시작했다. 지혜서는 하나님의 구원 행동에 대한 인간의 반응으로 본다.

IX. 고대 근동의 자연환경[50)]

인간은 자연과 함께 살아왔다. 그러므로 역사와 문화를 연구하기에 앞서 자연환경을 이해하는 것은 매우 중요하다.

A. 메소포타미아

일반적으로 고대 근동지역은 서쪽으로 터키의 에게 해안으로부터 동쪽으로 아프카니스탄의 힌두쿠시 산맥까지 대략 3,200㎞, 북으로 흑해와 카스피해 사이의 코카서스 산맥으로부터 남쪽으로 아라비아 반도의 서남단 끝까지이다. 지중해, 흑해, 카스피해, 페르시아 만 등 다섯 개의 큰 수역들에 의해 울타리 모양으로 둘러싸여 있다.

안으로는 산악과 고원과 사막과 계곡으로 형성, 이집트의 나일강은 지중해로, 소아시아의 할리스 강은 북쪽의 흑해로, 코카서스 산맥과 자그로스 산맥이 북동부에서 지붕 역할, 아라비아 사막, 리비아 사막, 누비아 사막 등이 서남부에서 정원처럼 펼쳐져 있다. 팔레스타인과 시리아 지방은 아프리카, 아시아, 유럽을 연결한다. 해상, 육로 교량 역할, 무역로, 군사로 교차점으로서 물물과 종족들의 왕래가 빈번, 정치, 군사, 종교, 사상의 각축장이다. 목축, 농업, 관개 시설이 개발되었다.

유프라테스, 티그리스 두 강들과 동쪽의 지류들은 메소포타미아 땅의 생명선이다. 그 두 강이 약 350㎞를 나란히 흘러 페르시아 만으로 흘러내려간다. 동쪽으로는 자그로스 산맥, 북쪽의 아르메

---

50) 엄원식, 구약성서 배경학, 침례신학대학출판부, 2005, pp. 22~38

니아 고지, 서쪽의 시리아 사막, 남쪽의 페르시아만으로 둘러싸여 있다. 유프라테스와 티그리스 두 강은 터키 북부의 아르메니아 산지에서 발원하여 두 강의 사이는 점점 더 멀어지면서 약 30㎞를 흘러가서 이라크의 바그다드 부근에서 다시 서로 접근한다. 그리하여 태고적부터 아르메니아 인 사이에 두 강의 수로로 인하여 싸움이 잦았는데 오늘날은 터키가 이 두 강의 수로를 차단하면, 이라크는 부득이 결사 항전의 전쟁을 벌일 수밖에 없는 상황이다. 티그리스강은 물살이 세어 비교적 완만한 유프라테스강 주변에 더 많은 사람들이 살게 되었다.

메소포타미아의 두 강의 주된 지류는 유프라테스의 하부르 강, 티그리스의 상 자브강, 하 자브강, 호세르 강, 디얄라 강 들이고 하류에는 소택지가 많이 있다. 유프라테스 강의 길이는 2,736㎞이고 유유히 흐르고, 티그리스는 2,240㎞인데 가파르고 급류를 이루어 홍수를 유발한다. 눈 녹은 물이 봄철의 최대 강우량과 합쳐지게 되는데 5, 6월에는 메소포타미아 저지대를 지나는 강물이 최고 수위에 이른다. 하늘에서 내리는 비와 산에서 녹은 눈은 그 시기가 항상 일치하는 것이 아니었으므로, 따라서 홍수의 시기는 왕과 사제들에게 예측을 불허케 했다. 뿐만아니라 이런 변덕스러운 기후는 산사태를 유발하여 티그리스의 큰 지류들을 막아버려 토사를 동반한 예측 불허의 위험을 언제나 안고 있었으며, 산사태로 갇힌 물은 엄청난 재앙을 가져오게 하였다. 따라서 이런 홍수를 조절할 수 있는 인간의 힘을 집결시킬 수 있는 강력한 전제군주의 등장이 요구되었다. 그러나 이런 통치자들도 이런 돌발 사태에 대해 자신의 예언의 능력을 가졌다고 주장할 수 없었다. 그런 까닭으로 이집트 왕처럼 신으로 여겨지지는 않았다. 그래서 절대 권능을 가진 유일한 한 신에 의하여 다스려지는 것이 아니라, 여러 신들의 복잡한 상호 관계에 의해 좌우된다고 생각했다. 수많은 신들과 신전이 이루어졌다.

B. 이집트

이집트는 역사 이전부터 길고 좁다란 강 유역과 넓게 펼쳐진 삼각주가 상부와 하부 이집트를 구성하여 각각 바드로(남쪽)와 켐트(검은 땅)라 불렀다. 이 두 지역의 교차점에 수도로서 오늘날 카이로를 비롯하여 고대의 수도들인 멤피스와 헬리오 폴리스 등이 위치하고 있다. 이러한 지역들은 권력 찬탈의 중심지가 되었다. 권력의 장악자는 바로들(Pharaohs)이 되었다.

바로들은 남부와 북부에 각각 독립된 고관을 두고, 방대한 땅을 통치하였다. 이 두 땅은 이집트인들의 마음속에 이원성을 생각. 인간에게는 현세와 내세가 있고, 바로는 현세와 영생을 함께 관할한다고 믿게 되었다. 이집트는 생명을 주는 하수가 미치는 곳에는 푸른 식물이 무성하게 자라지만 바로 그 뒤에는 생명이 지탱할 수 없는 불모의 지대이다. 경작지 바로 옆에 모래 벌이 있다. 따라서 바로는 생과 사를 함께 관장한다고 믿게 되었다.

이집트의 아침 해는 대단히 크고 붉게 이글이글 타올라 섭씨 40도를 넘는 것처럼 보인다. 때문에 모든 것을 잘 자라게 하며, 혹은 반대로 모든 것을 불모의 사막으로 만들 수 있다. 이러한 특수한 자연환경은 태양신의 아들이라는 개념을 낳는데 크게 협력하였다.

강렬한 태양 광선을 받아 황금빛으로 빛나는 피라미드군 옆으로 유유히 흐르는 나일강은 인간에게 영원성을 가르쳐주는 산 교과서가 되었다. 그리고 바로 그 언덕 건너편에 사람들로 북적거리는 촌락은 유구한 시간의 흐름 앞에 선 이 땅에서의 순간적인 인간의 생과 인간 언어의 무색함을 실감케 하였다.

나일강은 제1폭포, 즉 아스완 댐에서 지중해에 닿는 하구까지 거리는 1000㎞. 나일강에서 인간이 생활할 수 있는 지역은 강 유역의 장이 2400㎞, 폭이 1~20㎞에 이르는 녹지대 뿐이다. 여름이 되면 근동 지방의 강물들은 마르거나 줄어들어 실개천을 이루는 것이 보통이지만, 나일강은 예외여서 해마다 7, 8월이 되면 강의 수원지의 물이 불어나도록 적도 남쪽에서 많은 비가 내린다. 그리하여 물이 범람하여 강 유역과 삼각주의 저지대를 덮치고 9, 10월경에는 홍수가 절정에 달한다. 그 후에 강물은 차츰 줄어들어 기름진 땅을 드러낸다.

이와 같이 이집트는 정기적인 우기와 적도 아프리카와 이디오피아에서 눈이 녹아 흘러내려 온 물로 인하여 홍수의 시기와 범람 지역은 연례적으로 거의 일정하다. 여기에서 순환론적인 역사관이 등장하였다. 그들의 달력에는 일 년 중 7월 중순에서 11월에 이르는 홍수기와 11월 중순에서 다음 해의 3월 중순에까지 이르는 회복기와 그리고 나머지의 건조기 등 3계절이 고정적으로 나뉘어져 있다. 이리하여 이집트의 제1왕조 초기로부터 매년 나일강이 범람한 기록들을 보존하여 왔으며, 해마다 그 홍수와 곡식의 수확량을 정확하게 예상하여 왔다. 그리하여 이집트의 바로들은 보다 큰 자신감을 갖게 되었고, 따라서 백성들의 마음속에 이집트의 바로들을 신들의 위치에 오르게 하였고, 메소포타미아 통치자들이 엄두조차 낼 수 없었던 자연에 대한 지배력을 행사할 수 있었다.

이집트는 전반적으로 심히 건조하고 미생물이 없는 기후로 말미암아 썩는 것은 아무것도 없고, 다만 마르기만 하는 사막 기후이다. 따라서 파피루스와 미라로 영구히 보존되어 육신불사의 가능성을 보여주는 것 같았다. 거대한 돌들로 만들어진 고대의 기념물들은 4, 5천 년의 세월을 지나면서도 별로 변하지 않고, 오늘날까지 그대로 내려오고 있다. 그리하여 불멸성이야말로 인간이 살고 있는 본질이라는 근본적인 확신을 가지게 되었다. 미라는 불멸에 필요한 몸을 보존하려는 것이었다.

이와 같이 그들의 우주는 본질적으로 정지하고 있어, 인간은 변화없는 세계에서 살고 있다는 확신을 갖게 되었고, 이것이 고대 이집트인의 사상적 기초가 되었다. 이러한 사상은 그들의 신학은 물론 도덕과 정치의 기본 이론을 형성하였다. 이집트의 정치와 종교의 특수한 성격은 오직 변하지 않는 것만이 궁극적으로 뜻이 있다는 철저한 가정으로부터 출발했다. 따라서 그들은 바로의 왕권은 영원한 것으로 보았다.

사막은 이집트의 국토 99%를 차지하고 있는데, 사막 가운데 혹 오아시스도 있다. 낮과 밤의 기온 차가 심하여 복장으로 체온을 조절하여야 한다. 한낮의 기온이 섭씨 40도, 50도까지 올라가는 고온 건조한 사막 기후로 햇볕에 그을리면 거의 화상과 같은 중상을 입게 된다. 그리하여 때때로 열사병을 일으키기도 한다. 여기에서 이집트인들은 죽음과 심판을 생각하게 되었고, 두려움과 불안 가운데 인간의 생을 바라보았다.

이집트는 지형적으로 나일강 동편에 아라비아 사막, 건너편에 홍해, 동북부에 시나이 사막, 서북부에 사하라 사막, 북부에 지중해, 서남쪽에 리비아 사막이 있고, 남쪽에는 절벽으로 된 폭포들이 있어서 자연적으로 이집트를 보호해주고 있다. 이러한 이점은 외적의 침입을 막아주어 백성들이 비교적 안정적인 생활을 누릴

수 있게 해 주었다. 이런 점은 이집트인들을 무력감 가운데서나
마 낙천적인 인간성을 가지게 하였다.

이렇게 천연의 고도처럼 이룩된 땅의 한 가운데서 나일강이 끝없
는 생명의 원천이 되어 국토의 비옥함과 푸르름을 가져다주고 있
다. 따라서 나일강은 그곳 경제와 운송의 유일한 수단이다. 이 강
은 정치, 사회, 종교, 학문, 예술 등의 모든 활동 분야에 걸쳐
심대한 영향을 미치게 되었다.

C. 팔레스타인과 시리아

팔레스타인이란 말은 블레셋을 기원전 5세기에 헤로도터스가 "팔
레스티나"라고 칭한 데서부터 유래하였다. 기원전 14세기경에 이
집트 관리들은 '키나니, 혹은 '키나히'라 칭하였다. 히브리 족장
시대에는 가나안이라 불렀다.

팔레스타인과 시리아는 지정학적으로 바빌로니아와 이집트 문화
영향을 받았다. 동서 문화의 문고리이다. 지중해서부터 동부의
사막까지 약 800㎞가 넘는 가늘고 긴 땅으로 이루고 있다. 깊은
골짜기가 남북으로 놓여서 양 지역을 동서로 갈라놓았다. 이러한
지역은 대체로 레바논 남부와 이집트 시나이산 동부, 그리고 지
중해 동편과 아라비아 사막이 서쪽으로 펼쳐져 있어 대부분 북아
열대 지방에 속하며, 여리고 부근은 열대성 기후이다. 갈멜산에서
디베랴 바다까지는 약 100㎞이다. 팔레스타인의 평균 넓이는 약
112㎞, 제일 넓은 데가 약 144㎞, 남쪽 브엘세바에서 북부 단까
지는 약 240㎞이다.

팔레스타인의 지형

북부에는 레바논산과 헬몬산, 중부에는 갈릴리 바다, 요르단강, 사해, 남쪽에는 유대 광야인 네겝 사막, 서부에는 샤론 평야와 갈멜산과 지중해, 동부에는 아라비아 사막. 골짜기는 레바논에서 요르단 계곡, 사해, 아라바, 엘랏만을 지나 홍해까지 연결되었다. 이 골짜기는 팔레스타인과 시리아를 동서로 구분하고 있다. 특히 팔레스타인은 이 골짜기에 의하여 서부 지역과 트랜스 요르단으로 갈라지는데, 트랜스 요르단 지역은 비옥하고 물이 흔한 고원 지대이다.

헤브론과 모압 산지는 58㎞ 정도밖에 안 되지만 이 지역을 횡단하려면 해발 900m에서 390m까지 내려간 다음 다시 해발 900m까지 올라가야 하는 험준한 길이다.

팔레스타인과 시리아 지방은 메소포타미아나 이집트와는 달리 그들의 영토를 통합하고 통일시킬 만한 큰 강을 갖지 못하였다. 오히려 지리적인 환경 자체가 그 땅을 여러 개의 작은 지역으로 갈라놓아 통일을 방해하는 거대한 장애물 노릇을 하고 있다. 그리하여 그들의 종교는 지역적으로 차이가 많다. 그러나 이러한 차이는 그곳의 소도시 국가들이나 지방들의 독립성과 독창성을 고무하였고, 분열심을 뿌리 깊게 하였다. 전체주의에 반대하고 민주 정신의 배양토로서의 기능. 후기에 와서 고대 이스라엘이 한때 정치적 통일을 이루었음에도 불구하고 지방색, 부족적 형태를 벗어나지 못하고 끊임없이 서로 다른 특징, 즉 헐거운 민중 민주정치 체제를 나타내게 하였다. 이러한 다양하고 분리된 지형은 고대 그리스처럼 부족 연맹 체제의 원시 민주국가를 낳은 제일 원인이 되었다. 이러한 다양하고 분리된 지형에 위치한 이스라엘은 이집트나 메소포타미아와 같이 이 세상은 영원한 것도 불변한 것도 아니고 오히려 이 세상은 창조된 것이며, 이 세상의 현존하는 질서는 이스라엘인들의 행위와 그에 대한 신의 반작용의 소산이라 생각하였다. 다시 말하면 현세는 하나의 역사적 소산에 지나지 않으며, 신이 하고자 하는 상태로 정해진다는 것이다, 그러므로 그들의 생활 태도는 정치적 및 사회적 혁명이 장치 신이 지시하는 대로 행하여진다고 믿던 데서 나왔다.

두 개의 문명권을 잇는 교량 역할

앗시리아, 바빌로니아, 이집트, 페르시아, 헬라, 로마 등이다. 그리고 이러한 강대국들에 예속되어 독립적인 정치, 경제, 문화를 발전시키기가 어려웠다. 반면에 자주독립 정신과 서민(천민) 대중의 인권의 존중성을 일깨워 주었다. 이러한 지리적 요인들이 공헌한 것들 가운데 특기할만한 것은 이 지역으로 하여금 동서 고대 문화의 모든 완성된 단계에서 접촉할 수 있는 기회가 되어 고도로 발전된 사상을 낳을 수가 있었다. 이처럼 고대 세계의 동서 문화가 접촉하여 함께 녹아지고 끓는 용광로로서 이 지역에서 인류 문화사의 불변의 보석이 나타났으니, 곧 알파벳 문자와 유일신 신앙이었다.

북부 레바논 가까운 산길은 수목은 낮지만 녹음이 짙다. 가을의 단풍이 무척 아름답다. 시리아와 이스라엘의 국경 지역인 골란 고원은 커다란 바위가 뒹구는 옛 화산을 연상케 한다. 방목하는 소 떼, 초원 아래는 갈릴리 호수. 호수 주변에는 유칼리 나무가 많다. 자작 나무처럼 껍질이 벗겨져 있는 유칼리 줄기는 매우 굵게 하늘 높이 가지를 펼치고 있다.

에즈르엘 평야는 가장 비옥한 토지로서 밀과 목화밭. 샤론 평야는 과수원이 많다. 이 일대에는 우기인 겨울에 비가 많이 내리고 녹음이 짙다.

네게브 지방은 바위와 모래뿐인 지역이다. 깎아지른 바위산과 파란 하늘을 배경으로 눈부시게 빛난다. 팔레스타인을 중심으로 남쪽으로 뻗어간 시나이반도에는 험한 봉우리들이 솟은 바위산과 으슥한 계곡 그리고 '와디'라고 부르는 물 흐르지 않는 개울들이 황막한 풍경을 이룬다.

겨울 우기와 여름의 건기. 서풍은 생명의 비를 가져줌. 동풍은 사막의 건조한 바람. 겨울이면 바다에서 불어오는 바람이 차가운 고지에 부딪혀 강우기를 이루고, 여름이면 사막의 바람으로 건조기를 이루게 된다. 북부의 갈릴리와 예루살렘은 여름에는 공기가 건조해서 지내기가 쉽지만, 겨울에는 한두 차례 눈도 내릴 정도로 온도가 많이 내려간다.

텔-아비브의 지중해 연안은 여름이 되면 무더워서 지내기가 어렵고, 겨울이면 따뜻하여 억수 같은 비가 내리고 봄과 다름없는 기후가 된다. 일주일에 두 번쯤 큰비가 내리는 날이 있으면 그 해는 비가 많은 해라고 불린다. 네게브 지역 등은 사막 기후여서 여름에도 밤이 되면 온도가 갑자기 내려가고, 겨울에도 비가 내리면 바위가 많아서 홍수가 나는 일이 있다.

이러한 기후의 특성은 지역 주민의 성격 형성 영향을 주었다. '한 가지 패턴에 구애받지 않는 다양함'을 주었다. 조용함과 움직임, 유한과 무한, 전쟁과 평화, 현대와 고대 상반된 요소들이 공존하였다. 대립하는 것 같지만 균형을 이루었다. 지중해 온화한 기후 탓이다.

팔레스타인과 시리아 산지들은 비가 많이 와도 배수가 너무 빨라서 이롭지 못하였고, 험준한 지형들이 성읍들마다 요새가 될 수 있게 하였다. 그러나 해안 평야는 돌을 구할 수가 없었고, 정착지들을 방어하기가 어려웠다. 래서 이집트인들이 건설한 해변길(국제 도로)이 오랫동안 이집트의 관할 하에 있었다. 비가 와도 물을 저장하지 못하는 토양 때문에 청동기 시대 이래 발명한 물 저장용 웅덩이들과 방수용 회반죽은 물 저장고를 가능케. 그리하여 유다와 사마리아 산지들에서 개간지들을 마련하여 정착했다.

D. 그 밖의 지역들

1. 팔레스타인, 시리아, 메소포타미아로 이루어진 반달형 옥토지대의 서북부
2. 아나톨리아(소아시아, 터키)
3. 아르메니아 및 페르시아

이 지역들은 이 지역 전역을 서에서 동으로 가로지르는 습곡 산맥들로 이루어져 있다. 이 산맥들은 현재 터키의 트로스 산맥, 폰틱 산맥, 이란의 자그로스 산맥 및 엘브르즈 산맥과 함께 이중으로 이루고 있다.

소아시아는 약 20만 평방 마일이나 되는 거대한 반도이다. 소아시아 중앙은 고도가 서쪽의 610m에서 동쪽의 1524m에 이르는 방대한 고원이다. 소아시아 동부는 평평한 사막이다.

소아시아 우측에 아르메니아는 고대에 깊은 숲으로 덮여있었고, 주민이 적어 역사상 큰 역할을 하지 못하였다.] 후대의 자취는 극히 야만적 생활, 일부다처제 식인종

이란은 넓고 부유한 땅이었다. 이란 서쪽의 엘람은 지리적으로 바빌로니아 인접해 있다.

아라비아는 페르시아만과 홍해 사이에 돌출한 큰 반도로서 큰 사막 지대이다.] 유목 생활을 하였다. 통일 국가를 이루지 못하였다. 모하메드가 이슬람교를 창설했다. 정치적 통일을 이루었다. 양, 낙타, 타조, 말 등의 목축업 성행했다. 남부에서는 향료가 생산되었다.

에게해 연안은 해상 교통의 중심지이다. 지중해 동쪽의 크레타섬, 그리스의 미케네와 소아시아 쪽의 트로이를 잇는 삼각형의 에게해를 중심으로 한 지역들은 서양사에서 가장 오랜 문명의 중심지였다.

X. 고대 근동 주민의 생활[51]

A. 유목 생활

현재까지의 고고학적 발견은 인간이 오랜 세월 동안 동굴 생활을 해왔다는 것을 밝혀주고 있다. 그때의 인간들은 전적으로 수렵과 채집에 의하여 식량을 해결하였다. 기원전 8000년경 중석기 시대에 야생 곡물 경작하고, 짐승을 사육하는 것을 배웠다.

이스라엘의 기원에 대하여 무력 정복설이나 평화적 이주설에 대항하여 농민 혁명설을 주장하고 있는 곳트발트를 비롯하여 몇몇 극소수의 학자가 이스라엘의 목축 유목민의 기원을 반대하는 것 외에는 대부분의 학자들은 이스라엘의 목축 유목민의 기원을 시인하였다. 고대 근동 세계에는 수많은 유목민 존재했다. 그에 대한 기록은 마리, 누지, 알라라크, 우가릿, 텔.엘.아마르나 등의 문헌들에 나타나 있다.

1. 고대 근동 유목민

1) 잉여나 조직적 분업에 관한 인식이 거의 없이 수렵이나 채집에 의해 직접적인 필요를 채우는 유목민이다.
2) 목축을 분업으로 하였다. 계절 및 가축의 종류에 따라 정해지는 일정한 방목 방식을 좇아 이동하였다
3) 농사에 관계된 경우이다. 땅의 수확이 감소할 때 새로운 땅을 찾아 이동했다.
초기 히브리인들의 유목 생활에 연관된 이야기가 있다. 족장 설화

---

51) 엄원식, 구약성서배경사, pp. 84~132.

의 주된 이야기는 천막, 낙타, 나귀, 양 떼, 가축 떼, 유랑 생활 등(창12:6~1, 13:33, 21:23~24)이다. 나그네로서 죽은 자들을 매장하기 위하여 정착 주민들로부터 동굴을 사도록 강요당하고 있으며(창 23장), 옮겨가는 곳마다 제단을 쌓고 특별한 사건이 일어난 장소에는 돌기둥을 세웠다(창 33:20, 35:1, 7, 14, 20), 베두인 풍으로서 유목 생활하는 야영지 가까이에 우물 논쟁(창 21:25~30)이 일어나고 양 떼와소 떼들을 끌고 다니면서 기근 시에는 정착민 가까이에 살면서 양식을 해결(창 26장, 42장)해야 했고, 친절한 손님 접대(창 18:1, 2)는 유목민의 미풍이며, 가축 사육은 대규모이고, 때로는 성읍을 약탈하기도 하였다. .

이집트에서 탈출한 후의 생활로서 출애굽의 설명은 필수적으로 유목민적 특성이다. 그들은 짐승 떼와 가축 떼의 방목과 더불어 물이 귀한 사막을 여행하고, 자기들의 영토 침입을 분개하는 약탈 종족인 아말렉과 더불어 계약을 체결하였다(출7:8~13).

시나이산에서 주어진 율법의 원래 형태는 유목민의 생활에 적합하며, 법궤를 비롯한 성물과 제물들이 셈족 종교의 많은 특성을 지녔을지라도 본질적으로 유목 사회의 것들이며, 이스라엘 하나님 야훼는 전형적인 사막의 하나님이니 그것은 모세에게 자신을 계시할 때의 상황이라든가 사막으로 나와서 예배하도록 한 그의 명령에서부터 추측된다(출5:3, 9:1).

가나안 정복은 정착 생활에로의 변화를 가져왔으나 사막에서의 지난날들은 아직도 백성의 생활양식을 규정하는 힘을 보유하고 있었다. 정착 생활에까지 옮겨 온 많은 습관들과 개념들은 사막에서 기원한 것들로서, 극히 집요한 독립심과 종족 감정은 점차 증대해 가는 국가 기구의 많은 점들에서 그 역할을 결정짓는 전통을 살리도록 압박하였다.

2. 생업으로서의 유목

1) 구약 성서에서의 에서의 사슴 사냥을 언급하였다.

2) 가나안에 들어가기 전 히브리인들의 생업은 유목 생활이었다. 가축을 기르고 양 떼를 모으고 초장을 찾아가 풀을 먹였다.

3) 야곱은 '천막에 거하는 고요한 사람', 에서는 '거칠고 검은 사냥꾼'으로 성경은 에서보다 먼저 야곱을 선택했다. 구약성서의 초기 히브리인들의 이야기는 매우 강하게 유목 생활을 보여준다. 성서의 주된 관심은 가축과 짐승의 증가, 초장의 발견과 우물과 샘 등에 놓여 있다. 이것들을 소유하기 위한 피나는 투쟁이 가끔 필요했다.

4) 부는 가축과 짐승 떼의 소유의 기준에서 판단했다.

5) 출애굽 시에 히브리인들은 광야에서 양 떼들을 돌보는 것이 그들의 주된 생업이었다.

6) 구약성서의 소유를 지칭하는 이 낱말은 '촌'(flock)인데, 작은 가축은 양, 염소, 양 떼, 소 떼를 포함한다. "이에 바로가 그로 말미암아 아브람을 후대하므로 아브람이 양과 소와 노비와 암수 나귀와 낙타를 얻었더라(창 12:16). 모세는 미디안에서 이드로의 '촌'을 쳤다(출3:1). 욥은 칠천 양 '촌'의 소유자로(욥1:3). '촌'과 더불어 사용된 것은 '잇잼', 혹은 염소 떼(왕상 20:27)인데, 다른 동물들과 분리된 작은 양 떼들을 지칭하기도(창 30:32)하였다. 낙타는 재산과 짐을 지는 짐승으로 표현했다. 욥은 3,000마리의 낙타를 소유했다.

7) 낙타의 머리털은 양의 털이나 염소의 머리털처럼 천막 덮개와 웃옷을 짜는 데 사용했다.

8) 구약성서의 고대 자료에는 털로 짜고 엮은 것에 대한 언급

이 없다. 양털로 가정용품을 만들고 동물들의 가죽으로 가방이나 물통을 만드는 일 등의 기사도 없다. 히브리 유목은 현대의 베두인처럼 직공이 아니었기 때문이다.

9) 거칠고 잔인한 공격성은 히브리 종족의 이야기에서도 특징지어진다. '이 백성이 암사자같이 일어나고 수사자 같이 일어나서 움킨 것을 먹으며 죽인 피를 마시기 전에는 눕지 아니하리로다' (민수기 23:24). 초장과 우물이 있는 곳을 위해 투쟁했다.

10) 다윗은 목자(삼상 16:11)로 언급되었고, 나발은 큰 양 떼의 소유주(삼상 25:2,3), 예언자 아모스는 드고아에서 가축을 기르던 자(왕하 10:15)였다. 예레미야 시대 레갑인(모세의 장인 이드로의 후손)들은 예후 시대에서부터 유목민적 특성을 지니고 있어 농경민이었던 이스라엘과는 구별되었다. 이들은 새로운 문화와 문명에 저항하여 선조들의 영광스런 생업을 고수하려는 것이었다. 남부 유다에서 북부로 옮겨간, 겐 족속도 이 같은 그들의 선조의 유목민적 관습을 보존하려 하였다.

11) 초기 히브리인들의 유목 생활에 대해 성서는 많은 기록들을 보여준다.

3. 음식

1) 초기 이스라엘의 식량은 거의 모두가 자연환경과 지역사회의 노력에 의존했다.

2) 사냥꾼 에서의 사슴에 대한 언급을 제외하고는 사냥에 대한 언급은 매우 한정된 지식만을 제공해준다.

3) 삼손이 죽은 사자에게서 얻은 꿀이나 신명기 32장 13절, 14절의 꿀, 신명기 22장 6절과 이사야 10장 14절의 야생 동물의 알, 양 떼와 소 떼로부터 나오는 우유, 양과 수양과 염소의 기름 등은 모두 유목민의 삶에서 얻은 것들이다. 우유는 음료수

로도 자주 사용되었다. 그러나 밀이나 곡식, 포도즙, 술 등은 모두 농경민의 산물이었다.

4) 소 떼나 양 떼로부터 나온 살코기로 음식물을 만든다. 짐승은 희생제물로 쓰인다.

5) 떡(빵)이라고 표현되는 '레헴'은 인간과 짐승의 음식물이나 영양을 일반적으로 지칭한다. 농경 시대에 와서는 곡식으로 만든 떡(빵)을 지칭했다.

6) 유목민들은 장막을 치고 살던 곳의 근처에 정착하고 있던 사람들로부터 물물 교환을 하였다. - 양념류(가장 중요한 것은 '소금') - 에스라 4장 14절 '사람이 소금을 먹는 것'을 발견했다. 민수기 18장 19절의 '소금 언약' - 이것은 오늘날도 아랍인들의 규율이었다. 어떤 사람이 다른 사람과 더불어 떡과 함께 소금을 먹으면 그 두 사람은 서로의 계약을 계속 유지하는 유대 관계가 이루어졌다. 그 계약을 감히 배반할 수 없었다. 이 근거는 아마 레위기 2장 13절의 율법에 의한 것인데 소금은 야훼에게 바쳐지는 모든 음식에 쓰여지는 것이고, 그러므로 예배자와 신 사이에 허물 수 없는 계약이 성립되는 것이었다.

7) '사막의 빵' - 누룩을 넣지 않는 빵(무교병) - 유목민들의 독특한 음식 - 출애굽기 23장18절 '야훼께 누룩이 든 떡은 제물로 드려질 수 없다'

4. 의복

1) 이스라엘 사람들의 옷에 대한 원초적인 개념은 창세기 3장 21절에 '야훼께서 ---- 가죽옷을 만들어'. 무화과나무 잎으로 앞치마를 만들어 입었다는 것은 국부를 가린 옷이나 거들(띠)을 상기케 한다.

2) 고대의 의상은 낙타 털옷의 가죽띠를 두는 엘리야의 옷과,

아마포 에봇에 허리띠를 두른 사무엘의 옷에서 찾아볼 수 있다.

3) 모든 종류의 옷은 일반적인 용어인 '베게트'가 사용되었다. 이 낱말은 문둥이의 옷에서부터 제사장의 예복까지, 가난한 자의 의복에서부터 부자와 귀족들의 의복에 이르기까지 사용되었다.

4) 이스라엘의 의복은 종교적 관습의 보수성에 의해 의존되었다.

5) 열왕기상 20장 31절 머리 장식은 현대 베두인의 케피지와 유사한 머리에 쓰는 것을 착용했을 것이다. 사각형의 천을 비스듬하게 접어서 머리 위에 얹어놓은 것이다. 바빌로니아 유수 이후 '산니프'는 이것을 발전시켰을 것이다. 출애굽기 29장 9절의 '관을 씌워서'라는 말은 이것과 연관되었다.

6) 머리카락은 현대 베두인과 같이 머리칼과 턱수염을 길게 기르는 것을 자랑으로 여겼는데, 이것은 그들의 풍습과 관련되었다. 구약성서에서 긴 머리와 턱수염은 남자의 상징이었다. 또 나실은 결코 삭도를 그 머리에 대지 않았다.

7) 출애굽기 3장 5절, 29장 30절 등에서 신을 경배할 때 신을 벗었다. 통곡할 때도 신을 벗었다.

5. 주거

1) 초기 히브리인들은 유목민이었다면 그들의 주거는 장막 속에서 생활했다. 동굴이나 바위틈의 갈라진 곳이었다. 롯이 산에 올라 굴속에 거한 이야기, 엘리야가 거했던 동굴이 있다.

2) 족장 이야기에서는 장막의 생활과 관련한 자료가 풍부하다. '말뚝을 뽑아낸다' 뜻의 '나사'나, 장막을 펴거나 설치한다는 의미의 '나타'와 같은 용어는 유목민의 생활과 밀접한 관련되었다.

3) 초기 히브리인의 장막 생활에 대해서는 구약성서에 주어진 장막의 배치 모양과 그 내용물들을 조사해 보는 것이 좋다.

(1) 야영지에 있는 장막의 배치 모양이다. 야영지는 '티라'라고 불린다. 이 말 속에는 '에워싼다', '둘러 싼다'는 암시가 있다.

(2) 장막은 양의 털을 낙타의 털과 염소의 털을 섞어서 만들었다. 장막 덮개를 짜서 만드는 일은 거의 여자들에 의해 행하여졌다(왕하23:7).

(3) 두 구획으로 칸막이가 되어 있었는 데, 둘째 칸은 여자와 어린아이들을 위한 곳 - '헤델'(삿15:1, 3:4). 때때로 분리된 장막이 여자들을 위해 설치되었던 것으로 보인다. 사사기 4장 17절이하에서 보여주듯이 도망자만이 거기서 피난처를 발견할 수 있었다. 낙타 가구와 다른 잡구는 여자 막사 부분에 들어 있었다.

(4) 남자들이 주거하는 중앙에는 활활 타는 화로가 놓여 있었는데 그것은 주로 땅속에 구멍을 파고 돌을 서로 맞닿게 세워 만든 것이었다.

(5) 마루는 밀짚이나 갈대 자리로 덮여 있었다. 마루 위는 표피나 가죽으로 되었다.

(6) 짐승의 가죽으로 가방을 만들어 식량을 담아둠.

(7) 피부 껍질이나 가죽으로 된 용기가 있다.

(8) 나무나 금속, 가죽으로 만들어진 반죽 통, 멧돌, 등불, 질그릇과 진흙 용기들이 있다.

6. 사회생활과 조직

1) 족장들의 이야기들은 몇 개를 제외하고는 종족의 역사를 나타낸다. 그들의 엮어진 족보들은 개인 설화들의 형태로 던져진 종족 전승들이다. 대부분의 족장들과 그의 아내들의 이름들은 종족들이 이름이며, 그들이 결혼과 출생은 동맹이며, 종족의 결함들이었고, 보다 큰 부족에서 씨족들로 세분된다. 이러한 부족 조직들은 정착 사회에 잘 적응하기에는 불가능한 유목민들의 특징을

보여준다.

2) 종교의 구속력은 부족들을 하나로 통일시키는 데 공헌했다. 모세의 리더십은 야훼 종교의 기초를 형성했다.

3) 부족 생활의 가장 뚜렷한 모습 중 하나는 왕국의 초기까지 남아있었던 흔적인데 곧 "피- 복수의 법"이다. 씨족의 어느 일원이 살해되었다면 그가 속한 씨족이나 부족의 어느 일원이 복수하는 법이다. 이 법은 상호근절로부터 베두인 종족을 보존하려는 것이다. 호전적인 부족들에게 억제의 기능을 하는 것이다.

4) 사회 계층이나 신분 사이에 별로 큰 불균형이 보이지 아니한다. 거기에는 부족 내의 통치자들이나 복종을 강요하는 어떤 주제들의 사상이 없으니, 왜냐하면 자기 위에는 인간-주인이 없음을 주장하려는 유목민들의 자유 개념들의 특징이 있기 때문이다. 물론 지도자는 있었으나 지도자도 어떤 중요한 단계에서는 장로들 회의에서 논의, 선택된다. 이들 지도자들은 단순히 '상호 동등한 것들 중에서 수위'로서 명령할 권력은 없었고, 다만 조언할 수 있었을 뿐이며, 오늘날의 베두윈의 촌장과 같았다.

5) 손님 접대 친절 - 모든 친절을 베풀고 그의 발을 씻기고, 음식을 그 앞에 진설하고 주인이 친히 그를 기다리고, 방문한 후에는 주인의 그의 여행의 얼마의 길을 동행해준다. 창세기 14장 18절, 아브라함이 손님을 맞이함. 창 18장.

6) 관습법 - 권위있는 법. 부족들의 관습은 다윗 시대에도 법으로서 호소 - 다말과 관련된 기사이다. 그녀가 자신의 형제들의 폭력적 위협에 대항하여 항의할 때, 그녀는 법에 의하지 않고 '이스라엘에 이런 일이 전에는 없었다'는 사실에 의존(삼하 13:12)

7) 부족 의식의 특징은 사사 시대를 통해 강하게 나타난다. 사사 시대에는 왕이 없었다.

8) 가나안 땅에서 농경 생활로 전환환 후에도 사막 생활의 전

통이 보존되어왔다. 사울을 왕으로 선출할 때에도 씨족들, 가족들, 개인들에 의하여 제비 뽑혀졌다. 이러한 부족의 특징들은 오늘날에도 이어진다.

9) 구약성서에 나타나고 있는 부족 조직의 발전 단계

(1) 최초의 형태는 여 가장제 - 단위는 가족이 아니고 씨족 - 혈통상 여가장적 씨족

(2) 일처다부 가족제 - 여인 수의 감소에 의하여 발생된 듯이다. 후손은 오직 어머니를 통해서만 인정된다.

(3) 일부다처제와 일부일처제로 나타났다.

10) 부족은 다수의 씨족으로 구성된다. 씨족 위에는 의회와 같은 류를 구성한 장로들이 지배한다. 씨족은 다시 가족들로 형성된다. '아버지의 집'은 몇 개의 씨족들이 거대한 가족의 구성원으로서 그들의 공동의 아버지에 의하여 다스려진다. 아버지는 그의 아내와 그의 자녀들을 그의 소유로 간주되었다. 이삭의 희생제물, 입다의 딸, 어린아이를 제물로 바치는 몰록 제사 등은 그 증거이며 아버지는 생사 이탈권을 가진다. 그는 그들을 노예로 팔거나 지참금의 관습처럼 딸은 그녀의 아버지의 집에서 일하는 일꾼 중 하나로 간주하였다. 그녀가 거기서 나왔을 때는 그녀 남편의 일꾼이 되었고 그녀의 노역을 잃은 아버지께 배상한다. 대가족의 아버지는 야훼에 의하여 축복되는 상징이다. 한 남자로서의 참다운 역량은 그의 재산이나 가축 떼나 짐승 떼보다도 그의 자녀들의 수효에 의하여 평가된다. 아들들은 적들을 막아준다.

11) 가족은 역시 하나의 종교 단위다. 가족 단위의 제의가 행해졌다. 유월절 축제 - 아버지는 의식의 주인이다. 그 관습은 아직까지 경건한 유대인 가정들 가운데 잔존해 온다.

12) 히브리인들의 주된 오락 중 하나는 현대의 베드윈처럼 하루의 일과가 끝난 후 길고 긴 저녁 시간에 야영지의 모닥불 주변에 모이는 것이다. 그곳에서 장로들의 옛 이야기들을 하고, 노래와 춤을 추며, 원시 음악 기구들이 있다.

13) 구약성서에 언급된 악기는 타악기, 관악기, 현악기

(1) '토푸'

템버린의 일종으로 여자들에 의해 놀이된다. 이것은 노래와 춤이 동반된다. 시나 이야기의 낭송이 함께한다. 세속적인 놀이였을 것이다. 회당이나 성전의 종교적 예배에 사용된 언급이 없다.

(2) '하릴'

일종의 플롯이나 피리다. 갈대나 구멍 뚫린 나무로 만들어졌다. 목자들에 의하여 만들어지고 불리어졌다. 성전의 음악 기구로 언급이 없다. 축제 때 사용되었다.

(3) '유발'
창세기 4장 21절, 유발, 욥기 19장 16절, 30장 31절, 자세한 설명이 없다.

(4) '소팔'

나팔의 일종이다. 여호수아 6장 5절. 간단한 양의 뿔. 출애굽기 19장 16절, 20장 18절 백성들의 집회 시 신호(삼상 13:3), 전쟁 경보(삿 3:27).

(5) '키놀'

현악기이다. 힘줄로 줄을 만들었다. 목동 소년 다윗의 악기(시 33:2)

7. 유목민의 이상(ideal)

1) 히브리 종교는 유목민들의 이상과 풍습을 유지 보존하는 데 큰 역할을 했다.

2) 시대가 흐르면서 팔레스타인에서의 히브리인들의 생활은 가나안 문명에 반하는 반응을 보였다. 야훼주의의 순수한 신앙을 아는 사람들은 사막에서의 단순한 삶에서 야훼만을 숭배하는 것이 더 쉽다는 것을 알게 된 것이다.

3) 열왕기하 10장 15절 이하에 나오는 레갑의 아들 요나답의 모습 - 집을 짓지 못하게, 포도원을 만들지 못하게 하고, 포도주를 마시지 못하게 하는 조상인 요나답의 명령을 충실히 이행했던 사람들이 유목민의 이상의 모습을 보여준다.

4) 처음 이스라엘로 복귀하려는 순수한 신앙인들의 영적인 면이었다. 다윗 시대 하나님은 백향목 성전을 원치 않으신다. 고대의 단순했던 예배의 모습으로 돌아가자 - 예언자들이 유목 생활로 돌아가자고 한 것의 의미이다.

B. 농경 생활

1. 농경의 기원과 농노들

1) 대부분의 학자들은 농경을 고대 근동 지역에서 기원했다고 결론짓는다. 그 형태는 쟁기를 쓰고 짐승을 끌어서 곡물을 생산

했는데 주로 밭농사였다.

2) 아담은 에덴에서 쫓겨난 후 생존을 위하여 힘든 일을 해야 했으니 곧 거친 땅과 싸워야만 했다. 가인도 밭을 갈았다. 이 모든 것은 농경의 태고성이다.

3) 대홍수 이전에 인간들은 곡식과 과일로 생계를 유지했다.

4) 구약성서에서 흔히 '땅의 백성'이라는 표현 - 학자들은 이 표현을 사회의 하부 계층이라 하였다. 그들은 상속받은 토지를 열심히 경작하였다. 누지 문서에 나타난 것은 사무엘서의 근거 자료와 유사한 증거가 있는데 거기서 '하비루'들은 노예로 팔려 다녔다.

5) 고대 이집트에서는 관리와 부자유한 노동자들 혹은 왕의 속 령지의 농민만이 존재했다.

6) 히브리 족장들은 목축 유목민의 삶을 영위하다가 점차적으로 정착 지역으로 이동하면서 만 유목민적 생활했다. 그러나 가나안 땅에서의 삶은 농경 문화를 이루었다. 국가로서의 이스라엘은 농민의 공동 서약체로서 농민 연맹을 이루었다. 농민들은 가나안의 도시 연맹의 기사들에 대립하여 싸우기도 하였다. 그러나 전투병처럼 다 갖추어진 군사들은 아니었다.

7) 히브리인들은 가나안으로 이주하여 가나안 인들의 농사 방법, 메소포타미아인들의 방법도 익혔다.

2. 농경 봄 축제

1) 농업인들에게 있어서 두 가지 중요한 계절은 새 농경이 시작되는 봄과 땅의 모든 수확을 거두는 가을이다. 이 두 가지 계절이 그 해의 시작으로 간주하였다. 에렉과 우르에는 봄과 가을에 축제가 열렸다. 바빌로니아의 축제는 봄의 니산 월 첫 11일 간이다. 바벨론의 중요 행사도 봄에 행하여졌다. 축제가 진행되

는 동안 '창조의 서사시'가 두 번 낭송되었다. 극적인 의식이 진행되는 동안 신비적인 방법으로 신화의 역사가 이루어지도록 의식을 집행했다.

2) 과월절과 같은 히브리 유월절의 원형임에 틀림없는 봄의 축제가 가나인에서 일곱 번째 달에 보름달이 뜰 때 행해졌다. 예배자들은 비옥의 여신에게 줄 계절의 선물을 성소로 가지고 갔다. 그들은 신에게 그들의 장남이나 가축의 첫 새끼를 바쳤다. 이렇게 사람을 희생시키는 관습은 후에 속죄양으로 대치되면서 점차 누그러졌다. 더욱이 이 축제는 사춘기(성년 발정기)에 이른 젊은이들이 신에게 예배하는 때로서, 남자는 할례, 여자는 정조를 희생하므로 행해지는 축제였다.

3. 가을 추수 축제

1) 팔레스타인 사람들은 가을에 한 해의 시작을 알렸다(바빌로니아인들의 관습과 반대). 가을철 가을 축제 혹은 새해 축제 거행되었다.

2) 감사제였고, 축복을 간구했다.

4. 유목 축제에서 농경 축제로

1) 히브리인들이 실시하던 '양털 깍기 축제'와 '염소를 놓아주는 성스러운 날인 대 속죄일'은 유목 시대로부터 내려온 것이다.

2) 출애굽의 사건은 민족적 대역사였지만, 그 축제를 행할 때 수행된 제의의 형식은 가족들의 차원에서 드려진 가정 축제였다. 이것도 유목 시대로부터 유래. 즉 유월절 양은 다음날 아침까지 절대로 남겨두어서는 안 된다는 것(출34:25)과 가족에 의해 운반되어져야 한다

는 것(출12:21, 26)은 분명히 유목민적 특성을 지닌 것이다. 원래 이 축제는 봄에 열렸던 첫 소산물을 드리는 희생 제사와 관련되었을 가능성이 있다. 그것은 후에 누룩을 넣지 않은 떡과 관련되어졌다(신명기 16장).

3) 양털 깍기 축제는 목양의 성스러운 날 중 하나에 속한다(삼상25:2, 삼하13:23). 이 축제는 다른 축제보다 더 원초적인 특성을 지니고 있다. 이 축제는 역사적 의미를 지니고 있지 않았기 때문에 농경 생활이 시작되었을 때 사라졌다.

4) 연간 세 번의 순례 여행의 축제들(한 해에 세 번 모든 너희 남자들은 야훼 하나님 앞에 나갈지니라 - 출34:23)은 유목민의 축제와는 다르다. 가나안 정착 후 이런 축제들은 농경 축제로 형태가 바뀌었다. 이 농업 축제들은 수확의 세 시기들, 즉 봄의 보리 수확 그리고 7주간 후의 밀 수확, 마지막으로 가을의 포도와 다른 과일 수확 등과 시기적으로 일치하였다. 초창기부터 이 세 가지 축제들 중에서 첫 번째 축제는 유월절과 관련이 있었고, 농경에서 얻은 봉헌물 뿐만 아니라 양의 첫 새끼의 희생 제물도 포함하였다.

5) 이스라엘 백성들은 국가적인 절기 축제에서 연례적으로 위대한 신앙 고백을 되풀이했다. 그것은 바로 신명기 26장 5~10절인데, 그들이 농경 생활을 하면서도 유목 생활의 전통을 잊지 않았다는 증거이다. "야훼여! 이제 내가 주께로 내게 주신 토지 소산의 맏물을 가져왔나이다" 라고 하면서도 "내 조상은 유리하던 아람 사람이었다"고 고백하였다. 이와 같이 이스라엘 인들은 가나안 정착지에 들어와서도 자신들의 유목민의 전승을 그대로 간직하려고 노력하였다.

5. 새 달제와 안식일
  1) 새달(New Moon)의 축제

달이 사라질 때 생기는 어두움이 끝나는 깃으로 생각되어, 새달이 처음으로 그 모습을 드러낼 때, 인간들은 갈채와 환호로서 맞이하였다. 초생달이 처음으로 나타날 때, 고대인들은 그것이 마치 게걸스럽게 파먹는 어떤 괴물과의 치열한 전투를 달리 벌이고 있는 것으로 믿었고 마침내 승리해 나타난 듯이 보였다. 그리하여 보름달은 자연히 환호와 기쁨의 거대한 축제의 달이 된다. 바빌로니아에서도 이와 유사한 축제의 날이 있었는데 사울 시대에 왕궁에서부터 초라한 농부의 가정에 이르기까지(삼상20:5, 6) 씨족 또는 가족들이 모두 한자리에 모여 잔치를 벌이게 되는데 그때에 거룩한 음식과 제물을 가져왔으며 축제는 이틀 동안 계속되는데 첫날에 불참한 사람들은 둘째 날에 참석했다. 이날은 하루 종일 쉬고, 성소로 걸어가서 즐거운 축제에 참여한다. 성소는 기도자와 예배자들에게 개방되어 있었고, 새달이 뜰 때 나팔 소리에 의해 시작되었다.

Tip

이스라엘 사람들에게 매달 초하루는 특별한 의미를 지니는 날이었다. 안식일처럼 중요한 날로 여겨졌다(삼상 20:5, 18, 24). 초하루(월삭)에는 특별 희생 제사가 드려졌다(민28:11-14, 대상 23:31). 희생 제사를 드리는 이유는 지난 1개월 동안 지은 죄를 용서받고, 하나님의 신실하심과 언약의 영원함을 기리기 위함이었다. 제물 위에 나팔을 불어 기념했으며, 노동을 하지 않고 쉬었다. 포로 귀환 후 이 날은 신년제와 같은 성격을 가지게 되었고 그 후 오랫동안 지켜졌다. 초하루를 지키는 문제로 골로새 교회가 혼란스러웠을 만큼, 이스라엘 사람들에게 초하루는 중요한 날로 지켜졌다(골2:16-23)

2) 안식일

(1) 고대 바빌로니아와 앗시리아에서부터 지켜졌다.

(2) 태음력의 7, 14, 21, 28번째 날들에 해당되는 금기일이었다.

(3) 매월 달의 모양이 변하는 시기를 중요시하여 '사바툼'이라고 불렀다.

(4) 보름달에서 15일째 되는 날은 '악한 날', '불운한 날'로 불리었다.

(5) 19번째 날은 '천벌의 날'로 불리었다.

(6) 왕들은 이 날들에 새 옷을 입거나 가축을 타거나, 여행을 떠나거나, 익힌 음식을 먹는 것을 금했다. 이러한 바빌로니아 관습이 팔레스타인의 아모리 인들이 종교의 월력을 만드는 데 큰 영향을 끼쳤다. 따라서 히브리 인의 안식일은 고 바빌로니아의 '마음이 쉬는 날'과 직접 연관이 있었다. 그들은 같은 셈어의 낱말을 사용하는 날의 이름에서 나타난다. 그래서 안식일의 특징은 바빌로니아의 사바툼과 아주 비슷하다. 바빌로니아 사바툼에는 막대기로 점화시키고(출35:3), 불로 음식을 굽고(출16:23), 일상적인 일을 하고(출16:8~10), 집을 떠나서(출16:29) 어떤 세속적인 일을 하는 것을 금기시했다.

6. 농경민의 주거 생활

1) 고대 근동의 주민의 생활은 그 주거 방식이 몹시 단조로웠다.

2) 그들의 가옥은 1층을 지하층이라 부른다. 2층부터 그들에게 지상층으로 인정받는다.

3) 그들의 가옥은 습기와 독충을 피하기 위해 땅바닥에서 1~2m 정도의 높이의 방바닥에서 기거한다.

4) 가구도 별로 필요하지 않고, 조리대도 별로 필요없다. 큰

가구들을 갖다 놓아도 그 속에 넣어둘 만한 옷가지도 많지 않거니와, 벌레나 도마뱀등의 서식처나 될 뿐이므로 조금있는 옷가지도 벽에다 줄을 달아놓고 걸어두면 족한 것이다.

5) 낮에는 자리나 방석 위에 앉고, 밤에는 넓은 자리나 요 위에서 잔다. 식사 도구로 그릇이 몇 개 있었을 것이다. 잠자리를 포개어 얹을 상자 하나가 있었을 것이고, 등받이나 뒷박위에 둔 등잔 하나, 집안 청소용 빗자루 하나, 곡식을 가는 맷돌 하나, 물 담아 두는 염소 가죽 물통이 하나쯤 있었을 것이다. 방 중앙에는 화로도 하나 있었을 것이다.

XI. 헬레니즘(Hellenism)의 세계52)

A. 헬레니즘 어원과 의미53)

'말하다', '그리스인처럼 행동하다'라는 뜻의 그리스어 hellenigein에서 유래하였다. 그리스 고유의 문화와 오리엔트의 문화가 융합하여 이루어진 세계주의적인 예술·사상·정신 등을 특징으로 하는 문화이다.

헬레니즘은 헤브라이즘(Hebraism)과 구별되는 개념으로 헤브라이즘과 함께 유럽 문화의 근간을 이룬다.

헬레니즘은 1836년과 1843년에 독일의 드로이젠(J. G. Droysen)이 그의 저서 "헬레니즘의 역사"에 관한 두 권으로 된 저서에서 알렉산더의 시대로부터 기독교가 시작된 시기까지의 기간을 "헬레니즘 시대"란 단어를 사용했다. 그전까지는 단지 '소극적인 것', '타락', '몰락'을 의미했던 것이 '인류역사상 가장 깊은 의의가 있는 문화'로 둔갑했고, 이 평가는 오늘날까지 이르고 있다.

헬레니즘의 문화적, 종교적 영향력은 헬레니즘 시대 이후까지 미쳤으며, 수백 년 동안 로마 및 동부의 많은 국가들의 헬레니즘화뿐만 아니라 고대 기독교의 발달에도 영향을 끼쳤다.

---

52) 위키백과 참조.
53) 헬뮤트 쾨스터, 이억부 역, 신약성서배경연구, 은성출판사, 2009, pp. 87~89.

이 시기의 특징적 현상은 "헬라화" 과정의 강화, 즉 과거 페르시아 제국의 국가들을 마케도니아와 그리스가 정치적으로 지배하게 되면서 시작된 그리스어, 그리스 교육, 그리스 문화의 확장이다. 그리스 문화가 로마와 접촉하여 로마의 정치적 지배를 받을 때에도 그리스 요소가 우세했다. 로마는 그리스의 예술, 건축, 철학, 문학 등의 영향을 깊이 받았다.

로마 제국의 동쪽 지역은 그리스적 상태로 남아있었으며, 서방의 라틴 세계에서도 그리스의 언어, 문화, 종교 등이 입지를 굳히고 있었다. 로마 제국의 발달상은 헬레니즘을 떠나서는 이해할 수 없다. 로마 제국이 헬라화 되었다는 점에서, 헬레니즘은 비잔틴 시대에도 지속되었다고 볼 수 있다. 사실 로마 제국 시대 초기에 시작된 기독교는 하나의 헬라화 된 종교, 특히 이미 헬라화 된 유대 종교의 상속자로서 로마 세계에 들어갔다.

시기는 알렉산드로스 대왕이 죽은 후 (주전 323년)부터 아우구스투스가 로마 제국을 건설하게 될 때 (주전 30년) 약 3세기까지이다.

B. 헬레니즘 세계의 성립 과정

1. 필립포스 2세

그리스인으로부터 야만인 취급을 받고 있던 마케도니아는 주전 4세기경부터 그리스 문화의 영향을 받아 일어나기 시작하였다. 특히 Philippos 2세(주전 382년~336년) 때에는 국내 금광을 개발하여 재력을 기르고 장창 밀집 부대를 편성하여 군사력을 길러 차츰 사방의 여러 민족을 쳐서 그 영토를 넓혔다.

필립포스 2세는 드디어 대 군대를 거느리고 주전 346년 중부 그리스로 쳐들어갔다. 주전 346년 카이로니아(Chaeronea)전투에서 그리스 연합군을 무찔러 마침내 그리스를 복속시켰다.

2. 알렉산더 대왕의 동방원정

필립포스 2세가 암살을 당하자 그의 아들 알렉산더 대왕 (Alexander the Great(주전 356년~323년)가 20세의 젊은 나이로 즉위하였다. 그는 부왕이 죽은 뒤에 일어난 그리스의 반란을 평정한 뒤 부왕의 유지를 받들어 페르시아 원정군을 일으켰다. 알렉산더 대왕은 Hellespontos를 건너 소아시아로 쳐들어가 이를 짓밟고 이어서 주전 333년 Issus의 싸움에서 페르시아의 다리우스 3세의 군대를 격멸하였다. 대왕은 다시 군을 돌려 페르시아 본국으로 쳐들어가 티그리스강 상류 Arbela의 대회전에서 다리우스 군대를 쳐부숴 페르시아 제국을 멸하였다. 이리하여 서는 마케도니아, 동은 인더스강, 남은 이집트에 이르는 광대한 대제국이 형성되었다.

알렉산더 대왕의 꿈은 서로 분리되어 있던 지중해 세계와 오리엔트 세계를 통합하여 하나의 세계로 통치하는 데 있었다. 알렉산더 대왕이 마케도니아 출신의 병사와 아시아 출신의 병사를 동등하게 대우하고, 페르시아의 수도인 ´수사´에서 그리스인과 페르시아 여성의 대량 합동 결혼식을 거행한 것도 그 표현의 하나이다. 그러나, 그의 기본 통치방침은 아리스토텔레스의 ´建白書(건백서)´에 따라 그리스인에 대해서는 통솔자(Hegemon)이며, 아시아인에 대해서는 지배자(despotes)에 서는 것이었고 전자는 우인으로 대접하되, 후자는 동식물과 같이 하대하는 것이었다.

또 대왕은 정복지의 여기저기에 '알렉산드리아'라는 이름을 가진 도시를 건설하여 그리스의 학자, 문인, 예술가, 상인 등 각계각층의 인사를 이주시켰다. 이 결과 언어, 학술, 풍속 등 그리스의 생활양식과 문화가 동방 세계에 널리 퍼지기 시작하였다. 그 결과 세계의 모든 민족을 다 같은 동포로 생각하는 "세계동포주의"가 생겨 알렉산더 대왕의 제국 통치의 기조가 되었다.

알렉산더는 그가 정복한 다양한 국가들을 통치하기 위해서, 서로 다른 두 가지 정책을 세웠다.
 1) 그 지방마다 고유의 전통에 따라서 통치하는 것
 2) 그리스 문화를 제국을 묶어주는 기반으로 삼는 것

이러한 맥락에서 알렉산더에 의해서 이룩된 헬레니즘 세계는 정치적으로 통일된 세계가 아니라, 문화적으로 통일된 세계라고 할 수 있다.

알렉산더의 사후, 제국은 이집트의 프톨레미(Ptolemy)왕조, 아시아의 셀레우쿠스(Seleucus)그리고 마케도니아와 그리스의 안티고누스 고나타스(Antigonus gonatas)의 세 전제국가로 삼분되었다. 그러나 3세기나 계속된 이 후계자 시대를 헬레니즘 시대 (Hellenistic age)라 불러 그 문화사적 의의를 강조하고 있다.

 3. 헬레니즘의 여러 국가

고대 그리스 도시국가와는 달리 '군주정'이 전형적인 정치형태이다. 헬레니즘 왕국 중 강국은 프톨레마이오스가 세운 이집트의 프톨레마이오 왕국, 셀레우코스가 세운 시리아왕국, 바빌로니아의 셀레우코스 왕국, 안티고누스의 자손에 의해 유지된 잔존 마케도니아 왕국이다.

C. 헬레니즘 시대의 발전

1. 경제적 발전

경제적 발전의 이유로는
　1) 알렉산더 대왕의 원정의 결과로 인더스강으로부터 나일강까지의 광대한 지역이 교역 활동을 위해 개방되었다.
　2) 페르시아의 금은이 유통됨으로써 물가를 상승시키고 투자를 활발하게 하였다.
　3) 국가수입 증가의 수단으로 상공업이 촉진·장려되었다. 이러한 요인의 결과로 대규모의 생산·무역·금융 등의 제도가 성장하고, 국가는 주요한 기업가 및 자본가의 역할을 하였다. 경제적 발전의 한 결과로서 대도시의 성장을 들 수 있다.

대부분의 인구가 농촌 지역에 거주하고 있음에도 불구하고 인구가 도시로 집중되는 경향이 있었다. 각 도시는 그 크기와 인구 면에서 급속히 팽창되어 갔다. 예를 들면, 시리아의 안티오키아는 1세기 동안에 인구가 4배로 늘어나고 티그리스강 연변의 셀류키아(Seleucia)는 2세기도 안 되는 기간에 수십만의 인구를 갖는 대도시가 되었다. 헬레니즘 시대의 가장 큰 도시는 이집트의 알렉산드리아로서, 고대사에 있어서 어느 다른 도시도(로마까지도) 그 규모에 있어서 알렉산드리아를 능가하지 못하였다. 거리는 잘 포장되었으며 잘 구획, 정리되었다. 시에는 훌륭한 공공건물과 공원, 박물관 및 수십만 권의 장서를 갖는 도서관이 있었다. 알렉산드리아는 헬레니즘 문화의 중심이며, 특히 과학연구의 중심이었다.

2. 과학 기술의 발달

고전 시대 폴리스에서는 주로 자연철학의 사색이 주류를 이룬 반면, 헬레니즘 세계에서는 과학의 실용적 발달이 추세였다. 학문의 중심은 그리스 본토에서 동방으로 옮김, 이집트의 알렉산드리아가 학문연구의 본거지가 되었다. 프톨레마이오스 왕조의 적극적 지원 아래 문헌학, 수학, 천문학, 의학 등 학문 분야의 연구가 매우 활발하게 되었다.

아리스타르코스 (주전 284년~264년)
- 월식 관측을 기초로 한 기하하적 계산에 따라 지구보다 태양이 3백 배 정도 크다는 결론을 내렸다.
- 태양을 중심으로 지구가 그 주위를 원 운동한다는 이론바 지동설을 주장, 천동설을 뒤엎지는 못했다.

히파르코스 (주전 160년~125년)
- 일식과 월식을 예측했다.
- 지구, 달, 태양 사이의 상호거리를 측정, 1개월과 1년의 계산이다.

유클리데스
- 알렉산드리아 출신의 유클리데스는 앞선 여러 학자들의 업적을 수집, 자신의 명제를 첨가, 평면기하학을 정리.
- 3차원 공간을 전제로 하는 그의 기하학은 거의 그대로 19세기 유럽 기하학에까지 직접적인 영향을 주엇다.
- "기하학 원리"는 사회과학자들의 사고에 영향을 주었다.

아르키메데스
- 목욕 중에 비중 개념을 착상, 또한 파이값을 계산, 역학, 수

력학, 기계공학, 전쟁공학 등 응용 분야에 전통하였다.

에라토스데네스
 - 지구의 직경, 지구와 태양과의 거리를 계산했다. 지구의 경,
위도를 그어 지도 제작을 개선했다.

히포크라테스 (주전 460년~377년)
 - 관찰과 실험에 의한 귀납적 방법에 의존하였다.
 - 골격과 근육과의 관계를 논한 의학 논문이다.
 - 인체 구성의 4 원소를 흙, 불, 물, 공기라고 보는 한편, 인체
가 피, 점액, 황담즙, 흑담즙 등 네 가지 액체로 되어있다고 생
각했다.
 - 다만 신경계통에 관해서는 전혀 알지 못했다.
 - 의사의 윤리를 말하는 '히포크라테스의 서약'을 착상했다.
 - 헤로필로스, 히포크라테스의 업적을 계승, 인체 해부를 통해
많은 중요한 발견했다.

D. 헬레니즘 시대의 문화

알렉산더에 의해 건설된 헬레니즘 세계는 동서 문화를 융합시킨
세계적 문화를 형성하였다. 그리스어는 공용어가 되고 폐쇄적인
폴리스의 문화는 널리 개방된 보편문화가 되었다. 광대한 지역이
각각 지역적 특성을 갖고 있으면서도 세계화된 그리스 문화를 수
용하는 획일적인 면을 보였다.

헬레니즘은 고전적 폴리스 문화가 넓은 시야를 갖게 된 하나의
창(窓)이며, 이 창은 로마를 향하여 개방되었다. 알렉산더 대왕의
중동지방 정복의 결과 이루어진 문화의 융합과 종족의 혼합 때문

에 고전적 그리스 시대의 사상은 대부분 상실되고 말았다. 점차로 새 형태의 문명, 즉 그리스와 동방의 여러 요소들이 혼합된 문명 이 형성되었다. 이 문명을 고전적인 그리스 문화(Hellenic Culture)와 구별하여 ′헬레니즘 문화′라 부른다.

헬레니즘 문화는 폐쇄적이며, 자족적인 폴리스 문화에 동방적 요 소가 가미되어, 그 결과 개방적이며 보편성있는 문화가 되었다. 바꾸어 말하면 헬레니즘 시대는 고전적 그리스 문화가 각 지역의 특성을 흡수한 시기이다.

이 시대의 문화적 특징을 말한다면,

 1. 세계시민주의, 세계 동포주의(cosmopolitanism), 보편주의

알렉산더의 동방정복으로 그 영역을 동방으로 인더스강 유역, 서 로는 이탈리아까지 확대시켜 그리스 문화의 세계화를 가져왔다. 그러면서 플라톤과 아리스토텔레스의 체계에 내재된 폴리스 중심 의 사고는 좀 더 보편적인 인간성에 기반을 둔 사고에 의해 밀려 나게 되었다.
그리스의 시민 생활은 직접민주제의 이상보다도 광대한 알렉산더 제국의 전제정치의 현실에 의해 지배받기에 이르렀다. 기원전 4 세기경부터 싹튼 개인주의적 경향은 폴리스 시민 생활의 전통을 침식하였으며, 그리스인들은 공동체 생활에의 참여를 소홀히 하 고, 자기 자신의 부와 안락을 더 높이 평가하였다.

문학과 미술에 있어서도 폴리스에 대한 애착심을 표현한 전통은 퇴색하고 있었는데, 이러한 개인주의적 경향은 알렉산더 대왕의 그리스 정복에 의해 더욱더 분명하게 되었다. 문화의 중심지가 그

리스에서 동방으로 이동해 갔을 뿐 아니라 문화의 성격도 달라졌다.

고전적인 그리스 문화는 폴리스와 민족의 제약을 받아 협소성을 면치 못하였으나, 헬레니즘 문화는 폴리스와 국가의 한계를 넘어서서 세계시민주의(cosmopolitanism)를 바탕으로 한 보편주의의 차원을 지향하였다.

2. 개인주의

보편주의적 이상에 입각한 '세계의 시민'이라는 자의식은 오히려 사람들을 그의 국가에 대한 일반적인 책임감으로부터 해방시켰다. 헬레니즘 세계의 이상이었던 보편주의 속에서 강조되는 것은 개개의 인간이었지, 어느 국가나 제도 자체는 아니었다. 알렉산더의 후계자들이 어떤 특정한 정치적인 제도를 강요하기보다는 각각의 나라들이 가진 독자성을 인정하면서 헬레니즘 세계를 존속시킨 것도 이러한 맥락에서 이해될 수 있을 것이다.

헬레니즘 세계에서 중요한 가치 중의 하나는 '자기만족'이었다. 헬레니즘 세계의 철학자들은 사물의 본질이나, 공동체의 문제들에는 관심이 없었다. 그들의 관심은 자신의 필요를 충족시키는 것, 즉 자신의 행복을 추구할 권리에 집중하였다. 그러므로 헬레니즘 세계를 대표하는 두 개의 서로 다른 철학적 경향은 실은 개인주의라는 같은 출발 선상에 있다.

에피쿠로스 학파가 자기만족을 위해서 자신의 쾌락에 집착하는 반면, 스토아 학파는 개인의 덕을 강조한다. 스토아학파에서 덕과 이성을 강조하는 것은 그것이 '자아통제'의 기술이 되기 때문이다. 그 시대의 개인주의를 통해서 사람들은 스스로를 다른 사람들로부터 분리시키고, 진리를 깨달은 사람, 즉 현자는 세계로부터 자신을 더욱 멀리 고립시킨다.

헬레니즘 세계의 종교도 이러한 철학적 사고로부터 분리되지 않는다. 페르시아의 멸망은 고대근동에서 숭배되던 절대적 능력을 가진 신들의 실패를 드러냈다. 그러므로 헬레니즘 세계에서는 절대적 능력의 신보다 이성에 더욱 의존하게 되었으며, 종교는 보다 더 세속적이며 이 세상적인 특성을 띠게 되었다.

헬레니즘 세계의 종교가 인간 중심적 특성을 갖고 있는 것은 이 때문이다. 헬레니즘 세계에서는 헬레니즘 왕조의 신성화를 통해서 신들이 갖고 있던 모든 신비함을 제거했으며, 인간을 속박하던 모든 종교적 개념들로부터 인간을 해방시켰다. 그러나 흥미로운 것은 그들을 묶고 있던 종교적인 위계질서로부터의 해방이 그들의 종교성 자체를 없앤 것이 아니라는 것이다. 인간은 끊임없이 새로운 형태의 종교를 만들고, 그들 통해서 또 다른 형태의 종교에 자신을 구속시킨다.

헬레니즘 세계에서 고대종교에 대한 해체가 일어난 후에, 옛 종교의 제도나 신들을 대치할 만한 것으로 나온 것이 신비주의와 혼합주의, 점성학 등이다. 헬레니즘 세계의 종교는 초자연적인 힘에 의지하게 되었다. 옛 종교에 대한 반발로 신비주의가 나올 수 있는 것은 신비주의가 내포하고 있는 개인주의적 성향이 헬레니즘 세계의 특성과 맞아떨어졌기 때문이다.

그들은 옛 전통이나, 세상을 개선할 수 있는 교육의 능력, 새로운 것을 창조하고 옛것을 보존하는 국가의 힘에 대한 환멸을 통해서, 이 세상에 대한 희망을 잃고, 그들 개인 자신 속으로 파묻혔다. 이 세상에 대한 관심에서 출발한 헬레니즘의 종교적 특성이 저 세상에 대한 관심으로 변한 것이다. 헬레니즘 세계에 퍼진 이러한 종교적 특성은 종교의 역사적인 성격을 파괴하고, 종교가 갖고 있는 진리를 역사적인 삶과 분리시키는 결과를 초래했기 때문이다. 그리고 이로부터 이성에서 출발한 헬레니즘 세계의 종교는 역사적인 합리성, 또는 필연성을 벗어나게 되었다. 그러므로 신과의 개인적인 관계에 대한 강조, 죽음 이후의 삶에 대한 희망, 비밀스러운 입교식과 같은 헬레니즘 밀의 종교의 특징은 헬레니즘 세계의 다양성을 배경으로 한 아이러니하고 할 수 있다.

3. 상대주의

헬라 사회는 다양성, 상대성, 차이성을 인정하기 때문에 유일성, 절대성, 독특성을 인정하지 않는 하나의 철학적 사고가 있는데, 그것이 상대주의이다.

딕 카이즈(미국 라브라 대표)는 다원주의의 사상적 기초는 상대주의다고 말하면서 "상대주의는 다원주의의 상대적 기초를 마련해 주고, 요연한 해석을 가하는 철학적 이론인데, 세상 어디에도 객관적이고 절대적 진리가 있다는 것을 용납하지 않으며, 모든 것이 상대적이며 주관적인 가치만 존재한다고 믿는 철학적 이념이다. 상대주의는 어떤 한 종교나 철학이 절대적인 진리를 천명할 수 있다는 것을 부인한다"고 하였다.

상대주의는 여러 대상·현상·과정 등의 상호 관계와 상호연관만을 인식할 수 있을 뿐, 인식대상·현상·과정 그 자체는 인식할 수 없다는 철학 견해이다. 따라서 상대주의는 인식하는 주관에서 독립한 객관적 진리란 존재하지 않는다고 주장한다.

4. 코이네 그리스어(헬라어)

헬레니즘 세계의 정신적 뿌리는 고대 그리스 사상이다. 빈부의 차이가 심했던 헬레니즘사회는 그리스의 민주제가 쇠퇴했다는 것을 의미했지만, 그리스 문화의 영향력은 헬레니즘 세계 속에서 계속되었다. 이 때, 그리스 문명을 지속, 발전시킬 수 있는 도구가 된 것이 그리스어이다. 알렉산더는 그가 정복하는 곳에서 군인들에게 그리스어를 사용하게 했다. 알렉산더가 페르시아를 멸망시키고 그리스인과 마케도니아인을 세계의 주인으로 만들면서, 그리스 문화는 다른 모든 것보다 우월한 위치를 차지하였다. 그러므로 알렉산더가 가는 곳마다 사용된 그리스어는 그리스 도시국가들을 넘어서 알렉산더 제국을 연결시켜 주는 구실을 했다. 그리스어의 이러한 일반화는 철학과 문학에 고급스럽게 사용되던 고대 그리스어에서 일반인들이 쉽게 사용할 수 있는 코이네 그리스어를 탄생시켰다.

코이네 그리스어는 그리스어와 타지역의 문화와 생활양식이 결합되어서 만들어진 것으로, 헬레니즘 세계를 대표하는 문화적 산물이라고 할 수 있다. 비록 그리스계 사람이 아니라고 하더라도, 교양 있는 사람들은 즐겨 그리스어를 사용하였다. 또한 교양 있는 사람뿐만이 아니라, 알렉산더의 군대와 접했던 많은 일반인들이 자연스럽게 그리스어를 접할 기회들을 얻었다.

기원전 2세기에 이집트 알렉산드리아에서 그리스어로 번역된 구약성서인 LXX(70인 역)의 출현은 그리스어가 얼마나 일반적으로 보편화되었는가를 보여주는 한 예라고 할 수 있다. 그리스어는 정치적으로 하나로 묶일 수 없는 헬레니즘의 세계를 하나로 묶어줄 수 있는 중요한 도구였다고 할 수 있다.

고대 그리스와 근동의 다른 문화들을 연결시켜주는 코이네 그리스어는 헬레니즘 세계가 갖고 있는 특징을 표상하는 것이다. 코이네 그리스어는 그리스어에 뿌리를 두고 있지만, 고대 그리스어와는 다른 새로운 형태의 그리스어이기 때문이다. 코이네 그리스어는 그리스적 특성뿐만이 아니라, 근동 지역의 특성을 함께 보유한다.

E. 헬레니즘 시대의 철학

헬레니즘 철학(Hellenistic philosophy)은 서양 철학의 한 시대를 일컫는 낱말로 헬레니즘 문명에서 전개된 철학을 의미한다. 시기적으로는 아리스토텔레스의 사후부터 신플라톤주의의 발생 이전까지의 기원전 320년경에서 기원후 200년까지의 약 520년간의 기간을 의미한다.

1. 플라톤주의

플라톤주의의 중심 컨셉트는 이데아론(Theory of Ideas)이다. 이데아론은 다른 말로는 원형 이론(原形理論, Theory of Forms) 또는 형상 이론(形相理論, Theory of Forms)이라고도 한다. 플라톤주의의 이데아론에 따르면, 매일의 일상 세상의 사물들의 본래의 모습은 초월적이며 완전한 원형(原形, archetypes)이며, 물질 세상의 사물들은 그 원형들 즉 형상들(forms) 또는 이데아들(ideas)의 불완전한 복사체(複寫體)이다.

그리고 가장 완전한 형태의 원형 또는 이데아는 선의 이데아(Form of the Good: 선한 존재라는 지고한 이데아)인데, 이 선의 이데아는 모든 다른 원형들 즉 이데아들이 나오는 근원이 된다. 그리고 플라톤주의자들은 이 선의 이데아를 이성(理性)에 의해 알 수 있다고 보았다.

그는 명상(meditation)과 고행(asceticism)을 해야 한다고 주장했다. 그에 의하면 지식은 구원이며 죄는 무지(無知)라고 하였다. 플라톤주의는 이원론(Dualism)은 1세기에 일어났던 영지주의(Gnosticism)와 3세기 플로티누스(Plotinus)에 의하여 소개된 신플라톤주의에 의해서 반영되고 있다.

기원후 3세기에, 플로티노스(204~270년)는 신비주의적인 요소들을 추가하여 신플라톤주의를 확립하였다. 신플라톤주의에 따르면 지고한 존재는 만물의 근원인 존재인데, 신플라톤주의자들은 이 지고한 존재를 '모나드(Monad)' 즉 '하나인 존재(the One: 하나)', 또는 '선한 존재(the Good: 선)'라 불렀다. 신플라톤주의자들은 영혼이 덕과 명상을 통해 자신을 상승시켜 '하나인 존재'와 자신을 합일시킬 수 있는 능력을 가지고 있다고 여겼다. 플로티노스는 사물들이 서로 유기적인 관련을 맺고 있는 존재의 계열에 속해 있다고 주장하고 있다. 이들 존재 계열에는 여러 단계의 계열로 이루어져 있으며, 세 가지 기본존재들(hypostases)로 구성되어 있다.

  1) 영혼의 단계: 가시적인 유한한 세계, 현상의 세계들로 구성되었다.
  2) 예지(nous)의 단계: 영혼의 단계보다 높은 단계로서 이데아의 세계이며, 다양성이 나타나는 세계이다. 플라톤의 이데아의 세계가 플로티노스에게는 단지 다양성의 세계를 가능하게 만드는 원리들의 세계일 뿐이다.
  3) 일자(the One)의 단계: 언어로 표현할 수 없고 단지 존재

한다고 확신할 수밖에 없는 단계. 모든 존재의 근원이며, 태양에 비유된다. 완전하며 모든 다양성을 초월해 있으며, 순수하게 정신적인 존재로서 신이라고도 불린다. 모든 사물이 이 일자로부터 (유출)한다고 설명한다.

플라톤주의는 서양의 사상과 신앙 체계에 심대한 영향을 미쳤다. 많은 플라톤주의 개념들이 정통파 기독교 교회와 나스틱파 (Gnostics, 영지주의자)에 의해 채택되었는데, 이들은 플라톤주의의 중심 개념인 원형들 즉, 이데아들을 신의 생각들(God's thoughts: 하나님의 생각들)이라고 이해하였다. 한편, 신플라톤주의는 특히 기독교 신비주의에 큰 영향을 미쳤다.

2. 견유학파(犬儒學派)

견유 운동의 가장 대표적인 인물은 디오게네스 (Diogenes, B.C. 412년~323년)이다. 그는 나무통에서 잠을 잤고, 먹고 마시는 데 필요한 지극히 단순한 도구까지도 거부했으며, 항상 같은 옷을 입고 지냈다. 그는 건방진 언동 때문에 "개"(퀴온)라고 불렸다(여기서 이 학파의 명칭이 유래). 그들의 검약과 건방진 언동은 주로 사회의 관습들에 대한 거부 표현들이었다.

 - 이 세상의 모든 것은 어리석고, 가치 있는 것은 아무것도 없다.
 - 빈부 격차나 인종 차이는 현자에게 아무런 의미가 없다.
 - 소유를 부인, 자족, 모든 소유욕에서 해방될 때 비로소 도덕적이다.
 - 조직적 학파가 없이 방랑 걸인, 설교자이다.
 - 인종과 계급을 떠난 평등관, 현자들로 구성된 세계 공동체의 관념, 세속 일에 관한 교양 있는 무관심, 책임감은 스토아에 영

향을 주었다.
- 자연과 일치된, 자연스러운 삶을 추구하는 그리스 운동, 또는
이를 따르는 철학자들을 말한다.

3. 회의학파

당시의 여러 학파들이 각각 자신의 주장이 진리라고 주장하는 데
다 정치적 도덕적 생활까지 혼란해지자 모든 기성 진리에 대한
회의가 다시 나타나게 되었다.

회의학파(懷疑學派)의 창시자는 퓨론(Purrhon, 주전 360-270
년)이다. 퓨론에 있어서는 회의는 '침묵'을 중요시하며, 이것의
결과는 '판단중지'라고 하는 것이다. 이러한 판단중지에서 영혼의
안정에 도달할 수 있다는 것이다. 일체의 판단을 중지해 버리면
모든 사물에 대하여 무관심할 수 있다는 것이다. 그래서 스토아학
파에서 말하는 부동심(不動心, apatheia), 에피쿠로스학파에서
말하는 마음의 안정(ataraxia)을 얻을 수 있다.

기존의 모든 이론을 거부, 어떤 의견도 갖지 않고 다만 전통과
관습에 따라 살면서 아무런 판단도 내리지 않는 유보(epoche)적
입장이다. 지식의 가능성을 부정, 인간의 감각 이외에는 아무것도
확실한 것이 없다. 감각조차 개인차가 있고, 결국 모든 감각은 환
각에 불과하다.

4. 에피쿠로스(Epikouros)학파

Epikouros(주전 331년~270년)에 의해 창설된 학파이다. 인생
의 목적을 쾌락에 둔다. 그리고 쾌락은 고통의 없음을 의미하며,

관능적인 쾌락을 의미하는 것이 아니라, 육체의 고통이나 영혼의 불안에서 해방됨을 의미한다. 이들은 탈욕(脫俗)과 금욕을 통해 행복을 추구했다.

방법론으로서 'ataraxia'를 주장하고 있다. 마음의 불혹, 부동의 상태를 의미한다. 물질의 세계는 無이며, 무에서는 아무것도 생기는 것이 없다는 것을 깨달았을 때 도달하는 마음의 고요한 상태를 의미한다. 외적인 변동이나 내적인 감정에 의해 흔들리지 않는 생활을 말한다. 세상과의 절연과 금욕주의적 경향이 있다.

5. 스토아(stoa)학파

고대 그리스 Zenon(주전 336년~264년)에 의해 창설되었다. Seneca, Epiktetus, Marcus Aurelius에 의해 계승되었다. 선한 사람은 이성적인 사람과 동일시 된다. 따라서 덕이란 이성에 합치되는 행위라고 본다. 행복은 욕망으로부터 해방되고, 외계의 욕망 대상으로 인해 마음이 흔들리지 않을 때 얻어지는 것이 행복이다. 이 마음이 고요한 상태를 "apatheia"라고 한다. 이 마음의 부동 상태는 스토아학파의 개인윤리의 이상으로 표현하는 말이다. 이런 상태를 얻고 유지하기 위해서는 의무를 성실히 수행하고 극기를 잘 훈련하는 것이 요구되었다.

1) 스토아 사상의 영향
(1) 이성, 자유, 자연법 등 스토아파의 관념은 로마 법사상에 영향을 주었다.
(2) 그리스도교 신학으로 연결된다.
(3) 인간은 이성의 지시에 따라 행위할 때 자유와 평등을 향유한다.

(4) 세계의 질서는 이성의 법을 따르며 이법(자연법)의 발견은 인간의 의무이다.

(5) 이성을 가진 모든 사람은 평등, 따라서 자연적 불평등은 없다.

(6) 고대사상의 근간이 된 자유는 스토아 철학에서 사상적인 완성된다.

(7) 폴리스 중심의 시민적 자유는 헬레니즘의 도덕적 자유로 확대된다.

2) 스토아 학파의 금욕주의 사상

(1) 이성(理性) 중시

- 신적인 이성(Logos, 우주 이성): 우주 일체를 지배하는 최고 궁극의 이법이자, 자연의 법칙으로서 종교적으로 보면 신(神)의 법칙(섭리, 攝理)과 같다. 따라서 우주 만물은 바로 우주이성(logos)의 자기현현(自己顯現)이라고 보았다.
- 인간 이성(人間理性): 세계는 대우주이고 인간은 소우주(小宇宙)로 보았기 때문에, 인간의 내면(內面)에는 신적인 이성이 깃들여 있다고 본다. 인간 내면에 자리 잡고 있는 로고스를 인간 이성이라고 보았으므로, 인간 이성은 신적인 이성과 그 본질에 있어서 똑같다고 여겼다.

(2) 금욕주의(禁慾主義) 윤리 사상

-'자연에 따라 살라'고 강조: 스토아학파는 '자연에 따르는 삶'을 최고의 이상으로 삼았다. 자연에 따르는 삶' = 신의 섭리에 따르는 삶 = 인간 이성에 충실한 삶으로 보았기 때문이다.

- 아파테이아(Apatheia):´부동심(不動心)´의 경지: 극기와 금욕으로 일체의 욕망과 정념(情念)이 단절된 상태이다.

이성적인 자각과 활동을 통해 일체의 정념(pathos)이 없어진 마음의 상태로서, 인간의 궁극적 목적인 최고선(最高善)과 행복(幸福) 실현의 기초가 된다고 본다.

- 이성(Logos)에 따르는 삶 강조: 이성에 따르는 자는 현명하고 유덕한 사람이고, 정념의 노예가 된 사람은 부덕한 사람이라고 한다.

  (3) 세계 시민주의(cosmopolitanism) 사상

- 만민 평등주의 인간관: 인간이성은 보편적 신적인 이성(logos)에 기초하고 있기 때문에, 모든 인간은 평등하고 인종의 차별, 빈부 귀천의 구별, 계급적인 차등이 있을 수 없다고 보았으며, 이러한 점에서 인류는 하나의 형제요 동포라고 생각하였다.

- 이성 중시 사상과 평등주의 사상은 로마의 만민법(萬民法)과 중세 및 근대의 자연법(自然法) 사상의 이론적 기초를 제공했으며, 범신론적(汎神論的) 윤리 사상의 형성 및 그리스도교박애 사상과 세계주의 사상에도 영향을 끼쳤다.

  6. 영지주의(靈知主義))

영지주의(Gnosticism)란 이름 그대로 헬라어의 지식(知識)을 뜻하는 그노시스(γνωσιο)란 말에서 유래한 것이다. 그들은 영지(靈知)에 의해서 구원받는다고 한다. 영지주의자들은 하나님은 너무

위대하시고 거룩하기 때문에 천하고 타락한 이 세상을 창조할 수 없다고 한다. 다만 하나님에게서 여러 단계로 그의 신성(神性)이 발산되어 마지막으로 물질 세계가 창조되었다고 한다.

그들에 의하면 물질은 악한 것이다. 따라서 인간이 구원을 받으려면 물질 세계를 부정하고 보이지 않는 세계를 찾아야 한다고 했다. 여기서 나온 사상은 첫째로 금욕주의이고, 두 번째는 영(靈)은 깨끗하고 실재하나, 물질은 더럽고 실재하지 않는다는 사상이다.

F. 헬레니즘 시대의 종교

1. 종교적 혼합주의

1) 다른 기원을 가진 신들의 동일화 또는 결합이다.
새로 수입된 신들에게 헬라식 이름을 지어준다. 헬라의 신(특히 제우스)은 동양식 이름을 받는다. 헬라의 신들은 동양의 신들과 연결되었다. 헬라의 신과 로마의 신들로 동일화하였다.

2) 각기 다른 종교들의 다양한 요소의 상호 침투가 일어난다.

(1) 동양의 종교들이 헬라화
동양의 종교들의 의식과 관습은 대개 보존되었으나, 그들의 신화들과 종교적 전설은 헬라어로 번역되면서 헬라의 관념들이 포함되었다.
(2) 헬라적 기원을 가진 것이나 동양적 기원을 가진 것을 막론하고, 일반적으로 헬레니즘 시대의 종교의 경험에서 생겨난 개념들(예, 만유를 통치하는 유일한 하늘의 신에 대한 개념)이 모

든 종교에 침투됐다.

(3) 본래의 지역적 전통으로부터 분리되었던 고대의 개념들은 새로운 세계의 문화에 맞도록 재해석되어야 했다. 종교 의식들은 땅의 비옥함과 연관되었다. 구원을 영적으로 해석하는 용어들로 표현하였다.

(4) 더 오래된 종교들의 헬라적 요소 및 비헬라적 요소들로부터 새로운 종교가 만들어졌다.

혼합주의는 인위적 조종의 결과가 아니라 역사적 발달이다. 그것은 상충되는 두 개의 역사적 힘들의 만남이다. 첫째는 오랜 역사를 지닌 전통으로부터 생겨난 압박이요, 둘째는 새로운 문화 및 그 정신과 대화를 해야 할 필요이다.

2. 밀의 종교

헬레니즘 시대에도 올림푸스의 신(神)들을 숭배하는 이들이 있었다. 대체로 헬레니즘 시대에 들어와서 그리스의 다신교는 시대에 뒤떨어진 종교로 미약해졌고 밀의 종교(密儀宗敎)가 활기를 띠게 되었는데 이들은 구속(球贖)과 영생을 약속하였다.

비밀의식에 참여함으로 개인의 심령이 구제된다고 하는 소위 밀의 종교(密議宗敎, Mystery Religion)가 당시 대부분의 사람들에게 상당한 호소력을 가지고 있었다. 그 교리나 의식이 고대 신화(神話)에 기초한 밀의 종교(密議宗敎)는 그들의 입회 의식에서 개종자에게 정죄와 정결의 관념을 일깨워 주었다. 밀의 종교(密議宗敎)는 정교한 의식의 순서와 윤리의 규범을 만들었고 신실한 신도들에게는 영광스러운 불멸의 보상을 약속했다. 데메테르(Demeter)신(神), 디오니수스(Dionisus)신(神)등의 그리스 적인 밀의 종교가 아직도 일부에서 신봉되고 있었으나, 동방에서 들어

온 밀의 종교(密議宗敎)가 점점 그 세력을 확장하였다.

G. 헬레니즘 세계와 유대교의 관계

그리스도교는 '유대교 내의 묵시적 소 종파'로 출발하였다. 그러
므로 유대교가 헬레니즘 세계와 갖는 관계는 그리스도교에 직접
적인 영향을 준다고 볼 수 있다. 우선 문제가 되는 것은 유대교
에 대한 헬레니즘의 영향이 어느 정도였느냐 하는 것이다.

헹엘(M. Hengel)은 헬레니즘과 유대교의 관계에 대한 그의 저서
에서 다음과 같은 결론을 내렸다:
  1) 기원전 3세기 중엽에 이르러서 이스라엘 내의 유대교는 이
미 심각한 정도로 헬라화 되었다. 즉 이것은 이미 안티오커스 에
피파네스의 교서가 있기 전이었다.
  2) 그러므로 헬라화라는 관점에서, 디아스포라 유대인과 팔레
스틴 유대인들 사이의 구분은 확실하지 않다. 그가 주로 의지하고
있는 것은 언어나, 문학, 예술품, 종교적인 표현들이다. 헹엘은
이러한 것들을 근거로 해서 이미 팔레스틴 내의 헬라화가 매우
심하게 진행되었고, 그것이 마카비 전쟁을 일으키게 된 원인이라
고 분석한다.

안티오커스 4세의 요구는 유대인의 정체성을 위협하는 것이었고,
이에 대한 유대인의 항거는 극에 달한 헬라화에 대한 거부로 볼
수 있다. 안티오커스 4세의 강요와 그에 대한 유대인의 반응은
이미 팔레스틴 내에 지속적으로 진행되던 헬라화의 과정을 보여
주는 예라고 할 수 있다.

H. 헬레니즘 세계와 그리스도교의 관계

1. 신약 성서의 배경

기원후 1, 2세기의 헬레니즘 세계는 신약 성서가 헬레니즘의 영향에서 자유로울 수 없다는 것을 알려준다. 헬레니즘 세계가 신약 성서의 배경이 된다는 것은 무엇을 의미하는가? 그것은 일차적으로 그리스도교를 형성시킨 사람들, 혹은 신약 성서의 독자들과 관련된다. 갈릴리와 예루살렘을 중심으로 한 예수의 복음이 유대와 사마리아를 거쳐 팔레스틴 밖으로 전파되면서, 다양한 사람들이 예수의 복음을 접할 수 있게 되었다. 그리고 이러한 청중들의 다양성은 복음의 다양한 성격을 야기시키는 결과를 초래했다.

2. 헬레니즘 세계 속에서 그리스도교의 정체성

1) 타문화를 적극 수용하는 것(타문화에 대한 완전 흡수까지를 포함한다)이다.
2) 적극 반대하는 것(완전 거부까지를 의미한다)이다.
3) 변형, 수정하여 수용하는 것(부분적인 거부, 부분적인 수용을 의미한다)이다.

유대교의 경우, 헬라화의 강요에 대해서 어느 부분에는 완전 거부의 태도를 보이지만, 다른 부분은 수정하여 받아들이거나, 아니면 전적으로 흡수된 상태로 변화하기도 하였다. 그리스도교의 경우도 마찬가지이다. 헬레니즘 세계 속에서 취사선택해서 대응함으로써, 그리스도교만의 독특한 정체성을 형성할 수 있었다.

3. 그리스도교가 헬라 세계 속에서 받아들인 것

1) 밀의 종교 - 세례와 성만찬

이 문제에 접근하기 위해서는 먼저 헬레니즘 종교의 특징이라고 할 수 있는 '혼합주의'에 대한 이해가 필요하다. 헬레니즘은 '혼합화'의 과정이다. 대표적인 것이 종교적인 면에서 일어났는데, 그것이 바로 헬라 세계의 특징인 '밀의 종교'이다. 헬레니즘은 알렉산더가 정복한 근동에 그리스문화를 주입하는 것이었고, 밀의 종교는 그리스적 특성을 지닌 것은 아니었다. 오히려 밀의 종교는 메소포타미아 지역에 있는 근동종교의 특성을 반영한다. 그러나 헬레니즘 세계에서 종교가 가지고 있는 구속력이 약화되면서, 밀의 종교가 헬라 세계의 특징적 종교현상으로 떠올랐다. 밀의 종교에서 영향을 받은 것은 세례와 성만찬이다.

2) 신약 성서의 문학적 형식들

성서 기자들은 예수의 활동과 복음의 메시지를 전하기 위해서, 당시에 일반적이던 문학 양식이나 문학 기법 등을 사용하였다. 복음서는 당시의 문학 형태와는 구별되는 독특한 장르이기는 하지만, 예수를 표현하는 데 있어서, 부분적으로 당대에 유행하던 유사한 부분을 갖고 있다. 또한 신약 성서의 많은 부분을 차지하는 서신 형태는 당시에 의견을 교환하는 대표적인 수단이었음을 알 수 있다.

그리스도교가 형성될 때, 그리스도교는 그가 속한 주변의 이러한 관습들로부터 영향을 받을 수밖에 없었다. 이러한 맥락에서, 그리스도교는 다양한 헬라적 양식이나, 개념, 관습들에 대해서 개방적이라고 할 수 있다. 그러나 그리스도교는 이러한 영향들을 무조건적으로나, 혹은 무비판적으로 수용하지 않았다. 그들이 처한 환경 속에서 그들의 메시지의 내용을 전달할 수 있는 방법을 택하여, 거기에 기존과는 다른 새로운 형식이나 의미를 부여하였다. 그들은 독특한 그들의 메시지를 설명하기 위해서 기존의 양식들을 도구화하였다.

4. 헬레니즘 세계를 거부한 것

1) 보편주의

헬레니즘 세계는 보편주의와 개인주의라는 서로 상반되는 듯한 두 개의 특징을 갖고 있다. 보편주의와 개인주의라는 두 개의 특성은 혼합주의적인 헬레니즘의 특성을 잘 드러내는 것이라 할 수 있다. 보편주의라는 헬레니즘의 정치적 이념이 헬라 철학이나 근동종교와 만났을 때, 개인주의라는 독특한 특성을 낳게 되었다. 그러므로 개인주의와 양립하는 보편주의적 특성은 헬레니즘의 가장 큰 틀이며, 특성이라고 할 수 있다. 헬레니즘의 이러한 근본적인 틀에 대해서 그리스도교는 어떻게 반응하는가?

보편주의는 그리스도교에서도 중요한 전망으로 작용한다. 그러나 헬레니즘에서 말하는 보편주의와 그리스도교에서 말하는 보편주의에는 차이가 있다. 헬레니즘에서의 보편주의는 공간적으로 서로 다른 지역과 문화 속에 사는 사람들을 하나로 묶는 역할을 한다. 반면, 그리스도교에서의 보편주의는 공간적일 뿐만 아니라, 시간적으로 서로 다른 지역과 문화 속에 살았던 사람들을 하나로 묶는 역할을 한다. 즉 그리스도교에서의 보편주의는 하나님의 역사라는 맥락 속에서 모든 사람들을 하나님의 백성으로 편입시키는

데 그 특징이 있다고 할 수 있다. 그러므로 그리스도교와 헬레니즘이 공통적으로 보편주의를 자신의 이념으로 내세운다고 하더라도, 그 강조점의 차이를 통해서, 그리스도교는 헬라적인 시간 이해에 반대할 뿐만 아니라, 헬레니즘이 가지고 있는 개인주의적 특성에도 반대한다.

2) 시간 이해

헬라적인 시간 이해의 가장 큰 특징은 '순환적'이라는 것이다. 그러나 유대적인 시간 이해는 '직선적'이라고 볼 수 있고, 이는 시작과 끝에 대한 생각을 전제로 한다. 이러한 역사이해는 그리스도교와 헬라 세계의 서로 다른 신 이해와 종교적 특성을 가르는 기준이 된다. 그리스도교의 역사 이해의 출발점은 하나님이 이 역사를 주관하시고, 통치하신다는 것이다.

그러므로 그리스도교에서는 하나님의 초월성이 무엇보다 강조된다. 그러나 헬레니즘 세계에서 신들은 보다 더 인간적인 면모들을 갖는다.

3) 이원론

유대교의 묵시문학적 종말론에서는 이원론적 세계관이 강조되는 반면, 그리스도교적 묵시문학에서는 이원론적 세계관을 넘어서는 새로운 이해가 나타난다. 그리스도교에서는 실현된 종말론과 미래적 종말론이 동시에 강조된다. 미래적 종말론은 현재를 악으로 규정하고 도래할 세대에서 희망을 찾는다는 면에서 유대적 묵시문학적 종말론과 다르지 않다. 그러나 실현된 종말론은 악한 현 세대 속에 희망의 미래가 이미 도래했다는 것을 강조함으로써, 뚜

렷한 이분법적 구조를 넘어선다. 이를 가능하게 하는 것이 그리스도 사건이다. 실현된 종말론은 그리스도 사건을 통해서 하나님의 승리가 이미 이 악한 세대 속에 임했다고 선포한다.

그리고 이분법을 넘어서는 이러한 독특한 이해는 헬라 세계의 이원론과도 분명히 구분된다. 헬레니즘의 이원론이 헬레니즘 종교에서 윤리성을 제거함에 따라서, 후기 헬레니즘의 밀의 종교에서 도덕성이 결여되었다. 그러나 그리스도교의 독특한 시간 이해는 현재적 삶의 중요성을 강조하고, 삶의 주인을 하나님으로 인식하게 함으로써, 유대교와 더불어, 도덕적 삶을 종교와 분리시키지 않게 되었다. 이러한 특성은 또한 당시 헬라 종교를 비판하는 기능을 하였다.

이원론은 헬레니즘의 세계관을 구분하는 중요한 요소이다. 헬레니즘 세계에서는 영과 육, 정신적인 것과 물질적인 것의 구분을 통해서, 전자에 속하는 것들을 선한 것으로 후자에 속하는 것들을 악한 것으로 규정한다. 이러한 이원론적 세계관을 가장 잘 반영해 주는 것이 영지주의이다.

영지주의의 출발점은 세상과 인간에 대한 이원론적 이해이다. 영지주의에서는 물질적인 이 세상과 인간의 육에 대해서 부정적인 태도를 취한다. 육에 대한 부정적인 태도는 결국 현 역사에 대한 부정적인 태도와 연결된다.

4) 배타성

하나님에 대한 동일한 이해에서 출발한 유대교는 그들의 구원에 대해 배타적 태도를 갖는다. 그러나 그리스도교는 유대인이나 이방인이 모두 하나님의 구원의 대상임을 강조함으로써, 유대인의 배타성을 넘어선다. 하나님의 구원이 모든 사람에게 이른다는 이러한 보편적 구원에 대한 생각은 구원된 자들을 하나의 가족으로, 같은 하나님의 백성으로 만드는 결과를 초래한다.

XII. 예수 시대의 팔레스타인54)

A. 정치적 상황

1. 로마의 통치

정치적인 통치권은 로마인들과 헤롯 왕조의 통치자들의 손에 있었다. 헤롯 왕조는 제한된 통치만 하고 있었다. 로마인들은 소위 '원군'이라는 로마군을 팔레스타인에 주둔시켰다. 이 군대는 로마 시민 중에서 징집된 것이 아니라, 팔레스타인 지역 자체에서 징집되었다. 특히 사마리아 지역과 가이사랴 지역에서 모집되었다. 로마인들은 유대인들을 군대로 모집하지는 않았다. 이것은 그들의 안식일 준수 때문이었다. 로마인들은 자기들이 지배하는 백성들에게 '평화'를 성취하여 주었다는 사실을 자랑으로 삼고 있었다. 그래서 로마인들은 가상군(소수의 병력)만을 주둔시켰다. 주력 부대는 가이사랴에 있었다. 그곳에 총독의 집무실도 있었다. 가이사랴 군대에 백부장 고넬료가 근무하고 있었다(행 10, 11장). 예루살렘에 주둔한 로마의 수비대는 약 700~1,000명이었다.

로마 당국과 헤롯 왕조의 통치자들이 해야 할 임무는 팔레스타인 지역의 평화와 안정이었다. 세금과 재판의 문제도 다루었다. 세금에는 '조세와 관세' 조세는 자치단체의 일반 경비로 관내의 국민에게 받는 세금이었다. 관세는 외국과의 관계지역에 대하여 세관에서 받는 세금이었다. 재판권은 자치적이었다. 그래서 헤롯 왕

---

54) 베르너 푀르스터, 문희석 역, 신구약중간사, 컨콜디아사, 1975, pp. 173-252.

조들은 로마로부터 권세를 받아 사용하였다.

2. 유대인의 자치 상황

로마의 정책은 예속된 백성들의 독특한 생활과 자치제도를 보존하려 하였다. 팔레스타인의 사법체제도 보존되었다. 정치적인 문제와 관련이 없는 것만 취급하였다. 사형 선고만은 로마의 총독에게 확정권을 주었다. 이 사실은 예수님의 재판에서 드러났다.

산헤드린(최고 회의)에서 모든 것이 의논되었다. 신약 성서가 '장로들, 대제사장들, 서기관들'은 최고 회의를 의미(마 16:21, 27:41. 막 8:31, 15:1. 눅 9:22. 행 4:5)한다.

B. 사회 체제

1. 가부장 제도

가부장 제도는 동방 세계에서 찾아볼 수 있다. 가부장 제도는 남편과 아버지가 아내와 어린이를 지배하는 권세이다. 그러나 당시 로마에서는 여성과 어린이의 해방 운동이 널리 퍼져 있었다.

유대교에서는 가부장 제도를 보장하였다. 창세기 3장 16절 '남자가 여자를 다스릴 것이다', 출애굽기 20장 12절 '너의 아버지와 너의 어머니를 공경하라', 레위기 19장 32절 노인에 대한 존경 '너는 흰 머리 앞에서 일어서고, 노인의 얼굴을 공경하라'

신약성서 시대에 와서도 가부장 제도는 계속되었다. 팔레스타인의 크리스천 회중들이 '늙은이'와 '젊은이'로 구별된 것(행5:6,

벧전5:1, 5)은 노인에 대한 존경을 증언하는 말씀이다. 자기 부모를 공경하라는 계명은 모든 유대인들에게 가장 중요한 계명 중의 하나로 여겼다.

2. 여성의 지위

구약성서 자체는 여성에게 낮은 지위였다. 예를 들면 산모가 아들을 낳았을 때보다는 딸을 낳았을 경우에 훨씬 더 오랫동안 "부정하다"는 것이었다.

남자와 여자의 서로 다른 지위는 제사의식과 율법에 대한 남녀 관계에서도 명백하게 나타났다. 여성들은 성전 뜰에까지('여자의 뜰') 허용되었다. 여성들은 희생제물을 바칠 수가 없었다. 회당 예배에 필요한 예배자의 정원수가 참석되었는지를 결정할 때도 여성들은 계산되지 않았다. 회당에서도 남자와 여자는 구별되었다. 그런데도 여성들은 안식일 식사에 참여하였고, 비상시에는 공동체 전체가 여성들과 어린이 모두 연합하여 함께 기도를 드렸다. 여성들은 율법을 공부할 책임마저 없었다. 법정에서 증언도 할 수 없었다.

3. 결혼

결혼 연령은 매우 빨랐다. 남자는 18~24세, 여자는 13~14세였다. 아버지가 자기 딸을 남자의 아내로 주었다는 가부장적 표현이 있다. 남자는 자기 아내를 이혼시킬 수 있으며, 아내는 이혼을 당한다. 남자는 결혼하는 것이 의무로 되어있다. 홀아비라고 하더라도 다시 결혼을 하여야 되었다. 여성의 위치는 집안에 제한되었다. 일부다처주의는 법적으로 금지하지 않았다.

C. 문화적 상황과 경제적 상황

1. 문화적 상황

갈릴리, 유대, 이두매, 그리고 베뢰아는 비유대인의 문화라는 바다속에 빠져 있는 똑같은 유대교의 섬들이었다. 이러한 비유대인의 문화를 지니고 있는 곳은 헬라주의적인 도성들이었다. 유대와 갈릴리 사이에는 사마리아 지방이 있었는데, 헤롯은 모든 찬란한 헬라 문명에 따라서 이 도성을 건설하고 세바스데라고 이름을 바꾸었다. 지중해 해변에 있는 가사(Gaza)와 아스글론은 특별히 헬라적이다. 욥바는 주로 유대적이었으며, 해변의 가이사랴는 부분적으로만 유대적이었다. 갈멜산 북쪽으로는 해안선을 따라 갈릴리 서부 경계선에 이방인들의 도성들이 줄지어 있었다. 갈릴리 북동 편에서는 분봉왕 빌립이 벳세다 줄리아스와 가이사랴 빌립보에 헬라 문화의 중심지를 건설하였다.

오직 유대인들만이 정착하고 있는 지역에서도 헤롯 왕조의 통치자들은 헬라의 문화를 끌어들였다. 예루살렘에 원형 경기장, 극장, 경마장 등이 생겼으며, 여리고에 오락 시설이 건설되었다. 특별히 사두개인들은 헬라 문화를 받아들이는 선구자가 되었다. 그러나 팔레스타인의 유대인들과 바리새인들은 헬라 문화에 대하여 단호히 반항하였다. 헤롯이 죽은 다음 유대인들은 헬라인의 철수를 요구하였다.

2. 경제적 상황

예수님의 비유 중에는 순박한 서민 생활의 관습을 엿볼 수 있다. 등경 위에 놓은 등불이 집안에 있는 모든 사람에게 비춘다(마

5:15). 여기서 '집'이란 단어는 오늘날 아랍인들의 경우와 마찬가지로 방만을 의미한다. 자기 '집' 전체를 쓰는 여자의 비유, 곧 잃어버린 동전을 찾으려고 집안을 쓰는 비유에서 그 집은 엄격히 말해서 바로 이 방 하나를 의미하였다. 온 가족들은 전부가 한 침상에서 다같이 잠을 자고 있었다. 물론, 예수님이 비유에는 다른 모순도 반영되어 있다. 악한 종이 자기 주인에게 1만 달란트의 빚을 졌고, 1백 데나리온의 돈을 친구에게 빌려주었다(마 18:24). 1만 달란트는 약 3백만 파운드(약 53억 6천 6백만 원)이다.

경제생활은 기본적으로 농사였다. 토지를 경작, 포도를 재배, 감람유를 경작했다. 부업으로는 수공업을 하였다.

D. 종교적 배경

1. 민족으로서의 유대인 : 개종자

신약성서 시대에 와서 유대 백성의 종교적인 상황은 일원화된 모습으로 나타나지 않고 있다. 수많은 '당파들'과 풍조들이 유대인들에게서 나타났다. 유대인은 일개 민족이었으며, 실로 공통된 역사를 통하여 하나로 결합된 민족이었다. 그들은 하나님의 의해 선택되었다는 것을 자각하였으며, 그 목표는 모든 백성의 구원으로 보았다. "너를 통하여 세상 모든 족속이 축복을 받을 것이다 (창12:3)" 이스라엘 백성과 연합된다는 외부적인 표시는 아브라함과 하나님이 맺으신 언약의 표 곧 '할례'였다. 안티오쿠스 4세 통치 밑에서 할례를 폐지한 유대인들은 이로써 다른 민족들 속에 흡수되기를 원하였었다. 할례는 의식적인 침례와 희생 제사도 포함하였는데, 이것을 통하여 이방인도 유대 백성으로 융합될 수가 있었으며, 아브라함의 계약의 아들, 곧 '개종자'가 될 수 있었다. 그러나 할례문제는 사도들의 회의에서 거부되었다(행15장). 개종자들은 할례를 통해 개종자가 되었지만 유대인의 백성에 들어가지는 못하였다. 족장들을 우리들의 조상이라고 말할 수가 없었다. 유대인으로 간주되지도 않았다.

2. 성서의 교훈

성서에는 유대 백성들과 그들에게 부과된 율법의 특수한 역사에 대하여 기록된 내용이 있다. 그래서 그들은 어렸을 적부터 이 성서를 가르쳤다. 성서를 가르치는 이 교훈은 세 단계로 구별되었다. 부모의 가정, 학교, 그리고 회당이었다.

유대 민족의 기반은 부모의 가정에서 확립되었다. 유대인의 소년은 13세가 되면 모든 계명을 지킬 의무가 있다. 누구나 성서에 접근하는 일을 도와주기 위하여 '학교'가 생겨났다. 성서를 봉독하는 습관은 레위기부터 시작되었다. 예루살렘과 같은 비교적 큰 도성들에는 여러 개의 회당이 있었다. 고대의 로마에는 최소한 13개의 회당이 있었다. 회당의 설비는 아주 단순하였다. 회당에는 율법을 공부하는 교실이 딸려 있었다. 회당 자체에 가장 중요한 것은 '법궤' - 그 속에 두루마리 성경책들이 보존되었다. 회당 예배는 안식일 오전에 실시되었다. 다른 종교의식은 안식일 오후에 드렸다. 월요일과 목요일에도 예배가 있었다. 예배의 내용은 신앙 고백, 기도, 성경 봉독, 설교, 축도이다. 성경 봉독은 두 부분이었는데, 일부는 토라(오경)였고, 이것은 3년에 한 번씩 전부 다 읽도록 하였으며, 다른 한 부분은 '예언서'였다.

3. 유대인의 배타성

1) '하나님 신앙'

우상에게 바친 음식이 유대인들에게는 괴로움이 되었다. 유대인들에게는 구약성서의 몇 구절을 회상의 표시로서 가지고 다니며 집 문에다 걸어 놓았다. 신명기 6장 4절에서 9절, 11장 13절에서 21절, 민수기 15장 37절에서 41절, 이것은 한 '고백'으로 결합되어 모든 유대인들이 매일 2회씩 암송해야 했다. 이 고백서의 이름은 '쉐마'라고 하였다. 이 고백은 이스라엘이 한분이신 하나님을 믿는 신앙 고백이었다.

2) '안식일'

디아스포라 유대인들도 안식일에는 법정에 나설 수 없고, 로마 시민권을 가지고 있더라도 병역에서 면제되었다. 이것은 안식일에는 먼 거리의 행군이 금지되었기 때문이다.

3) '깨끗한 것과 더러운 것'을 분별하여 지키는 것

이것은 첫째 돼지고기 같은 금지된 음식과 우상숭배와 관련된 음식 문제이다. 둘째로 동물에 관련된 것인데, 동물 자체로서는 깨끗하지만, 의식의 절차에 따라서 도살되지 않은 것, 곧 목메어 잡은 것과 피를 빼지 않은 것이다.

4. 시민 집단으로서의 유대인

디아스포라 유대인들이 누렸던 특권들 중에서 중요한 것 하나는 그들의 율법 곧 구약성서에 따라서 '자기들의 제판을 행사할 수 있는 권리'였다. 그러나 사형 선고는 총독이 확정하였다.

5. 성전과 제사의식

유대인들의 정신적인 중심지는 예루살렘 성전이었다. 대 절기 때만 되면 세계 각처에서 살던 유대인들이 떼를 지어 모였다. 그러나 성전은 무너졌다. 그렇지만 성서가 남아있기에 유대교는 붕괴되지 않았다. 성전은 희생제물을 드리는 성소였다.

E. 유대교 당파

1. 에세네파

초기의 에세네파 운동이 일어나게 된 결정적인 사건은 두 가지가 있다. 하나는 마카비 전쟁의 발발이고, 다른 하나는 하스몬 왕조 알렉산더 얀네우스(요나단)와 바리새인들 간의 전쟁 비슷한 논쟁 (주전 88년)이었다. 에세네 운동은 이 중간에 일어났기 때문에 주전 2세기 후반이다.

하스몬 왕조 시대 하시딤 파의 제사장들은 성전 제사에 참여하지 않았다. 왕이 대제사장 역할을 하며 타락하는 것을 반대하였다. 여기에서 에세네파가 생겨났다. 그러나 어떤 자들은 성전과 통치 계급의 하스몬 왕가로부터 손을 떼지 않았다. 이들이 '바리새인들'이었다. 분열된 자들은 에세네파의 교단에 들어갔다. 이 교단의 우두머리는 '의의 교사'라는 칭호를 가졌다.

다메섹 문서는 이 운동의 초기 상태를 다음과 같은 말로써 묘사하고 있다.

"(하나님)이 제사장 계급과 평신도들에게서 꽃이 피게 하셨다. 옛날에 심겨진 그 뿌리에서---- 그 때에야 그들이 자기들의 죄악을 깨닫고, 자기들의 잘못을 알았다. 그러나 20년 동안이나 그들은 소경들처럼 자기들의 길을 더듬고 있었다. 그래서 하나님이 그들을 위하여 율법을 정확하게 가르칠 수 있는 한 사람을 세우셨다(곧 의의 교사)"

여기서 교사가 하는 행위는 1) 하나님의 길에 따라서 인도하고, 2) 시대의 종말에 하나님이 하실 행동에 대하여 메시지를 전달하는 것, 하나님의 뜻을 전달하는 것이다.

에세네인들(Essenes)은 광야에서 고립된 집단생활을 하였다. 스스로 구별된 자라고 자처했던 바리새인들이 율법에 대해 철저하지 못함을 비판하면서 에세네인들은 광야로 도피한다. 에세네파는 세속과의 철저한 단절 속에서 율법의 요구를 이룰 수 있다고 보았다. 에세네파 가운데 여러 공동체가 있었는데 이 가운데 쿰란이라는 마을에서 집단생활을 한 쿰란 공동체(Qumran community)는 보다 엄격한 율법공동체였다.

쿰란 공동체는 구약성서의 율법을 철저히 지키고자 했지만, 예루살렘 성전의 제단에서 드려지는 희생 제사는 거부하였다. 그들은 고유한 정결 의식을 거행했으며 태양력을 사용하는 절기들을 제정하였다. 이들은 하나님이 세우실 새로운 시대를 준비하였다. 이들은 다가오는 의의 교사(teacher of Righteousness)를 대망하였다. 세례자 요한은 에세네파에서 나온 자였다.

2. 바리새파

바리새파 운동의 시작은 헬라주의적인 외세의 현저한 증대에 유대인의 신앙을 지키려 했던 마카베오 시대에 일어났다. 하시딤, 마카베오 봉기를 끌고 온 경건한 사람들의 단체에서 바리새파 사람들이 율법에 충실한 집단으로서 생겨났다. 하시딤 파 중에서 의의 교사를 따르지 아니하고, 대 제사장과 성전에서 분리되지 않은 자들은 바리새파를 형성하였다.

신약 성서 시대에 살았던 유대 백성들의 생활에 가장 큰 영향을 끼친 것은 바리새인들이었다. 예루살렘 성전이 무너진 이후, 유대교의 본질적인 내용을 보존한 자들은 바리새인들이었다. 이들은 이스라엘이 그리스 문화의 영향을 받아가는 헬레니즘화로 이스라엘 고유문화와 신앙을 잃을 것을 우려하여 오경(토라 또는 율법)의 가르침을 문자적으로 준수하는데 철저함을 보였으며, 유대교 신학을 계승하는 업적을 남겼다. 종교적으로 천사 등의 영적인 존재를 받아들였고 부활을 믿었기 때문에, 영적인 존재와 부활을 믿지 않는 사두개파와 대립하였다.

바리새파는 유대교에서 매우 중요한 종파이다. 기원후 70년 유대 전쟁 이후 유대교를 이끄는 종파가 되었다. 유대 전쟁으로 로마 제국이 예루살렘을 함락하고, 성전을 파괴하고, 유대 지역을 완전히 진압하여 유다 왕국은 패망하였다. 예루살렘 성전을 중심으로 하던 유대교는 성전이 없는 유대교로 변화되었고, 이후 당시 유대교의 주요한 세 종파였던 사두개파와 젤롯파 바리새파 중에서 바리새파만이 남았다. 정치적 지배 세력을 지지하던 사두개파와 무력항쟁을 지지하던 젤롯파는 유대 왕국 패망 이후 존속할 수 없었다. 바리새파는 이후 유대교 주류가 되었고, 성전 없이 회당을 중심으로 하는 유대교를 형성하여 현재 유대교를 이루는 중요한 종파가 되었다.

바리새파는 초기 기독교도와 첨예하게 대립하였다. 바리새파는 유대인 기독교인을 회당과 유대 사회에서 축출하고, 추방하였으며, 기독교 전파와 형성을 유대교의 위험요소로 인지하여 기독교를 적극적으로 제지하였다. 이로 인해 신약 성경에 나오는 바리새파의 대부분은 반기독교, 반그리스도적 성향을 보이는 것으로 묘사되었다.

3. 사두개파

사두개인들이라는 칭호는 사독이라는 사람에게서 온 것인데, 이 사독은 아마도 다윗 시대의 대제사장 사독과 같은 사람으로 생각되었던 것 같다(삼하 20:25). 아직도 확실하게 해결되지 않은 곤란한 문제는 '사독의 아들들'이 에세네파에서도 특별한 역할을 하였다는 점에 있다[55]

사독 가문의 한 분파는 이집트 "레온토폴리스"에 성전을 건립했고, 다른 한 분파는 광야로 물러나 에세네파 형성에 중추적 역할을 감당했다. 마지막 한 분파는 예루살렘에 머물며 하스모니아 지도층과 결탁하게 되는데, 이들이 사두개인들이다.

사두개인들은 철저한 실용주의로 권력의 핵심에 서기도 하며, 토라 전승의 수호자들로 종교적 권위를 인정받았다. 토라인 오경만을 표준으로 생각하였다. 이들은 예루살렘 성전의 일을 행했으며, 공회에서 지도적인 당파로서 정치적인 책임을 주로 맡았다.

사두개파는 신학적으로 "옛-종교"(the old-time religion)가 믿는 것을 추종하는 보수주의자들이었다. 이들은 모세 율법에 문자

---

55) 베르너 푀르스터, 문희석역, 신구약중간사, p. 234.

적으로 포함된 것을 넘어서는 가르침은 거부했다. 이들은 바리새파를 옛 율법을 현대적 조건에 적용하기로 고안된 구전(口傳)을 가진 혁신주의자들(innovators)로 간주하였다. 사두개파는 몸의 부활에 대한 바리새파의 신앙은 성경적 근거가 없는 "신(新) 교리"라고 거부하였다. 구약의 다니엘서는 분명히 부활에 관하여 말하고 있다. 그런데 사두개파는 다니엘서는 밀의 서적 경전(the canon of sacred writings)의 한 부분이라고 거부하였다.

요세푸스에 따르면 그들은 영혼 불멸의 개념을 부정하고 미래의 상급과 보상의 개념을 거부했으며 무 제한적 자유의지의 교리를 신봉했다. 그들은 토라 만을 인정하고 다른 율법과 규정에 대한 권위를 부정함으로 바리새인들의 교의와 구별되는 특징을 보인다. 사두개파는 재판 과정에서 엄격한 판단을 내렸고, 바리새파 사람들은 관대한 방향으로 기울어졌던 것 같다.

4. 헤롯파

헤롯 추종자들(Herodians)은 헤롯 왕가의 권좌를 유지하기 위하여 애썼다. 예수의 사역 동안 헤롯 가족 중 2명이 이스라엘 내에 또는 가까이 있는 공직을 차지했다. 헤롯 안티파스(Antipas)는 갈릴리와 페레카의 영주이었고, 그의 형제 필립(Philip)은 갈릴리 호수의 동쪽과 북동쪽 지역의 영주이었다. 우리가 복음서에서 만나는 헤롯 추종자들은 헤롯 안티파스의 지지자들이다. 헤롯의 지위에 대한 위협이 가해지면 처리하는 것이 그들의 일이었다. 그러한 위협이 예수가 보내신 12제자들의 갈릴리 선교시에 일어난 것으로 보인다. 헤롯 추종자들은 예수와 그의 제자들이 헤롯의 안전에 있어서 가져오는 위협을 제거하는 것을 이들의 의무로 생각했다.

마가복음(12:13-17), 누가복음(20:2-26), 마태복음(22:15-22)
에서는 바리새파와 헤롯 사람들이 가이사에게 세금을 바치는 문
제를 가지고 예수를 시험한다. 이들은 예수의 대답을 책잡아 예수
를 열심당에게 넘기려고 하였다. 그러나 예수는 "가이사의 것은
가이사에게, 하나님의 것은 하나님에게 바치라"(막 12:17)라는
명답을 제시하고 곤경을 벗어나신다.

예수는 "바리새인들과 헤롯의 누룩을 조심하라"고 그의 제자들에
게 당부하였다(막8:15). 제자들은 이 말의 의미를 파악하지 못했
다. 예수님은 하나님 나라에 적대적인 세력들에 관하여 언급하신
것이다. 예수는 헤롯이 자기를 죽이고자 한다고 갈릴리에서 떠나
도록 경고를 받았다. 이때 예수는 헤롯을 "여우"라고 지칭하였다:
"너희는 가서 저 여우에게 이르되 오늘과 내일은 내가 귀신을 쫓
아내며 병을 고치다가 제3일에는 완전하여지리라 하라. 그러나
오늘과 내일과 모레는 내가 갈 길을 가야 하리니 선지자가 예루
살렘 밖에서는 죽는 법이 없느니라"(눅 13:32-33). 헤롯의 위협
에도 불구하고 예수님은 갈릴리에서는 안전하다고 느꼈다. 예수님
은 선지자가 예루살렘 바깥에서 죽는 것은 의미가 없다고 하여
예루살렘으로 올라간 것이다.

  5. 열심당

로마 제국의 식민통치에 폭력항쟁으로 맞설 것을 주장한 유대의
종교적 민족주의 정치 운동이다. 열심당(Zealots)은 1세기 유대
교의 영향력 있는 당파이었다. 열심당은 6세기에 유대가 로마 제
국의 속주(屬州)로 병합되었을 때 로마에 대하여 반란을 일으킨
갈릴리 사람 유다(Judas)에 의하여 비롯되었다. 그들은 66년에
서 70년에 걸친 대대적인 유대인 반란인 제1차 유대-로마 전쟁

에서 주도적인 역할을 하였다. 이들은 66년 예루살렘을 장악하여 4년간 버텼으나 70년에 로마군이 예루살렘을 함락시키고 성전을 파괴하는 것으로 전쟁이 끝났다.

십자가에서 처형된 '강도 두 사람'도 실제로는 강도가 아니라, 열심 당원이었거나 적어도 로마 제국에 반대하여 십자가형에 처해진 자들이었을 것이다. 예수의 제자 중 가나안인 시몬(Sinmon the Zealot)은 열심 당원이었다.

F. 묵시문학적 배경

묵시문학은 신구약 중간기에 주로 번성한 것으로 B.C. 200~A.D. 200년경에 걸쳐 특히 유대교와 그리스도교에서 융성했던 문학 장르이다. 묵시록은 '묵시'라는 뜻을 가진 그리스어 'apokalypsis'에서 유래한 단어이다. 묵시문학은 1차 적으로 핍박을 당하고 있거나 문화적 대변혁으로 고통을 받고 있는 종교 집단들에게 소망을 주기 위해서 기록되었다.
신실한 선민(選民)을 위해 하나님이 불시에 인간의 역사 속으로 임하는 극적인 사건을 그리고 있다. 인간사에 하나님이 극적으로 개입하는 것에 수반되는 사건들, 또는 그것을 예고하는 사건들은 우주적 규모의 대격변들로서, 예를 들어 사탄이 잠시 동안 세상을 다스리는 것, 하늘의 징조들, 핍박, 전쟁, 기근, 전염병 같은 것들이다.

묵시문학의 집중적인 관심의 대상은 미래의 일을 다룬다. 즉 미래에 악이 정복당하고 메시아적인 인물이 임하실 것이다. 그리고 영원한 평강과 의의 나라인 하나님의 나라가 세워질 것에 대한 것이었다. 악한 자들은 지옥에 떨어지고 의인 또는 선민들은 새로운 땅과 하늘에서 하나님 또는 메시아와 함께 다스린다고 묵시문학은 묘사하고 있다.

구약성서의 다니엘과 신약 성서의 요한의 묵시록은 묵시문학을 대표하며, 신·구약 중간기의 책들도 묵시적 주제들을 담고 있다. 묵시적 주제들은 현대문학에서도 다루어지며 특히 공상과학소설에서 자주 나타난다.

1. 발생 배경

1) 유배와 귀환이 가져다준 상처

(1) 587년의 바빌론 유배사건 - 위기의식의 탄생
(2) 예루살렘 성전파괴 - 신관 붕괴, 정체성 붕괴
(3) 포로 귀환 - 주전 538년 페르시아 왕 고레스(키루스)의 칙령으로 귀환
오래된 희망은 회의와 불신, 절망이라는 비관적 현실로 대체하였다. 또한 새 우주의 창조를 환상적으로 보기 시작하였다.

2) 성전건립을 둘러싼 권력 투쟁

(1) 유배에서 돌아온 사독 계열 - 제정(祭政)주의적 패러다임
(2) 이스라엘에 남아있던 기존 계열 - 묵시주의적 패러다임

3) 묵시문학의 태동기와 비폭력 저항

(1) 알렉산더 대왕(주전 336~323년)과 헬레니즘
(2) 헬레니즘의 침투 : 세계화인가? 문화 식민지화인가?

(3) 안티오쿠스 4세의 폭정과 이스라엘 내부 분열
(4) 묵시문학의 태동 - 비폭력 저항의 시작

2. 유대 묵시문학 (Jewish apocalyptic literature)의 특징

1) 메시야 대망 사상

경건한 유대인들 중에 마카비 혁명 이후에 펼쳐진 부패한 하스몬 제사장이 다스리던 정부에 불만을 품고, 실제로 성취된 적이 없는 정결한 유대교로 회복시킬 메시아의 도래를 대망하기 시작했다. 그 대망은 세 단계를 통해 이룩된다고 보았다:
(1) 이스라엘에서 율법을 준수하지 않는 땅에 속한 자들(암하아레츠)을 추방하고,
(2) 디아스포라의 경건한 유대인들이 돌아오고,
(3) 이스라엘 땅을 외국 통치에서 해방하는 것이다.

2) 종말 사상

(1) 세상의 종말에 일어날 사건들에 관심을 집중
(2) 현 세상에 대한 염세-비관주의 (pessimism)
(3) 새로운 세계의 도래라는 낙관으로 교체

3) 두 세대들(The Two Age) - 현 세상 (this age)과 오는 세상 (age to come)

(1) 현세대는 악마의 지배를 받아 대체로 파멸, 시련, 슬픔, 위험, 그리고 걱정, 근심으로 채워지게 된다.
(2) 새 세대에서는 악마의 세력이 완전히 소멸됨으로 빛, 영

과, 생명이 반대급부로 주어진다.

4) 심판과 하나님 나라

(1) 현세대의 끝이 곧 새 세대의 시작으로, 이 두 세대 사이에는 심판에 의해 구별된다.
(2) 최후의 심판이 있기 전에 특정한 고통과 비탄의 시기(메시야 도래의 진통)가 온다.
(3) 정치적이고 군사적, 초자연적인 조짐이나 세력, 자연 질서의 변동이 온다.

G. 로마적 배경

1. 로마 공화정의 발전

로마인이 지중해로 진출하여 그리스 문화와 본격적인 접촉을 갖게 된 것은 기원전 2세기 중엽이지만, 그들의 역사는 그보다 훨씬 이전으로 거슬러 올라간다. 기원전 2000 이태리 반도에는 중앙아시아에서 이주해 온 라틴인, 움브리아인, 삼니움인이 거주하기 시작. 기원전 1000년경에는 에트루리아인이 이주해 살았다. 기원전 8세기에는 그리스인의 식민운동으로 이태리 남부와 시칠리아섬에 그리스인들이 정착하였다.

기원전 8세기에 일부 라틴인들이 티베르강 유역에 조그만 촌락공동체를 세웠는데, 그것이 대로마제국의 시초이다. 초기 로마인들은 에트루리아인과 그리스인들의 문물을 많이 수용하였다. 특히 에트루리아인은 기원전 6세기 로마를 직접 통치하여 로마의 정치제도와 관습, 문화의 형성에 많은 영향을 주었다.

1) 로마 공화정의 성립 : 귀족정

기원전 509년에 에트루리아인 왕을 몰아내고 공화정을 수립했다. 공화정 하에서의 국가는 왕의 사유물이 아니라, 말 그대로 인민의 공유물이었다. 세습에 의한 왕이 없어지고, 민회에서 인민의 동의를 얻어 선출된 2인의 콘술(집정관)이 1년간 국가를 대표하는 통치자 구실을 했다. 민회에서 입법, 관리 선출, 전쟁과 세금 등에 관한 국가정책이 의결하였다. 로마의 민회는 토의나 표결과정에서 토지 귀족들의 권한이 더욱 우세해졌다.

원로원은 토지 귀족들의 회의체였고, 로마 공화정에서 실질적인 의결기관의 역할을 하였다. 로마의 공화정은 전통적인 혈통 귀족들의 특권을 보호하는 체제로 이루어졌다. 평민은 자신의 정치적 의사를 대변할 기구를 갖지 못했고, 성문법의 부재로 법정에서의 평등을 보장받지 못했다. 평민들은 귀족의 정치독점에 대한 투쟁을 전개하였다.

2) 신분 투쟁의 경과

기원전 494년 로마의 평민들이 로마에 침입해 온 외적과의 전투를 거부하고 성산으로 철수하자, 귀족들은 평민에게 평민만의 집회인 트리부스 평민회를 조직하고 평민의 권익을 옹호하는 관직인 호민관을 선출할 수 있도록 인정했다. 기원전 449년 로마 최초의 성문법인 12표법이 제정되어 귀족들의 자의적인 법 운용에 제동을 걸었다. 기원전 445년 악법 조항이던 통혼 금지조항이 폐지되었다. 기원전 367년 리키니우스는 섹스티우스 법의 제정에 따라 두 명의 콘술 중, 한 명은 반드시 평민 신분 중에서 선출되도록 규정하였다. 기원전 3세기 초, 콘술 이외의 다른 여러 관직들도 평민들이 맡을 수 있게 되었다. 기원전 287년 호르텐시우스 법은 평민권 신장의 절정을 이뤘다. 귀족 신분의 동의 없이 평민회의 결의만으로 국가정책에 대해 구속력을 가지게 되었다. 평민은 형식적이나마 귀족과 평등한 권리를 누리게 된 셈이었다. 그러나 전체 평민 가운데 소수인 부유한 평민들만이 신분 투쟁의 혜택을 누렸다. 전통적인 혈통 귀족에 부유한 평민층이 가세해서 새로운 지배층인 신귀족들이 생겨난 것이다.

원로원이 여전히 실세였다. 귀족정에서 좀 더 자유화된 과두정으로 변화했을 뿐이다. 소수 귀족의 지배라는 양상은 변함이 없었다. 신분 투쟁이 무력에 의해서가 아니라 타협에 의해 평화적으로 진행된 점은 양 신분의 화합 관계를 잘 말해 준다.

  3) 로마가 어떻게 제국을 이룩할 수 있었을까?

  (1) 평민권의 신장

로마에서 기원전 3세기 초엽까지 평민들이 형식상 귀족들과 평등한 권리를 획득하게 되었는데, 이렇듯 평민들은 이태리 반도 정복전에서 그들의 군사적 공헌이 그만큼 요청되고 그만큼 컸기 때문에, 평민의 정치 참여권이 늘어난 것이다.

  (2) 이태리 모든 주민들을 로마 지배하에 결속시킬 수 있었다.

로마 군대 내에서 평민들의 공헌이 아무리 크고 또 로마 병사들의 사기와 전투력이 아무리 뛰어났다 하더라도 서부 지중해 세계를 지배하고 있던 카르타고와 맞서 싸우고, 동부 지중해의 마케도니아, 소아시아 시리아까지를 정복하여 지중해 세계를 하나의 판도 안에 넣기는 어려운 일이다. 그럼에도 로마가 그럴만한 강대한 군사력을 갖출 수 있었던 점은 이태리의 모든 주민들을 로마의 지배하에 결속시킬 수 있었기 때문이다.

로마는 정복한 이태리 주민들을 자신의 지배하에 예속시키는 것보다는 오히려 동맹자로서 받아들이는 길을 택하였다. 어떤 도시에서는 정복한 도시의 자치를 이용하기도 하고, 어떤 도시에서는 상층민들에게 완전한 로마 시민권을 부여하는가 하면, 참정권 없는 반(半) 시민권을 부여하기도 하였다. 이렇게 함으로써 로마는 이태리 반도 내의 모든 도시들을 로마를 중심으로 하는 폴리스연합체로 편성하였다. 이리하여 그들 사이에는 일종의 동족의식이 싹트게 되고 로마에 대한 충성심을 바탕으로 서로 결속하게 되었다.

그리스 폴리스들이 외부인에 대한 시민권 부여를 거부함으로써 상호 배타적이며 폐쇄적으로 되어 내내 대립과 분쟁을 면치 못한 것과는 달리 로마는 주변 이태리인들에 대한 로마 시민권 확대나 동맹정책을 통하여 이태리 전체를 로마화하고, 또 이것을 바탕으로 해서 지중해 세계 전체를 로마적 체제 안에 통합할 수 있었던 것이다.

 4) 로마의 지중해 세계 통일

  (1) 포에니 전쟁

지중해 팽창에서 마주친 첫 상대는 카르타고인이었다. 카르타고인과 로마인이 서부 지중해의 지배권을 놓고 벌인 전쟁이 바로 포에니 전쟁이다. 3차례 포에니 전쟁을 벌임. 카르타고는 이태리 반도 주변의 코르시카, 사르디니아, 시칠리아섬에 대해 지배권을 행사할 만큼 서부 지중해 제일의 강력한 해상국가였다.

(2) 로마는 카르타고와 전쟁을 하는 동안 헬레니즘 세계의 마케도니아 왕국과도 전쟁을 하였다.

마케도니아를 정복하고 그리스와 소아시아까지 지배하였다. 기원전 2세기 중엽 로마는 지중해를 총괄적으로 지배하는 대국이 되었다.

(3) 로마팽창의 경과

문화적으로 로마는 그리스 문화와 본격적인 교류를 이룰 수 있었고, 경제적으로는 속주로부터 막대한 부를 거두어들였다. 경제적 혜택은 상류층인 원로원 계층과 그 아래 기사 계층에 주로 돌아갔다. 시민군 병사와 동맹국 군대는 기대한 만큼 보상을 받지 못하였다. 농민들의 기반을 약화시켰다. 막대한 전쟁 포로 출신의 노예 노동력이 농촌에 대거 유입시켰다. 노예노동력으로 대지주들은 대토지 농장을 경영하였다. 농민들은 토지를 잃고 노예에게 일자리도 빼앗겨 무산자가 되었다. 사회 불안세력이 되었다.

5) 공화정의 붕괴와 제정의 성립

농민의 이농은 조세 수입의 감소로 이어졌다. 로마인의 곡창지대 시칠리아에서 기원전 139년에서 131년에 노예봉기가 일어나서 곡물 부족의 위기가 대두되었다. 그락쿠스 형제는 국가적 위기를 타개하려는 개혁을 일으켰다. 자영농을 육성하여 전반적인 로마의

안정을 기하자는 것이었다. 원로원 세력은 이들 형제를 제거하였
다.

(1) 공화정 말기의 내전기

귀족파와 평민파(그락쿠스 지지)가 서로 대결하였다.

(2) 공화정 붕괴의 배경

계속되는 정치 분란 속에 자영농의 몰락으로 인한 병제 개혁을
이루었다. 군인 정치가가 등장하였다.
마리우스의 병제 개혁 : 군대가 사병화되자 공화정이 무너졌다.

배경과 과정: 기원전 113년 로마군은 게르만 인들과 싸움에서
계속 참패하였다. 중장 보병 농민의 몰락이 일어났다. 마리우스는
로마 시민군 전력을 강화코자 빈민 가운데 지원군을 모집하여 무
장하였다. 이를 통해 겨우 게르만인을 물리칠 수 있었다. 이 방안
은 직업군인으로 복무하는 병사와 그들에게 급료를 지급하는 장
군 사이의 사적인 결합을 초래했다. 군대는 그 장군들의 사병집단
으로 변해갔다.

결과는 빈번한 전쟁에서 공을 세운 장군들이 사병화된 군대를 배
경으로 군인 정치가로 부상하였다. 즉 로마 동맹시 전쟁과 스파르
타쿠스 반란은 군인 정치가의 등장을 촉진했다. 원로원이 귀족파
대 평민파로 나뉘어 사병을 이끌고 싸우는 과정에서 군인들이 득
세하였다. 군인 정치가는 자신의 군사력을 기반으로 독재적인 지
배자가 되었다. 이들의 정권싸움이 내란으로 나타났다. 기원전 82
년에 술라는 종신독재관이 되었다.

제1차 삼두정치(기원전 60년)

술라 이후 군인 정치가 폼페이우스와 케사르, 대부호 크랏수스가 협력하여 원로원에 대항하는 제1차 삼두정치를 성립하였다. 폼페이우스는 동지중해 해적을 토벌하였다. 서아시아 원정을 나갔다. 그러나 시저와 폼페이우스와의 갈등이 일어났다. 시저는 폼페이우스를 제거하고 1인 지배자가 되었다.

<1인 지배와 암살>

케샤르(줄리어스 시저)는 1인 지배자가 되어 각종 사회정책을 추진하였다. 종신독재관을 비롯한 각종 특권과 특전이 그에게 부여되었다. 권력이 한 몸에 집중된 결과, 왕위를 탐내는 자로 의심을 받게 되어 기원전 44년에 공화주의자인 브루투스 일파에게 암살되었다.

제2차 삼두정치

옥타비아누스, 안토니우스, 레피두스가 연합하여 반 케사르 파에 대항하는 제2차 삼두정치를 구축(기원전 430년)하였다. 그러나 결국 옥타비아누스가 안토니우스와 이집트 클레오파트라 여왕의 연합세력을 기원전 31년에 악티움 해전에서 물리침으로써 100여 년의 로마 내전이 끝나게 되었다.

옥타비아누스는 양부 케사르의 비극을 상기하고 공화정의 전통을 존중하면서 자신의 권력을 강화시켰다. 즉 옥타비아누스는 공화정 회복을 구호로 내세웠다. 그러나 그는 군대와 재정에 관한 핵심적인 권한을 모두 장악하고 있었기 때문에 그의 지배는 1인 지배가 되었다. 새로운 제정시대를 열었다.

6) 로마의 평화

제국의 전반적인 안정을 위해 군대조직을 정비하였다(군인 정치가의 재등장을 막고자). 자신이 로마군의 최고통수권을 장악하였다. 기원전 27년 전시 모든 권한을 원로원에게 돌려주었다. 그러나 원로원은 다시 옥타비아누스에게 돌려주고 아우구스투스(존엄자)로 명칭하였다. 아우구스투스의 치세를 기반으로 로마 제국은 향후 200년 동안 로마의 평화를 누렸다.

로마 제국의 강력한 군사력과 물질적인 풍요, 뛰어난 행정력에 의해 통제된 평화였다. 로마 지배의 최대 관심사는 거대한 제국을 잘 통치하느냐의 문제였다. 일시적인 호도책과 강압적인 통제였다. 빈민들에게 무상으로 곡물을 배급하였고, 전차 경주와 검투 시합 등을 구경거리로 현실의 고통과 불만을 잊도록 만들었다. 강력한 군사력과 교묘한 행정력에 의해 억제됨으로써 유지된 평화였다.

2. 로마 문화와 헬레니즘

로마 공화국 후기와 로마제국의 문화는 헬라화의 과정의 큰 영향을 받았기 때문에 이전의 로마적인 요소는 사라져 버리거나, 변형된 형태로만 그 명맥을 유지했다. 로마에 대한 그리스의 영향은 다양하게 나타났다.

 1) 에투루리아 인들, 인근의 이웃 민족들, 그리고 로마의 초기부터의 대 군주들의 간접적인 중개를 통해서였다.

2) 시실리아나 이탈리아 남부에 있던 헬라와 된 도시나 그리스 식민지들로부터의 영향을 받았다.

3) 그리스를 정복하는 중에 로마의 상류 계층에 그리스식 교육이 유입됨으로써 이루어진 것이다.

4) 헬라화 된 동부 속주의 주민들이 서부로 이주하거나, 또는 노예나 군인으로, 또는 교역과 관련하여 이주함으로써 이루어진 것이었다.

가장 눈에 띄는 현상은 헬라어 보급의 확산이었다. 공화국 말기에는 지식층 로마인들은 라틴어뿐만 아니라 그리스어로 말하거나 읽을 수 있었다.

3. 로마의 문화의 특징

1) 로마 문화의 절충적 성격.

로마 문화의 일차적 추진력은 그리스 문화에서 왔다. 헬레니즘, 에트루리아, 이집트 등 선행하는 모든 문화를 다 흡수하여 폭과 깊이를 부여하여 더 종합적이며 보편적인 형태로 체계화하였다.

2) 로마 문화는 실제적인 문화이다. 실용가치를 존중한 문화 내용이었다.

광대한 제국력의 통치라는 엄청난 현실적 과업에 몰두해야만 했던 로마인에게는 문학, 예술, 학문 등 심미적이며 사색적인 분야에 탐닉할 여유가 없었다. 그들에게는 고매한 이상의 추구보다는 냉엄한 현실을 그리스 문화와 헬레니즘 문화를 모방하고 계승하는 데서 크게 벗어나지 못했던 것도 무리가 아니다.

3) 로마 문화의 교량적 역할.

그리스 및 그 이전의 고전 문명을 서방으로 옮기고, 오늘날의 유럽 중심부로 이식하여 이른바 유럽화를 달성하였다.

　4) 로마인들이 세계문화사상에 남긴 최대 업적은 공화정을 창제하였다는 것과 정치에 의한 세계통치였다.

즉 세계제국을 건설했다는 점이다. 그들은 진리와 이념의 탐구나 이론적인 사색, 예술적 창조보다도 현실문제의 해결을 더 중요시하였다.
　5) 인간성이라는 말을 처음으로 광범하게 적용하였다.
인격의 평등, 인도주의, 박애주의는 역사적으로 알렉산더 대왕 이래 헬레니즘에서 비롯되지만, 이를 조직적으로 그리고 또 법제화한 것은 모두 로마인의 인간성에서 나왔고, 이 사상을 길러낸 것도 로마인들이었다.

　6) 로마법의 발전

만민법 : 제정 초기 2～3세기 동안 각 지역의 풍부한 법사상과 학문의 영향을 받아 법률 자체의 미비점을 쇄신하여 자연법으로 통용되었다. 자연법은 자연계 이치처럼 영원불변하고 보편적인 법률이라는 뜻이다.

서로마제국의 정치 권력 구조가 와해된 이후 동 로마 제국의 유스티니아누스는 제국 내 저명한 법학자들을 모아 당시까지의 로마법을 집성하여 〈로마법대전〉을 완성하였다. 이 법전은 로마법의 금자탑으로 중세 교회법과 게르만 부족들의 성문법에도 영향을 주었고 근세 서유럽 국가들에 있어서의 법의 원천이 되었다.

7) 건축

희랍인의 건축처럼 우아하고 고상하지는 않았지만 그 장중하고 웅대한 규모는 감탄할 만하다. 건축에 있어서도 비실용적인 신전과 분묘보다는 실용적인 공공건물, 도로, 교량 상하수도, 콜로세움, 공공욕장, 개선문 등을 만들었다. 콜로세움은 150척의 높이에 4만 5천의 좌석을 구비하였다.

8) 로마 제국의 공용어는 그리스어와 라틴어였다.

동부 지중해 지역에서 주로 그리스어가, 라틴어는 로마가 새로 개척한 서부 지중해 지역에서 사용되었다. 프랑스어, 이태리어, 스페인어 등 라틴어에서 유래하였다. 영어도 라틴어 계통의 어휘가 많다. 이는 로마 시대 때 제국 내에 편입되지 않았던 게르만족이 독자적인 독일어 체계를 유지한 것과 대조되었다.

로마인은 헬레니즘 문화를 토대로 자신의 실용적인 문화를 가미하여 고대 문화를 종합했다. 로마의 문화는 그리스 문화와 항상 병행하였다. 미술, 건축도 아우구스투스의 르네상스는 그리스 영향의 부흥이었다. 로마시는 점차 헬레니즘적인 도시로 변해갔다.

4. 로마 제국 시대의 종교

1) 그리스인과 로마의 신들

그리스인들이 숭배하던 신들은 자양 속에서 역사하는 힘과 능력을 형체화 한 것이었다. 제우스는 번개와 천둥을 치게 하고, 포세이돈은 바다를 지배하여 폭풍을 일으키게 하며, 아폴로는 병을 보내기도 하고 치유하기도 하며, 아프로디테는 사랑을 일으키고 미를 상징한다.

로마인들이 숭배하던 신들은 그리스 신들과 비슷하다. 즉 주피터는 제우스와, 주피터의 배우자인 여신 주노는 헤라와, 비너스는 아프로디테와, 메르쿠르는 헤르마스와, 넵톤은 포세이돈과 비슷한 신이었다. 로마인들은 헬라 사람들이 다양하게 구성해 놓은 신화를 물려 받았다.

2) 로마의 종교와 이방 제의

일반적으로 로마의 종교는 다른 제의들에 대해 상당히 개방적이었다. 로마의 종교는 고대의 형태에서부터 혼합주의적이었다. 황제 제의 현상이 있었다. 그리스 동부에서는 통치자를 신의 현현으로 바라본 반면, 로마인들은 특별한 경우에만 출중한 인간 속에서 활동하는 초월적 능력들을 숭배하였다. 로마에서는 살아있는 황제가 신이라는 생각은 아주 천천히, 그리고 저항 가운데서 그 기반을 다져갔다. 로마 황제 제의는 황제가 사망한 후에 원로원이 그 황제를 신으로 선포하게 되면 때로 황제제의를 각 지방에서 지방 제의들과 병행하여 실시하였다.

3) 미트라스

미트라 신비 가르침(Mithraic Mysteries 또는 Mysteries of Mithras)은 미트라(Mithras)라는 신을 주된 신앙 대상으로 하는 신비 종교(mystery religion)이다. 미트라 신비 가르침은 기원후 1세기부터 4세기까지 로마 제국에서 로마 군인들 사이에서 널리 믿어진 컬트 종교였다. 로마인들은 또한 이 종교를 페르시아인의 신비 가르침(Mysteries of the Persians)이라고도 칭하였다. 현대의 역사가들은 이 종교를 미트라교(Mithraism)라고 부르며, 때로는 로마 미트라교(Roman Mithraism)라고도 한다.

로마인들은 미트라 신비 가르침이 페르시아의 어떤 신비 가르침 또는 조로아스터교에서 기원한 것이라고 여겼다. 그러나 1970년대 초 이후로 많은 학자들이 이러한 기원설에 대해 의문을 제기했으며 미트라 신비 가르침을 로마 제국의 종교 세계의 독특한 산물인 것으로 보고 있다.

신비 가르침

"비밀한 의식들 또는 교의들"을 뜻한다. 때문에 영어 Mysteries는 문맥에 따라 신비 가르침, 신비, 비의, 비전 전수 의식, 신비 제전, 신비 종교, 신비주의 종교, 밀의 종교 등으로 번역되고 있다. 이러한 어떤 "신비 가르침(Mystery)"을 따른 사람을 "미스테스(mystes)", 즉 신비가(mystic)라고 한다. 이 문맥에서 미스테스(신비가)는 "비전 전수를 받은 사람" 즉 비전가(initiate)를 뜻한다. "신비 가르침(Mysteries)"은 그 모든 종교적 활동이 비비전가들 또는 비 입문자들에게는 닫혀 있으며, 그 교의와 수행법이 일반 대중에게는 비밀로 되어 있는 컬트 종교를 뜻한다.

비전 계위

펠리시시무스의 오스티아 미트라에움의 모자이크 그림《수다》의 "미트라(Mithras)" 항목에서는 "여러 등급으로 이루어진 테스트를 거쳐 자신이 경건하고 독실하며 흔들림이 없는 사람이라는 것을 증명하기 전에는 그 누구도 그것(미트라 신비 가르침 또는 미트라 신비 가르침의 궁극적 진리)으로의 입문이 허락되지 않았다." 라고 말하고 있다. 나지안 조스의 그레고리우스(기원전 329년?~390년)는 "미트라 신비 가르침의 테스트"를 언급하였다. 미트라 신비 가르침의 비전에는 7 계위가 있었는데, 히에로니무스는 이들의 목록을 나열하고 있다.

신자의 자격

미트라교의 신자 목록, 즉 비전가 목록에는 여성이 들어있는 경우가 전혀 없기 때문에 일반적으로 미트라교는 남성만이 참가 가능했던 종교인 것으로 믿어지고 있다.

참 고 문 헌

주교재

문희석, 「구약성서 배경사」, 대한기독교서회, 2010.
노세영·박종수, 「고대 근동의 역사와 종교」, 대한기독교서회, 2009.
마르크 반 드 미에룹, 김구원 역, 「고대 근동 역사」, 기독교문서 선교회, 2011.
엄원식, 「구약성서 배경학」, 침신대출판부, 2005.
김영진, 「고대 근동의 역사문헌」, 한들출판사, 2005.
한민수, 「고대근동과 성경의 우상」, 기독교문서 선교회, 2018.
헬뮤트 퀴스터, 「신약성서 배경연구」, 은성출판사, 2009.
마틴 행엘, 임진수역, 「신구약 중간사」, 살림출판사, 2009.
레이몬드 설버그, 김의원역, 「신구약 중간사」, 기독교문서 선교회, 2011.
에두아르트 로제, 박창건역, 「신약성서 배경사」, 대한기독교출판사, 2010.

부교재

조병호, 「성경과 고대 전쟁」, 통독원, 2012.
조병호, 「성경과 5대 제국」, 통독원, 2012.
스티븐 피·랜캐스터·제임스 엠·만슨, 고세진역, 「고대 이스라엘 각 지방의 역사지리학」, 요단출판사, 2014.
존 브라이트, 엄성옥역, 「이스라엘의 역사」, 은성출판사, 2002.
권혁승, 「성서와 이스라엘」, 서울신학대학출판부, 2014.

이원희, 「성서 지도」, 지계석출판사, 2006.
이종형, 「에스라 성경 지도·자료·해설 모음집」, 에스라출판사, 2020.

김동일
서울신학대학교 및 동 신대원(M. Div.) 졸업
평택대학교 신학전문대학원(D. Min.) 졸업
현재 군산삼성교회 담임목사, 영남사이버대학교 신학과 교수
기독교대한성결교회 호성신학교 교수.

성서 배경의 역사

발 행 | 2024년 6월 17일
저 자 | 김동일
펴낸이 | 한건희
펴낸곳 | 주식회사 부크크
출판사등록 | 2014.07.15.(제2014-16호)
주 소 | 서울특별시 금천구 가산디지털1로 119 SK트윈타워 A동 305호
전 화 | 1670-8316
이메일 | info@bookk.co.kr

ISBN | 979-11-410-9014-2